# 非平稳时间序列 VB6.0 系统应用模型

旦木仁加甫　编著

黄 河 水 利 出 版 社

## 内 容 提 要

本书系统地介绍了基于 Windows 平台和参数方法而研制开发的单一水文站河流水文要素非平稳时间序列 Visual Basic 6.0 系统应用模型,主要内容包括:非平稳时间序列 Visual Basic 6.0 系统应用模型基本思路,时间序列值的输入与时间序列类型的确定,从非平稳时间序列中识别和提取趋势函数并进行趋势预报,用周期均值叠加分析、逐步回归周期分析和谐波分析三种方法从非平稳时间序列中识别和提取周期函数并进行周期预报,平稳时间序列分析计算与预报,非平稳时间序列最终分析计算、预报与保存,系统应用模型综合实例等。本书是一本实用性、可读性紧密结合的研究单一水文站河流水文要素非平稳时间序列分析预报技术的参考书和工具书。

本书可供从事中长期水文预报、水资源规划评价以及相关专业的工程技术和研究人员阅读、使用,亦可供其它领域从事非平稳时间序列分析预报技术的人员参考。

### 图书在版编目(CIP)数据

非平稳时间序列 VB6.0 系统应用模型 / 旦木仁加甫编著.
郑州:黄河水利出版社,2006.3
ISBN 7 – 80734 – 021 – 5

Ⅰ.非⋯ Ⅱ.旦⋯ Ⅲ.水文分析 – BASIC 语言 – 应用程序 Ⅳ.P333 – 39

中国版本图书馆 CIP 数据核字(2005)第 153523 号

组稿编辑:王路平 电话:0371– 66022212 E-mail:wlp@yrcp.com

出 版 社:黄河水利出版社
地址:河南省郑州市金水路 11 号 邮政编码:450003
发行单位:黄河水利出版社
发行部电话:0371–66026940 传真:0371–66022620
E-mail:yrcp@public.zz.ha.cn
承印单位:黄河水利委员会印刷厂
开本:787 mm × 1 092 mm 1 / 16
印张:13.75
字数:330 千字 印数:1—2 000
版次:2006 年 3 月第 1 版 印次:2006 年 3 月第 1 次印刷

书号:ISBN 7 – 80734 – 021 – 5 / P · 53 定价:32.00 元

# 前　言

　　近几年来，中长期水文预报在理论研究和生产实践方面有了长足的进展，但由于影响因素的复杂性和科学技术水平的限制，目前还处于探索、发展阶段，加上我国部分地区水文站网相对稀少，使得一些河流的部分支流甚至整条河流只设有一个水文站(如我国内陆区)，这给挑选有物理成因的中长期水文预报因子造成了客观困难。非平稳时间序列分析是解决单一水文站河流水文要素中长期预报的有效方法之一。

　　一个数学期望、方差、自相关函数等部分或全部统计特性随时间而变化的随机过程，称为非平稳随机过程，相应的时间序列称为非平稳时间序列。到目前为止，还没有分析非平稳时间序列数据的完整方法，通常把一类经过适当变换可用平稳过程表示的非平稳过程称为准平稳过程，以此作为实际物理过程的近似。常用的处理变换方法有参数方法和差分方法，本书只讨论参数方法。

　　本书利用面向对象的、结构化的 Visual Basic 6.0 可视化编程语言和基于参数方法的非平稳时间序列分析技术，建立了单一水文站河流水文要素中长期预报通用系统模型，即在创建水文要素数据库的基础上，研制开发了基于 Windows 平台的水文要素数据输入、分析、预报、输出一体化和人性化的操作简便、便于推广的非平稳时间序列 VB6.0 系统应用模型(反复进行了调试、验证)。

　　全书共分九章，主要内容有：第 1 章是全书的概论，主要介绍了非平稳时间序列 VB6.0 系统应用模型基本思路；第 2 章介绍了如何输入时间序列值并确定时间序列类型；第 3 章介绍了如何从非平稳时间序列中识别和提取趋势函数并进行趋势预报；第 4 章、第 5 章、第 6 章分别介绍了如何用周期均值叠加分析、逐步回归周期分析和谐波分析三种方法从时间序列中识别和提取周期函数并进行周期预报；第 7 章介绍了如何进行平稳时间序列分析计算与预报；第 8 章介绍了如何进行非平稳时间序列最终分析计算、预报与保存；第 9 章通过一个综合实例介绍了操作系统应用模型的详细过程。

　　全书主要特点和功能如下：

　　(1)系统应用模型用户界面由 1 个模块、7 个窗体和添加在窗体上的若干控件或控件数组组成，在每个窗体上编写了系统应用模型相对独立的一个 VB6.0 应用程序，第 2 章至第 8 章分别介绍了这 7 个应用程序。

　　(2)系统应用模型分为四个类型，即平稳时间序列以及数学期望时变、方差时变、数学期望与方差均时变的非平稳时间序列，其中后三类每类又分为 23 种模型形式，这样，加上平稳时间序列共有 70 种模型形式。模型形式的多样性，使预报方案呈现较广的优选范围。

　　(3)系统应用模型在运行过程中可以像 IE 网页一样顺、逆向翻页，即根据逻辑判断关系在 7 个应用程序之间相互切换。

　　(4)如果视平稳时间序列为非平稳时间序列的特例，则系统应用模型有两种运行流程，一是输入时间序列值、确定序列类型为平稳型、进行平稳时间序列分析计算、非平稳时间序列最终分析计算(含预报与保存)；二是输入时间序列值、确定序列类型为非平稳型、识别和提取趋势函数项、识别和提取周期函数项、对提取确定函数项后的余差序列进行平稳时间序列分析计算、非平稳时间序列最终分析计算(含预报与保存)。

(5)每个应用程序按分析计算原理与流程、用户界面设计、属性设置、通用或事件过程代码编写等步骤来介绍，且均配以实例说明了具体操作过程和适用条件。

(6)每个应用程序可分为输入时间序列值(或读取上一步应用程序所读取的时间序列，或读取上一步应用程序所产生的余差时间序列)、分析计算(或预报)、显示分析计算(或预报)结果、下一步(最后一个应用程序用来保存系统应用模型分析计算与预报结果)等四个过程，在每个过程中，突出了人机交互的人性化特点。

(7)系统应用模型有四种输入时间序列值的方式，即从顺序文本文件、Microsoft Access 数据库、Microsoft Excel 工作簿中读取时间序列值和从键盘输入时间序列值。

(8)由 Microsoft Access 数据库或 Microsoft Excel 工作簿读取时间序列值时，先通过引用 DAO 来访问和获取数据库(或工作簿)名称；接着通过 ADO 来链接所选定的 Microsoft Access 数据库或通过 DAO 来打开所选定的 Microsoft Excel 工作簿，用户可以选定其中一个数据表及数据表中的一个时间序列(对 Microsoft Access 数据表而言，是由 SQL 语句查询所需的时间序列值，并通过把 DataGrid 控件绑定到 ADO 来显示和获取查询结果)；最后把读取的时间序列值存放在模块级动态数组变量中，并显示在网格控件单元中。同时，对其它待创建的数据库留有一个接口，供后续开发使用。

(9)本书中部分事件过程代码可供不同应用程序共享，对此类代码只作一次介绍，在以后的内容中重现时，只指明了可参阅的章节。另外，对功能相同的代码，尽量不重复注释(除具有重要分析计算功能的代码之外)。

(10)为避免用户在人机交互过程中，输入错误信息而导致运行程序中断，在每个应用程序可能出错的代码前添加了错误捕获语句，当可捕获的错误发生时，应用程序就转而执行错误处理代码，用户可重新输入正确的信息，运行程序不会中断。

(11)用户可以随时终止系统应用模型的运行，系统应用模型终止运行前会提示是否确定要退出。

(12)系统应用模型实现了用户选定的某一显著性水平 $\alpha$ 下 $F$ 分布、$T$ 分布值的自动精确计算和相应显著性水平的自动检验。也就是说，省去了通过手工查算数理统计表来进行统计检验的工序。

(13)如果用户仅进行确定函数的识别与提取而未进行平稳时间序列分析计算，则系统应用模型会对未来 10 年的序列值进行预测，否则仅预测未来 1 年的序列值(如果用户想同步预测未来 10 年的序列值，则可以将下一年的序列预测值增补到非平稳时间序列中，再采用同样的系统应用模型形式来预测次年序列值，以此类推，可预测未来 10 年的序列值；但据经验分析，预见期不要超过 2~3 年，否则预测结果会失真)。

(14)每个应用程序采用屏幕显示的方式来输出分析计算(或预报)结果，用户可以随时拷贝屏幕，再以图形形式保存于自己的文档中。对系统应用模型最终分析计算与预报结果，用户可以用特定格式保存于顺序文本文件内。

（15）有两种保存系统应用模型分析计算与预报结果于顺序文本文件内的形式，一是保存主要分析计算过程与预报结果，二是保存详细分析计算过程与预报结果。

（16）每个系统应用模型形式都可用来建立单一水文站河流水文要素中长期预报方案。

（17）每个系统应用模型形式都可用来验证相应单一水文站河流水文要素中长期预报方案。

（18）系统应用模型适用条件：同时进行 $t$ 检验和 $F$ 检验时，要求样本容量不得超过500；用周期均值叠加分析法最多可识别 5 个周期波；进行逐步回归趋势或周期分析时，要求预报因子总数必须满足两个条件，一是防止出现数据运算溢出现象，二是防止因子之间因相关性强而使正规方程组产生病态或退化；进行平稳时间序列分析时选用的序列必须是平稳序列。

本书是作者承担的新疆维吾尔自治区科学技术厅少数民族科技骨干人才特殊培养科研启动专项资金项目"非平稳时间序列 VB6.0 应用系统研制与开发"的研究成果（项目编号 2005-26）。

由于非平稳时间序列分析预报及计算机技术发展迅速，加上作者水平有限，书中难免有缺点和错误，敬请各位专家和读者不吝赐教。

**旦木仁加甫**

2005 年 10 月 28 日于库尔勒

# 目 录

# 第 1 章　系统应用模型基本思路

## 1.1　时间序列类型

### 1.1.1　时间序列的概念及分类

对一个随机过程，在时间 $t_1 < t_2 < t_3$ … 上以时间 $t$ 为自变量排列而得的随机变量序列 $X_1$，$X_2$，$X_3$，…，称为时间序列；随机变量序列的 $n$ 次观测值 $x_1$，$x_2$，$x_3$，…，称为时间序列的 $n$ 个观测样本。本书只讨论在等距离时间间隔上取值的观测样本。

在实际问题中所能得到的数据只是时间序列的有限观测样本，所以时间序列分析的主要任务就是根据观测数据的特点为数据建立尽可能合理的统计模型，然后利用模型的统计特性去解释数据的统计规律，以期达到控制或预报的目的。

时间序列可分为平稳时间序列和非平稳时间序列两类。一个随机过程，如果它的数学期望、方差不随时间变化，且自相关函数仅仅是它们时间间隔的函数而与绝对时间无关，则称之为平稳随机过程，相应的时间序列称为平稳时间序列。所谓平稳时间序列分析，就是研究具有平稳性的一个时间序列在不同时间间隔之间自身线性相关关系的方法，所建立的模型称之为自回归方程，平稳时间序列分析的详细内容请参阅本书第 7 章。

在实际应用中，非常广泛的一类时间序列是非平稳的，也就是说，其数学期望、方差、自相关函数等部分或全部统计特性是随时间 $t$ 而变化的(统计特性中自相关函数可由协方差函数计算而得，故这里着重考虑数学期望和方差)。例如，大量水文时间序列的观测样本都表现出显著的趋势性、周期性和随机性，或者只表现出三者中的其二或其一，所以本书讨论和研究的重点是非平稳时间序列。

到目前为止，还没有分析各类非平稳数据的完整方法，通常把一类经过适当变换可用平稳过程表示的非平稳过程称为准平稳过程，以此作为实际物理过程的近似。处理非平稳时间序列的常用方法有两种即参数方法与差分方法，这里只讨论参数方法。

### 1.1.2　非平稳时间序列类型

处理非平稳时间序列的参数方法如下：先识别非平稳时间序列 $X(t)$ ($t=1$, 2, …, $n$, $n$ 即样本容量)所隐含的趋势函数 $QS(t)$、周期函数 $ZQ(t)$，然后对提取趋势函数项和周期函数项之后的余差序列进行平稳时间序列分析(平稳项用 $PW(t)$ 表示)，最后根据随时间而变化的非平稳时间序列统计性质类别，用加法模型、乘法模型或混合模型进行外延预报。

非平稳时间序列可分为三种类型：第一类是数学期望随时间变化的序列；第二类是方差随时间变化的序列；第三类是数学期望和方差都随时间变化的序列。

对数学期望随时间变化的非平稳时间序列 $X(t)$，应采用加法模型(用 $e(t)$ 表示噪声项）：

$$X(t) = QS(t) + ZQ(t) + PW(t) + e(t) \qquad (1\text{-}1)$$

对方差随时间变化的非平稳时间序列，采用乘法模型：

$$X(t) = (QS(t) + ZQ(t)) * PW(t) + e(t) \qquad (1\text{-}2)$$

对数学期望和方差都随时间变化的非平稳时间序列，采用混合模型：

$$X(t) = (QS(t) + ZQ(t)) * (1 + PW(t)) + e(t) \qquad (1\text{-}3)$$

在乘法模型和混合模型等式两侧取对数后，均可转化为加法模型，所以应重点掌握加法模型。那么，如何从非平稳时间序列中识别和提取趋势函数和周期函数呢？下面先介绍如何识别和提取趋势函数。识别和提取趋势函数的方法很多，这里介绍一元线性回归趋势分析和逐步回归趋势分析两种方法。

# 1.2  识别和提取趋势函数

## 1.2.1  一元线性回归趋势分析

在分析非平稳时间序列的趋势函数时，常用一元线性回归模型来拟合趋势项。所谓一元线性回归分析，就是研究具有线性关系的两个变量相关关系的方法。在识别和提取趋势函数时，通常将随时间 $x$ 而变化的非平稳时间序列 $Y(x)$ 与时间 $x$ 建立如下回归方程：

$$Y(x) = b_0 + b_1 * x + u(x) \qquad (x = 1, 2, \cdots, n) \qquad (1\text{-}4)$$

式中：$b_0$、$b_1$ 是待估的回归系数；$n$ 是样本容量；$u(x)$ 是除 $x$ 对 $Y(x)$ 线性影响之外的其它因素对 $Y(x)$ 的影响，称为随机误差。假设随机误差总体服从 $N(0, \sigma^2)$ 分布且相互独立，就可在 $x$、$Y(x)$ 的观测样本下以最小二乘法来估计 $b_0$、$b_1$。

非平稳时间序列 $Y(x)$ 所隐含的趋势函数估计值 $QS(t)$ 可由以下回归模型求得：

$$QS(x) = b_0 + b_1 * x \qquad (1\text{-}5)$$

回归效果的统计检验可由决定性系数 $r^2$、线性相关系数 $r$（$t$ 检验）、方差比 $F$、剩余标准差 $S_y$ 等样本统计量来进行分析。

一元线性回归趋势分析的详细内容请参阅本书第 3 章。

## 1.2.2  逐步回归趋势分析

在识别和提取非平稳时间序列的趋势函数时，还常采用下列关系式作为趋势函数项的近似拟合值：

$$X(t) = b_0 + b_1 t + b_2 t^2 + b_3 t^3 + b_4 t^4 + b_5 t^{-1} + b_6 t^{-2} + b_7 t^{-1/2} + b_8 t^{1/2} + b_9 e^t + b_{10} \ln t \qquad (1\text{-}6)$$

式中：$t = 1, 2, \cdots, n$，$n$ 是样本容量。

将上述关系式中 $t$、$t^2$、$t^3$、$t^4$、$t^{-1}$、$t^{-2}$、$t^{-1/2}$、$t^{1/2}$、$e^t$、$\ln t$ 等 10 项按时间 $t$ 的次序计算排列，可得到 10 个时间序列。将这 10 个时间序列与所分析的非平稳时间序列 $X(t)$ 建立多元逐步回归方程。若经逐步回归计算后，所估计的回归系数均为零，则可认为该非平稳时间序列无趋势项函数存在；否则可认为有趋势项函数存在，$X(t)$ 的具体形式就是非平稳时间序列所隐含的趋势项函数 $QS(t)$。

回归效果的统计检验可由复相关系数 $R$、方差比 $F$、剩余标准差 $S_y$ 等样本统计量来进行分析。

逐步回归趋势分析的详细内容请参阅本书第 3 章。

下面介绍如何从非平稳时间序列中识别和提取周期函数。识别和提取周期函数的方法很多，这里介绍周期均值叠加分析、逐步回归周期分析和谐波分析三种方法。

## 1.3　识别和提取周期函数

### 1.3.1　周期均值叠加分析

一个随时间变化的等时距非平稳时间序列观测样本，可以看成是有限个不同周期波叠加而成的过程。从样本序列中识别周期时，可以将序列分成若干组，当分组组数等于客观存在的周期长度时，组内各个数据的差异小，而组间各个数据的差异大；反之，如果组间差异显著大于组内差异时，序列就存在周期，其长度就是组间差异最大而组内差异最小的分组组数。通常一个序列的总体差异是固定的，组间差异增大，组内差异则减小。那么，组内差异比组间差异小到什么程度才算是显著呢？通常是用 $F$ 检验来进行判断。

如果非平稳时间序列不能通过给定信度的 $F$ 检验，则表明在这一信度水平上无周期存在。

如果通过给定信度的 $F$ 检验，则表明在这一信度水平上有周期存在，所对应的分组组数即为周期长度，对应于分组组数的各组的平均值即为第一周期波各年的振幅。

接着将所识别的第一周期波逐时的振幅按时间次序从序列起始时间排列至终止时间，就构成第一周期波序列，从样本序列中剔除第一周期波序列，便生成新序列，对新序列按上述步骤进行计算，可识别第二周期波。其余周期波的识别也以此类推，直到不能识别或者不想识别周期为止。然后对所识别出的各周期波外推叠加，即可进行预报。

周期均值叠加分析的详细内容请参阅本书第 4 章。

### 1.3.2　逐步回归周期分析

首先按周期均值叠加分析中的分组形式，将非平稳时间序列按样本观测次数 $n$ 分成 $K$ 组（$K=2$，$3$，$\cdots$，$\mathrm{Int}(n/2)$），分别计算 $K=2$，$3$，$\cdots$，$\mathrm{Int}(n/2)$ 时的各组组平均值；然后将各组组平均值按试验周期 $K$ 外延成长度为 $n$ 的序列，若取 $m=\mathrm{Int}(n/2)-1$，则可得到 $m$ 个长度为 $n$ 的序列，这 $m$ 个序列就构成了 $m$ 个因子。将这 $m$ 个因子与所分析的非平稳时间序列建立多元回归方程，用逐步回归分析法来估计其回归系数 $b_i(i=0,1,2,\cdots,m)$。若经逐步回归计算和统计检验后，所有的回归系数均为零，则可认为该非平稳时间序列无周期项函数存在；否则可认为有周期项函数存在。回归方程的具体形式就是非平稳时间序列与其所隐含的周期项之间的线性关系式，回归方程的因变量实际上就是非平稳时间序列所隐含的周期项函数 $ZQ(t)$ 的估计值，其中，从 $m$ 个因子中被选中的因子就是被识别和提取的隐含周期，第一个因子就是非平稳时间序列隐含的第一周期，余类推，

这些因子相应的 $K$ 值就是其周期长度。这就是非平稳时间序列逐步回归周期分析的基本思路。

回归效果的统计检验可由复相关系数 $R$、方差比 $F$、剩余标准差 $S_y$ 等样本统计量来进行分析。

逐步回归周期分析的详细内容请参阅本书第 5 章。

### 1.3.3 谐波分析

谐波分析法认为任一时间序列都可以分解为一系列的正弦波，例如，一个非平稳水文时间序列可以看成是由若干个正弦波叠加而成。通常正弦波有各种周期波动，这些波动是互相正交的，最长的周期等于序列的长度，这个正弦波称为基波，对应的周期称为基本周期；其余各正弦波称为谐波，其周期分别是基本周期的 1/2、1/3、1/4、…，其中最短的周期是序列相邻时间间隔的 2 倍。假如样本容量为 $n$ 的某水文时间序列 $X(t)$ 由 $m$ 个谐波叠加而成，则可得到对各个正弦波经过三角换算后的实际谐波计算公式：

$$X(t) = a(0) + \sum (a(k)*\cos(\omega(k),t) + b(k)*\sin(\omega(k),t)) \tag{1-7}$$

式中：$X(t)$ $(t=1, 2, \cdots, n)$ 为周期函数，其拟合值（即估计值）为周期函数 $ZQ(t)$；$k=1, 2, \cdots, m$，为谐波数；$\omega(k) = 2\pi k/n$，为角频率；$a(0)$、$a(k)$、$b(k)$ 是谐波系数，计算公式为：

$$a(0) = (1/n) \sum X(t) \tag{1-8}$$

$$a(k) = (2/n) \sum (X(t)*(\cos(2\pi kt)/n)) \tag{1-9}$$

$$b(k) = (2/n) \sum (X(t)*(\sin(2\pi kt)/n)) \tag{1-10}$$

由上式计算每个谐波的谐波系数，并在假设水文时间序列变量服从正态分布的条件下作 $F$ 检验，再将通过检验的谐波叠加起来可得到水文时间序列 $X(t)$ 的拟合序列即周期函数 $ZQ(t)$。

谐波分析的详细内容请参阅本书第 6 章。

## 1.4　平稳时间序列分析

以上分别介绍了如何从非平稳时间序列中识别和提取所隐含的趋势函数项和周期函数项，识别和提取趋势函数项和周期函数项之后，便可对非平稳时间序列的余差序列进行平稳时间序列分析了。

假设有一个平稳时间序列 $X(t)$ $(t=1, 2, \cdots, n, n$ 是序列长度$)$，则可把 $X(t)$ 表示为其前一个时间间隔到前 $k$ 个时间间隔的序列值与相应自回归系数乘积之和：

$$X(t) = \sum (B(k,i)*(X(t-i) - \bar{X})) + \bar{X} + a(t) \quad (i=1, 2, \cdots, k, t>k) \tag{1-11}$$

式中：$a(t)$ 是拟合误差（白色噪声），服从 $N(0, \sigma^2)$ 分布（假设与以往观测值无关）；$\bar{X}$ 是序列样本均值；$B(k,i)$ 是序列自回归系数；$k$ 为模型阶数，可用 $FPE$（最终预报误差）准则来识别。$X(t)$ 的具体形式就是平稳时间序列自回归方程，$X(t)$ 的计算值即为平稳项 $PW(t)$ 的估计值。

平稳时间序列分析详细内容请参阅本书第 7 章。

最后，根据随时间而变化的非平稳时间序列统计性质类别，用加法模型、乘法模型或混合模型对非平稳时间序列进行外延预报。

# 1.5 系统应用模型分类

以上介绍了从非平稳时间序列中识别和提取所隐含的趋势函数项和周期函数项之后，如何对其余差序列进行平稳时间序列分析，然后对非平稳时间序列进行外延预报。这就是本系统应用模型的基本思路。

但在实际应用中，用户不一定对时间序列都要进行趋势函数 $QS(t)$、周期函数 $ZQ(t)$、平稳函数 $PW(t)$ 的识别、提取和分析，有时可能只分析其中的两项或一项，何况大量时间序列的观测样本不一定都表现出显著的趋势性、周期性和随机性，有时只表现出三者中的其二或其一。所以，本系统应用模型在研制开发过程中充分考虑到了用户的这些要求，即根据用户确定的时间序列类型以及对时间序列趋势性、周期性和随机性的选定，本系统应用模型可分为平稳时间序列、数学期望随时间变化的非平稳时间序列、方差随时间变化的非平稳时间序列、数学期望与方差都随时间变化的非平稳时间序列等四大类，其中后三类每类又分为 23 种模型形式，这样，加上平稳时间序列共有 70 种模型形式，分述如下。

## 1.5.1 平稳时间序列

如果用户确定的时间序列类型是平稳时间序列，用 $FPW(t)$ 来表示时间序列的估计值，则系统应用模型形式为：

$$FPW(t) = PW(t) \qquad (1\text{-}12)$$

## 1.5.2 数学期望随时间变化的非平稳时间序列

如果用户确定的时间序列类型是数学期望随时间变化的非平稳时间序列，则系统应用模型形式可按以下方法分类。

1. 当仅识别和提取趋势函数时，分为两类：

(1) 用一元线性回归分析法来识别和提取趋势函数时，系统应用模型形式为：

$$FPW(t) = QS(t) \qquad (1\text{-}13)$$

(2) 用逐步回归趋势分析法来识别和提取趋势函数时，系统应用模型形式同式(1-13)。

2. 当仅识别和提取周期函数时，分为三类：

(1) 用周期均值叠加分析法来识别和提取周期函数时，系统应用模型形式为：

$$FPW(t) = ZQ(t) \qquad (1\text{-}14)$$

(2) 用逐步回归周期分析法来识别和提取周期函数时，系统应用模型形式同式(1-14)。

(3) 用谐波分析法来识别和提取周期函数时，系统应用模型形式同式(1-14)。

3. 当仅识别和提取平稳函数时, 系统应用模型形式同式(1-12)。

4. 当仅识别和提取趋势、周期函数时, 分为六类:

(1)用一元线性回归分析法来识别和提取趋势函数、用周期均值叠加分析法来识别和提取周期函数时, 系统应用模型形式为:

$$FPW(t) = QS(t) + ZQ(t) \tag{1-15}$$

(2)用一元线性回归分析法来识别和提取趋势函数、用逐步回归周期分析法来识别和提取周期函数时, 系统应用模型形式同式(1-15)。

(3)用一元线性回归分析法来识别和提取趋势函数、用谐波分析法来识别和提取周期函数时, 系统应用模型形式同式(1-15)。

(4)用逐步回归趋势分析法来识别和提取趋势函数、用周期均值叠加分析法来识别和提取周期函数时, 系统应用模型形式同式(1-15)。

(5)用逐步回归趋势分析法来识别和提取趋势函数、用逐步回归周期分析法来识别和提取周期函数时, 系统应用模型形式同式(1-15)。

(6)用逐步回归趋势分析法来识别和提取趋势函数、用谐波分析法来识别和提取周期函数时, 系统应用模型形式同式(1-15)。

5. 当仅识别和提取周期、平稳函数时, 分为三类:

(1)用周期均值叠加分析法来识别和提取周期函数时, 系统应用模型形式为:

$$FPW(t) = ZQ(t) + PW(t) \tag{1-16}$$

(2)用逐步回归周期分析法来识别和提取周期函数时, 系统应用模型形式同式(1-16)。

(3)用谐波分析法来识别和提取周期函数时, 系统应用模型形式同式(1-16)。

6. 当仅识别和提取趋势、平稳函数时, 分为两类:

(1)用一元线性回归分析法来识别和提取趋势函数时, 系统应用模型形式为:

$$FPW(t) = QS(t) + PW(t) \tag{1-17}$$

(2)用逐步回归趋势分析法来识别和提取趋势函数时, 系统应用模型形式同式(1-17)。

7. 当趋势、周期、平稳函数均已被识别和提取时, 分为六类:

(1)用一元线性回归分析法来识别和提取趋势函数、用周期均值叠加分析法来识别和提取周期函数时, 系统应用模型形式为:

$$FPW(t) = QS(t) + ZQ(t) + PW(t) \tag{1-18}$$

(2)用一元线性回归分析法来识别和提取趋势函数、用逐步回归周期分析法来识别和提取周期函数时, 系统应用模型形式同式(1-18)。

(3)用一元线性回归分析法来识别和提取趋势函数、用谐波分析法来识别和提取周期函数时, 系统应用模型形式同式(1-18)。

(4)用逐步回归趋势分析法来识别和提取趋势函数、用周期均值叠加分析法来识别和提取周期函数时, 系统应用模型形式同式(1-18)。

(5)用逐步回归趋势分析法来识别和提取趋势函数、用逐步回归周期分析法来识别和提取周期函数时, 系统应用模型形式同式(1-18)。

(6)用逐步回归趋势分析法来识别和提取趋势函数、用谐波分析法来识别和提取周期函数时，系统应用模型形式同式(1-18)。

### 1.5.3　方差随时间变化的非平稳时间序列

如果用户确定的时间序列类型是方差随时间变化的非平稳时间序列，则系统应用模型形式可按以下方法分类。

1. 当仅识别和提取趋势函数时，由于用户未进行平稳时间序列分析计算，时间序列类型由方差随时间变化型转换为数学期望随时间变化型，且分为两类：

(1)用一元线性回归分析法来识别和提取趋势函数时，系统应用模型形式同式(1-13)。

(2)用逐步回归趋势分析法来识别和提取趋势函数时，系统应用模型形式同式(1-13)。

2. 当仅识别和提取周期函数时，由于用户未进行平稳时间序列分析计算，时间序列类型由方差随时间变化型转换为数学期望随时间变化型，且分为三类：

(1)用周期均值叠加分析法来识别和提取周期函数时，系统应用模型形式同式(1-14)。

(2)用逐步回归周期分析法来识别和提取周期函数时，系统应用模型形式同式(1-14)。

(3)用谐波分析法来识别和提取周期函数时，系统应用模型形式同式(1-14)。

3. 当仅识别和提取平稳函数时，时间序列类型由方差随时间变化型转换为数学期望随时间变化型，系统应用模型形式同式(1-12)。

4. 当仅识别和提取趋势、周期函数时，由于用户未进行平稳时间序列分析计算，时间序列类型由方差随时间变化型转换为数学期望随时间变化型，且分为六类：

(1)用一元线性回归分析法来识别和提取趋势函数、用周期均值叠加分析法来识别和提取周期函数时，系统应用模型形式同式(1-15)。

(2)用一元线性回归分析法来识别和提取趋势函数、用逐步回归周期分析法来识别和提取周期函数时，系统应用模型形式同式(1-15)。

(3)用一元线性回归分析法来识别和提取趋势函数、用谐波分析法来识别和提取周期函数时，系统应用模型形式同式(1-15)。

(4)用逐步回归趋势分析法来识别和提取趋势函数、用周期均值叠加分析法来识别和提取周期函数时，系统应用模型形式同式(1-15)。

(5)用逐步回归趋势分析法来识别和提取趋势函数、用逐步回归周期分析法来识别和提取周期函数时，系统应用模型形式同式(1-15)。

(6)用逐步回归趋势分析法来识别和提取趋势函数、用谐波分析法来识别和提取周期函数时，系统应用模型形式同式(1-15)。

5. 当仅识别和提取周期、平稳函数时，分为三类：

(1)用周期均值叠加分析法来识别和提取周期函数时，系统应用模型形式为：

$$FPW(t) = ZQ(t) * PW(t) \qquad (1-19)$$

(2)用逐步回归周期分析法来识别和提取周期函数时，系统应用模型形式同式(1-19)。

(3)用谐波分析法来识别和提取周期函数时，系统应用模型形式同式(1-19)。

6. 当仅识别和提取趋势、平稳函数时，分为两类：

(1)用一元线性回归分析法来识别和提取趋势函数时，系统应用模型形式为：

$$FPW(t) = QS(t) * PW(t) \tag{1-20}$$

(2)用逐步回归趋势分析法来识别和提取趋势函数时，系统应用模型形式同式(1-20)。

7. 当趋势、周期、平稳函数均已被识别和提取时，分为六类：

(1)用一元线性回归分析法来识别和提取趋势函数、用周期均值叠加分析法来识别和提取周期函数时，系统应用模型形式为：

$$FPW(t) = (QS(t) + ZQ(t)) * PW(t) \tag{1-21}$$

(2)用一元线性回归分析法来识别和提取趋势函数、用逐步回归周期分析法来识别和提取周期函数时，系统应用模型形式同式(1-21)。

(3)用一元线性回归分析法来识别和提取趋势函数、用谐波分析法来识别和提取周期函数时，系统应用模型形式同式(1-21)。

(4)用逐步回归趋势分析法来识别和提取趋势函数、用周期均值叠加分析法来识别和提取周期函数时，系统应用模型形式同式(1-21)。

(5)用逐步回归趋势分析法来识别和提取趋势函数、用逐步回归周期分析法来识别和提取周期函数时，系统应用模型形式同式(1-21)。

(6)用逐步回归趋势分析法来识别和提取趋势函数、用谐波分析法来识别和提取周期函数时，系统应用模型形式同式(1-21)。

### 1.5.4 数学期望和方差随时间变化的非平稳时间序列

如果用户确定的时间序列类型是数学期望和方差都随时间变化的非平稳时间序列，则系统应用模型形式可按以下方法分类。

1. 当仅识别和提取趋势函数时，由于用户未进行平稳时间序列分析计算，时间序列类型由数学期望和方差随时间变化型转换为数学期望随时间变化型，且分为两类：

(1)用一元线性回归分析法来识别和提取趋势函数时，系统应用模型形式同式(1-13)。

(2)用逐步回归趋势分析法来识别和提取趋势函数时，系统应用模型形式同(1-13)。

2. 当仅识别和提取周期函数时，由于用户未进行平稳时间序列分析计算，时间序列类型由数学期望和方差随时间变化型转换为数学期望随时间变化型，且分为三类：

(1)用周期均值叠加分析法来识别和提取周期函数时，系统应用模型形式同式(1-14)。

(2)用逐步回归周期分析法来识别和提取周期函数时，系统应用模型形式同式(1-14)。

(3)用谐波分析法来识别和提取周期函数时，系统应用模型形式同式(1-14)。

　　3．当仅识别和提取平稳函数时，时间序列类型由数学期望和方差随时间变化型转换为数学期望随时间变化型，系统应用模型形式同式(1-12)。

　　4．当仅识别和提取趋势、周期函数时，由于用户未进行平稳时间序列分析计算，时间序列类型由数学期望和方差随时间变化型转换为数学期望随时间变化型，且分为六类：

　　(1)用一元线性回归分析法来识别和提取趋势函数、用周期均值叠加分析法来识别和提取周期函数时，系统应用模型形式同式(1-15)。

　　(2)用一元线性回归分析法来识别和提取趋势函数、用逐步回归周期分析法来识别和提取周期函数时，系统应用模型形式同式(1-15)。

　　(3)用一元线性回归分析法来识别和提取趋势函数、用谐波分析法来识别和提取周期函数时，系统应用模型形式同式(1-15)。

　　(4)用逐步回归趋势分析法来识别和提取趋势函数、用周期均值叠加分析法来识别和提取周期函数时，系统应用模型形式同式(1-15)。

　　(5)用逐步回归趋势分析法来识别和提取趋势函数、用逐步回归周期分析法来识别和提取周期函数时，系统应用模型形式同式(1-15)。

　　(6)用逐步回归趋势分析法来识别和提取趋势函数、用谐波分析法来识别和提取周期函数时，系统应用模型形式同式(1-15)。

　　5．当仅识别和提取周期、平稳函数时，分为三类：

　　(1)用周期均值叠加分析法来识别和提取周期函数时，系统应用模型形式为：

$$FPW(t) = ZQ(t) * (1 + PW(t)) \tag{1-22}$$

　　(2)用逐步回归周期分析法来识别和提取周期函数时，系统应用模型形式同式(1-22)。

　　(3)用谐波分析法来识别和提取周期函数时，系统应用模型形式同式(1-22)。

　　6．当仅识别和提取趋势、平稳函数时，分为两类：

　　(1)用一元线性回归分析法来识别和提取趋势函数时，系统应用模型形式为：

$$FPW(t) = QS(t) * (1 + PW(t)) \tag{1-23}$$

　　(2)用逐步回归趋势分析法来识别和提取趋势函数时，系统应用模型形式同式(1-23)。

　　7．当趋势、周期、平稳函数均已被识别和提取时，分为六类：

　　(1)用一元线性回归分析法来识别和提取趋势函数、用周期均值叠加分析法来识别和提取周期函数时，系统应用模型形式为：

$$FPW(t) = (QS(t) + ZQ(t)) * (1 + PW(t)) \tag{1-24}$$

　　(2)用一元线性回归分析法来识别和提取趋势函数、用逐步回归周期分析法来识别和提取周期函数时，系统应用模型形式同式(1-24)。

　　(3)用一元线性回归分析法来识别和提取趋势函数、用谐波分析法来识别和提取周期函数时，系统应用模型形式同式(1-24)。

　　(4)用逐步回归趋势分析法来识别和提取趋势函数、用周期均值叠加分析法来识别和提取周期函数时，系统应用模型形式同式(1-24)。

　　(5)用逐步回归趋势分析法来识别和提取趋势函数、用逐步回归周期分析法来识别和提取周期函数时，系统应用模型形式同式(1-24)。

　　(6)用逐步回归趋势分析法来识别和提取趋势函数、用谐波分析法来识别和提取周期函数时，系统应用模型形式同式(1-24)。

　　以上介绍了本系统应用模型的四个类型以及每个类型可能包含的不同模型形式，值得注意的是，对后两个类型，当用户未进行平稳时间序列分析计算或仅识别和提取平稳函数时，时间序列类型将由方差随时间变化型或数学期望、方差随时间变化型自动转换为数学期望随时间变化型(由本章 1.1.2 节可见，如果不转换类型，乘法模型和混合模型的计算就会失去意义)。

　　从本书下一章开始，将介绍本系统应用模型数据的输入、分析、计算、预报、保存等详细过程。

# 第 2 章　　时间序列值的输入与时间序列类型的确定

任何系统模型都有信息输入、系统模型运行、信息输出三个过程,本系统应用模型也不例外,有时间序列值的输入、根据时间序列过程线图确定时间序列类型和进行时间序列分析计算与预报、输出预报结果三个过程。本章重点介绍时间序列值的四种输入方式以及如何根据时间序列过程线图来确定时间序列的类型。

## 2.1　　输入时间序列值

本系统应用模型有四种输入时间序列值的方式,即从顺序文本文件、Microsoft Access 数据库、Microsoft Excel 工作簿中读取时间序列值和从键盘输入时间序列值,现分别介绍如下(具体操作过程详见本书有关章节后的应用程序实例):

(1)以顺序文本文件方式输入时间序列值的步骤:新建一个如图 2-1 所示的 Microsoft "记事本",在第一行记录内输入时间序列开始年份和序列名称,第二行记录内输入逐年时间序列值(可以在一条记录内输完所有逐年时间序列值,也可以分若干条记录来输入,每条记录的序列值总数是没有限制的),输入完序列值,命名顺序文本文件并保存在文件夹"D:\Database"中。

运行本系统应用模型,在初始画面选定主菜单项【输入数据】、一级子菜单项【顺序文本文件】,弹出一个要求选定顺序文本文件名的通用对话框,从中选择一个用户所建立的顺序文本文件,按下【打开】按钮,便在网格单元中显示所读取的逐年序列值。

图 2-1　顺序文本文件(Microsoft "记事本")

(2)以 Microsoft Access 数据库方式输入时间序列值的步骤:新建一个 Microsoft Access 数据库,并命名(如命名为"巴州主要河流水文站月年平均流量"),接着在数据库中建立如图 2-2、图 2-3 所示的数据表(实为一个表,为显示方便分为两个表,且"年份"字段为主键),并命名(如命名为"大山口水文站月年平均流量"),最后保存在文件夹"D:\Database"中。

非平稳时间序列 VB6.0 系统应用模型

大山口水文站月年平均流量：表

| 年份 | 大1月 | 大2月 | 大3月 | 大4月 | 大5月 | 大6月 | 大7月 | 大8月 | 大9月 | 大10月 | 大11月 | 大12月 | 大年平均流量 | 大年径流量 |
|---|---|---|---|---|---|---|---|---|---|---|---|---|---|---|
| 1955 | 49.8 | 46.6 | 48.3 | 107 | 143 | 147 | 278 | 238 | 140 | 96.6 | 68.6 | 53.2 | 119 | 37.41 |
| 1956 | 38.7 | 36 | 37.9 | 134 | 193 | 214 | 271 | 215 | 123 | 87.5 | 62.5 | 46 | 122 | 38.58 |
| 1957 | 37.7 | 33.4 | 41.8 | 82.6 | 88.5 | 162 | 188 | 162 | 113 | 66.7 | 47.4 | 38.1 | 88.8 | 28 |
| 1958 | 52.4 | 50.9 | 46.6 | 98.2 | 91.7 | 209 | 361 | 315 | 202 | 118 | 80.1 | 62 | 141 | 44.47 |
| 1959 | 56.2 | 59 | 53.4 | 154 | 175 | 214 | 299 | 211 | 138 | 94.5 | 68.3 | 57.2 | 132 | 41.66 |
| 1960 | 59.3 | 56.4 | 53.2 | 101 | 142 | 209 | 213 | 145 | 109 | 85.1 | 57.3 | 47.7 | 107 | 33.71 |
| 1961 | 44.6 | 41.4 | 47.4 | 113 | 117 | 124 | 151 | 201 | 97.7 | 78.8 | 64.9 | 53.6 | 94.8 | 29.88 |
| 1962 | 49.3 | 41.5 | 52.9 | 87.5 | 92 | 115 | 140 | 245 | 112 | 83.8 | 55.7 | 48.5 | 94 | 29.66 |
| 1963 | 42.3 | 38.8 | 45.6 | 88.8 | 182 | 217 | 175 | 227 | 121 | 96.8 | 72.3 | 49.4 | 113 | 35.77 |
| 1964 | 40.4 | 39.3 | 43.3 | 106 | 160 | 209 | 205 | 211 | 145 | 91.9 | 63.1 | 49.5 | 114 | 35.99 |
| 1965 | 46.3 | 46.4 | 51.7 | 110 | 122 | 147 | 199 | 182 | 111 | 83.5 | 62.7 | 47.2 | 101 | 31.75 |
| 1966 | 45.7 | 45.8 | 46.7 | 106 | 129 | 200 | 156 | 177 | 142 | 92.1 | 58.6 | 47.2 | 104 | 32.81 |
| 1967 | 42.4 | 41.4 | 45.9 | 114 | 162 | 134 | 134 | 136 | 122 | 79.9 | 54.9 | 44.3 | 92.8 | 29.26 |
| 1968 | 42.8 | 38.2 | 47.7 | 91.1 | 111 | 232 | 200 | 126 | 87.2 | 77.5 | 60.2 | 50.2 | 97.1 | 30.7 |
| 1969 | 39.1 | 39.1 | 43.7 | 116 | 157 | 264 | 232 | 173 | 107 | 91.9 | 64.7 | 54.1 | 116 | 36.36 |
| 1970 | 46.7 | 42.5 | 43.5 | 85.3 | 169 | 138 | 311 | 280 | 120 | 90.1 | 67.9 | 54.1 | 122 | 38.31 |
| 1971 | 45 | 41.3 | 48.5 | 137 | 143 | 156 | 349 | 291 | 205 | 137 | 104 | 74.4 | 145 | 45.75 |
| 1972 | 47.1 | 45.1 | 50 | 114 | 172 | 153 | 203 | 257 | 152 | 104 | 74.5 | 55.9 | 119 | 37.73 |
| 1973 | 45 | 49 | 53.2 | 138 | 146 | 210 | 204 | 176 | 114 | 85.3 | 65.8 | 46.3 | 111 | 35.1 |
| 1974 | 47 | 44.3 | 42.6 | 108 | 86.6 | 93.7 | 149 | 129 | 116 | 77.6 | 61.1 | 39.6 | 83.1 | 26.2 |
| 1975 | 36.2 | 34.7 | 38.7 | 88.7 | 101 | 181 | 198 | 161 | 104 | 81 | 56.3 | 39 | 93.5 | 29.47 |
| 1976 | 39.6 | 39.2 | 41.9 | 92.1 | 181 | 215 | 235 | 131 | 91.8 | 75.1 | 55.3 | 45.5 | 104 | 32.82 |
| 1977 | 42.6 | 43.3 | 43.7 | 133 | 96 | 153 | 140 | 119 | 111 | 74.4 | 59.8 | 45.6 | 88.5 | 27.92 |
| 1978 | 40 | 37.8 | 41.7 | 89 | 99.9 | 241 | 152 | 155 | 114 | 73.4 | 54.8 | 43.4 | 95.3 | 30.04 |
| 1979 | 38.7 | 38.6 | 39.4 | 96 | 95 | 187 | 175 | 155 | 92 | 88.8 | 54.3 | 46.5 | 92.5 | 29.18 |
| 1980 | 44.1 | 44.5 | 44.6 | 158 | 290 | 165 | 150 | 150 | 113 | 92.7 | 70.3 | 52.1 | 115 | 36.4 |

记录: |◄ ◄ 50 ► ►| ►* 共有记录数: 50

图 2-2　Microsoft Access 数据库中的数据表格式（一）

大山口水文站月年平均流量：表

| 年份 | 大1月 | 大2月 | 大3月 | 大4月 | 大5月 | 大6月 | 大7月 | 大8月 | 大9月 | 大10月 | 大11月 | 大12月 | 大年平均流量 | 大年径流量 |
|---|---|---|---|---|---|---|---|---|---|---|---|---|---|---|
| 1980 | 44.1 | 44.5 | 44.6 | 158 | 290 | 165 | 150 | 150 | 113 | 92.7 | 70.3 | 52.1 | 115 | 36.4 |
| 1981 | 48 | 42.5 | 46.5 | 92 | 137 | 148 | 198 | 152 | 91.2 | 76.4 | 52.3 | 44.2 | 94.5 | 29.8 |
| 1982 | 44.3 | 44.6 | 43.8 | 112 | 151 | 215 | 177 | 164 | 125 | 89 | 64.6 | 46.8 | 107 | 33.7 |
| 1983 | 43.6 | 42.3 | 44.7 | 78.6 | 119 | 173 | 146 | 155 | 110 | 74.4 | 52.4 | 48.8 | 90.9 | 28.7 |
| 1984 | 41.6 | 43.1 | 42.6 | 92.9 | 154 | 193 | 141 | 120 | 82 | 69.5 | 51.5 | 36.5 | 89.1 | 28.2 |
| 1985 | 33.2 | 35.6 | 40.7 | 115 | 175 | 193 | 131 | 141 | 78.9 | 66.8 | 48.6 | 41 | 92 | 29 |
| 1986 | 39.6 | 37 | 38.3 | 75 | 86.7 | 145 | 154 | 127 | 77 | 65 | 51.2 | 38 | 78 | 24.6 |
| 1987 | 39.1 | 36.3 | 39.1 | 85 | 115 | 220 | 318 | 155 | 90.6 | 72 | 52.4 | 47.9 | 106 | 33.5 |
| 1988 | 46.3 | 44.2 | 42.3 | 96.7 | 180 | 180 | 153 | 177 | 110 | 78.3 | 57.3 | 45.3 | 101 | 31.9 |
| 1989 | 43 | 40.1 | 40.9 | 77.1 | 142 | 128 | 183 | 186 | 211 | 101 | 63 | 51.2 | 106 | 33.42 |
| 1990 | 45.3 | 43.5 | 46.4 | 94.9 | 188 | 173 | 173 | 118 | 89.9 | 67 | 52.9 | 46.1 | 95.3 | 30.02 |
| 1991 | 41.3 | 43.1 | 41.7 | 84.6 | 124 | 147 | 243 | 264 | 112 | 85.5 | 62 | 44.9 | 108 | 34.18 |
| 1992 | 51.3 | 48.7 | 44.5 | 96.9 | 159 | 246 | 226 | 147 | 90.4 | 78.3 | 63.1 | 51.5 | 109 | 34.41 |
| 1993 | 54.1 | 54.6 | 50.7 | 114 | 101 | 184 | 182 | 160 | 107 | 80 | 73.5 | 51.5 | 101 | 31.92 |
| 1994 | 53.2 | 47.5 | 52 | 88.1 | 152 | 277 | 295 | 196 | 157 | 101 | 89.9 | 67.2 | 132 | 41.54 |
| 1995 | 59.7 | 54 | 55.4 | 93 | 99.2 | 137 | 158 | 136 | 111 | 74.4 | 68.1 | 63.4 | 92.7 | 29.23 |
| 1996 | 65.1 | 49.6 | 50.9 | 114 | 212 | 193 | 252 | 248 | 113 | 89.9 | 83.6 | 66.3 | 129 | 40.65 |
| 1997 | 67.9 | 55.1 | 57.4 | 186 | 125 | 175 | 227 | 152 | 135 | 86.2 | 77.3 | 71.6 | 118 | 37.28 |
| 1998 | 66 | 67.1 | 63.2 | 105 | 169 | 268 | 200 | 208 | 138 | 107 | 91 | 79.5 | 130 | 41.15 |
| 1999 | 70.5 | 65.4 | 65.9 | 107 | 139 | 188 | 356 | 380 | 175 | 120 | 93.6 | 73.4 | 154 | 48.46 |
| 2000 | 78 | 60.3 | 63.8 | 131 | 159 | 337 | 344 | 296 | 164 | 127 | 89.3 | 68.6 | 159 | 50.43 |
| 2001 | 86.7 | 76.3 | 77.2 | 144 | 137 | 173 | 204 | 204 | 185 | 127 | 85.3 | 75.4 | 135 | 42.59 |
| 2002 | 76.5 | 65.7 | 70.4 | 127 | 182 | 389 | 413 | 371 | 154 | 113 | 119 | 82.7 | 181 | 57.1 |
| 2003 | 86.6 | 72.9 | 54.4 | 102 | 158 | 193 | 191 | 154 | 128 | 96.2 | 89.9 | 80.7 | 117 | 37.02 |
| 2004 | 72.3 | 64.4 | 64.4 | 129 | 101 | 145 | 200 | 179 | 121 | 82.4 | 90.5 | 75.5 | 110 | 34.92 |
| * | 0 | 0 | 0 | 0 | 0 | 0 | 0 | 0 | 0 | 0 | 0 | 0 | 0 | 0 |

记录: |◄ ◄ 50 ► ►| ►* 共有记录数: 50

图 2-3　Microsoft Access 数据库中的数据表格式（二）

运行本系统应用模型，在初始画面选定主菜单项【输入数据】、一级子菜单项【数据库】、二级子菜单项【Microsoft Access】，会显示一个时间序列查询图，按下图中的【浏览】按钮，在弹出的通用对话框中选择一个 Microsoft Access 数据库文件名，按下【打开】按钮，便在【浏览】按钮左侧的文本框中显示所选定的数据库文件名；接着，在标签框"选择时间序列所在的数据表名称"下侧组合框中选择一个数据表名称，按下【显示可选项】按钮，再通过标签框"开始"、"结束"右侧的下拉式列表框来选定序列统计年限，并在标签框"选择时间序列"下侧的列表框中选定一个时间序列，按下【确认选择结果】按钮，则会弹出时间序列选定完毕提示框，按下提示框中的【确定】按钮和查询图中的【关闭】按钮，便在网格单元中显示所读取的逐年序列值。注意：在上述时间序列查询过程中，如果用户操作步骤不当或不完整，本系统应用程序会随时提示。

（3）以 Microsoft Excel 工作簿方式输入时间序列值的步骤：新建一个 Microsoft Excel 工作簿，并命名(如命名为"巴州主要河流水文站月年平均流量")，接着在工作簿中建立如图 2-4 所示的 Excel 电子表格，并命名(如命名为"大山口水文站月年平均流量")，最后保存在文件夹"D:\Database"中。读取时间序列值的方式与 Microsoft Access 数据库相同。

| 年份 | 大1月 | 大2月 | 大3月 | 大4月 | 大5月 | 大6月 | 大7月 | 大8月 | 大9月 | 大10月 | 大11月 | 大12月 | 大年平均流量 | 大年径流量 |
|---|---|---|---|---|---|---|---|---|---|---|---|---|---|---|
| 1955 | 49.8 | 46.6 | 48.3 | 107 | 143 | 147 | 278 | 238 | 140 | 96.6 | 68.6 | 53.2 | 119 | 37.41 |
| 1956 | 38.7 | 36 | 37.9 | 134 | 193 | 214 | 271 | 215 | 123 | 87.5 | 62.5 | 46 | 122 | 38.58 |
| 1957 | 37.7 | 33.4 | 41.8 | 82.6 | 88.5 | 162 | 188 | 162 | 113 | 66.7 | 47.4 | 38.1 | 88.8 | 28 |
| 1958 | 52.4 | 50.9 | 46.6 | 98.2 | 91.7 | 209 | 361 | 315 | 202 | 118 | 80.1 | 62 | 141 | 44.47 |
| 1959 | 56.2 | 59 | 53.4 | 154 | 175 | 214 | 299 | 211 | 138 | 94.5 | 68.3 | 57.2 | 132 | 41.66 |
| 1960 | 59.3 | 56.4 | 53.2 | 101 | 142 | 209 | 213 | 145 | 109 | 85.1 | 57.3 | 47.7 | 107 | 33.71 |
| 1961 | 44.6 | 41.4 | 47.4 | 113 | 117 | 124 | 151 | 201 | 97.7 | 78.8 | 64.9 | 53.6 | 94.8 | 29.88 |
| 1962 | 49.3 | 41.5 | 52.9 | 87.5 | 92 | 115 | 140 | 245 | 112 | 83.8 | 55.7 | 48.5 | 94 | 29.66 |
| 1963 | 42.3 | 38.8 | 45.6 | 88 | 182 | 217 | 175 | 227 | 121 | 96.8 | 72.3 | 49.4 | 113 | 35.77 |
| 1964 | 40.4 | 39.3 | 43.3 | 106 | 160 | 209 | 205 | 211 | 145 | 91.9 | 63.1 | 49.5 | 114 | 35.99 |
| 1965 | 46.3 | 46.4 | 51.7 | 110 | 122 | 147 | 199 | 182 | 111 | 83.5 | 62.7 | 42.6 | 101 | 31.75 |
| 1966 | 45.7 | 45.8 | 46.7 | 106 | 129 | 200 | 156 | 177 | 142 | 92.1 | 58.6 | 47.2 | 104 | 32.81 |
| 1967 | 42.4 | 41.4 | 45.9 | 114 | 162 | 134 | 134 | 136 | 122 | 79.9 | 54.9 | 44.3 | 92.8 | 29.26 |
| 1968 | 42.8 | 38.2 | 47.7 | 91.1 | 111 | 232 | 200 | 126 | 87.2 | 77.5 | 60.2 | 50.2 | 97.1 | 30.7 |
| 1969 | 39.1 | 39.1 | 43.7 | 116 | 157 | 264 | 232 | 173 | 107 | 91.9 | 64.7 | 51.4 | 116 | 36.36 |
| 1970 | 46.7 | 42.5 | 43.5 | 85.3 | 169 | 138 | 311 | 280 | 120 | 90.1 | 67.9 | 54.1 | 122 | 38.31 |
| 1971 | 45 | 41.3 | 48.5 | 137 | 143 | 156 | 349 | 291 | 205 | 137 | 104 | 74.4 | 145 | 45.75 |
| 1972 | 47.1 | 45.1 | 50 | 114 | 172 | 153 | 203 | 257 | 152 | 104 | 74.5 | 55.9 | 119 | 37.73 |
| 1973 | 45 | 49 | 53.2 | 138 | 146 | 210 | 204 | 176 | 114 | 85.3 | 65.8 | 46.3 | 111 | 35.1 |
| 1974 | 47 | 44.3 | 42.8 | 108 | 86.6 | 93.7 | 149 | 129 | 116 | 77.6 | 61.1 | 39.6 | 83.1 | 26.2 |
| 1975 | 36.2 | 34.7 | 38.7 | 88.7 | 101 | 181 | 198 | 161 | 104 | 81 | 56.3 | 39 | 93.5 | 29.47 |
| 1976 | 39.6 | 39.2 | 41.9 | 92.1 | 181 | 215 | 235 | 131 | 91.8 | 75.1 | 55.3 | 45.5 | 104 | 32.82 |
| 1977 | 42.6 | 43.3 | 43.7 | 133 | 96 | 153 | 140 | 119 | 111 | 74.4 | 59.8 | 45.6 | 88.5 | 27.92 |
| 1978 | 40 | 37.8 | 41.7 | 89 | 99.9 | 241 | 152 | 155 | 114 | 73.4 | 54.8 | 43.4 | 95.3 | 30.04 |
| 1979 | 38.7 | 38.6 | 39.4 | 96 | 95 | 187 | 175 | 155 | 92 | 88.8 | 54.3 | 46.5 | 92.5 | 29.18 |
| 1980 | 44.1 | 44.5 | 44.6 | 158 | 290 | 165 | 150 | 150 | 115 | 92.7 | 70.3 | 52.1 | 115 | 36.4 |

图 2-4　Microsoft Excel 工作簿中的数据表格式(显示部分数据)

（4）以键盘输入方式输入时间序列值的步骤：在本系统应用模型初始画面选定主菜单项【输入数据】、一级子菜单项【键盘输入】，在各文本框中顺次输入序列名称、序列开始年份和结束年份，再选定一级子菜单项【确认输入结果】，在网格单元中逐项输入逐年序列值，输入完毕再选定一级子菜单项【确认输入结果】即可。注意：上述输入若有漏项，则每选定一次一级子菜单项【确认输入结果】，会弹出一个漏项输入提示框，直到用户输入完毕为止。

## 2.2　确定时间序列类型

如第 1 章 1.1.1 节所述，到目前为止，还没有分析各类非平稳数据的完整方法，其部分原因是非平稳性的结论是从反面论述的，即论述了平稳性不能满足，而没有从正面定义非平稳性的特征。

图 2-5、图 2-6、图 2-7、图 2-8 分别给出了平稳时间序列、数学期望随时间变化的非平稳时间序列、方差随时间变化的非平稳时间序列、数学期望和方差都随时间变化的非平稳时间序列等四个时间序列类型，将本章 2.1 节中输入的时间序列值所对应的过程线图与这四个类型相比较，与哪个类型相接近便可认为时间序列就属于哪个类型。

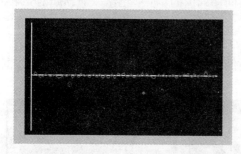

图 2-5　平稳时间序列

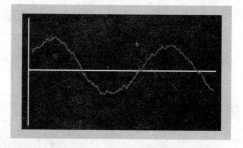

图 2-6　数学期望随时间变化型

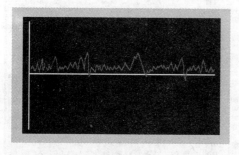

图 2-7　方差随时间变化型

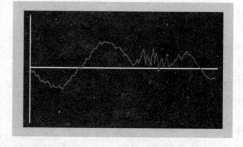

图 2-8　数学期望和方差都随时间变化型

## 2.3　分析计算流程

（1）输入时间序列数据。输入数据分顺序文本文件、Microsoft Access 数据库、Microsoft Excel 工作簿和键盘输入四种方式。

（2）确定时间序列类型。将输入的时间序列值所对应的过程线图分别与图 2-5、图 2-6、图 2-7、图 2-8 四个时间序列类型相比较来确定其类型。

（3）如果时间序列属于平稳时间序列，则准备进行平稳时间序列分析计算；如果属于非平稳时间序列，则准备从时间序列中识别和提取趋势函数。

# 2.4　应用程序步骤

## 2.4.1　设计用户界面

本系统应用模型用户界面分别由 1 个模块、7 个窗体和添加在每个窗体上的若干控件或控件数组组成。模块用于定义有关系统应用模型的全局变量并声明通用过程(包括 Sub 子程序和 Function 函数过程);窗体 1 用于时间序列值的输入与时间序列类型的确定;窗体 2 用于从时间序列中识别和提取趋势函数并进行趋势预报;窗体 3、窗体 4、窗体 5 用于从时间序列中识别和提取周期函数并进行周期预报(分别用周期均值叠加分析、逐步回归周期分析和谐波分析三种方法);窗体 6 用于平稳时间序列分析计算与预报;窗体 7 用于系统应用模型时间序列最终分析计算、预报与保存。窗体 1 是本章要介绍的主要内容,窗体 2~窗体 7 的功能将在本书以后的章节中逐一介绍。

窗体 1 用于时间序列值的输入与时间序列类型的确定,用户界面见本章 2.5 节中的图 2-14。在窗体 1 的菜单编辑器中,创建了【首页】、【输入数据】、【确认输入结果】、【历史过程线图】、【确定时间序列类型】、【下一步】和【退出】等 7 个主菜单控件。在【输入数据】主菜单项内创建了一级子菜单项【顺序文本文件】、【数据库】和【键盘输入】,在【数据库】一级子菜单项内创建了二级子菜单项【Microsoft Access】、【Microsoft Excel】和【其它数据库(待创建)】。在【下一步】主菜单项内创建了一级子菜单项【识别与提取趋势函数】和【平稳时间序列分析计算】。

窗体 1 内还添加了 5 个图像框控件、1 个具有 3 个元素的矩形形状控件数组、2 个分别具有 4 个元素和 6 个元素的无边框标签框控件数组、1 个文本框控件、1 个具有 3 个元素的文本框控件数组、4 个单选钮控件、1 个 MSFlexGrid 网格控件、2 个图片框控件和 1 个通用对话框控件。

另外,见本章 2.5 节中的图 2-10,在图片框控件 Picture2 内添加了 1 个矩形形状控件、1 个具有 8 个元素的无边框标签框控件数组、1 个文本框控件、1 个具有 3 个元素的下拉式列表框控件数组、1 个列表框控件、4 个命令按钮控件、1 个通用对话框控件、1 个 ADO Data 控件、1 个图像框控件和 1 个 Data Grid 控件,还引用了 Microsoft DAO 3.6 Object Library 对象。

## 2.4.2　属性设置

窗体 1 菜单对象的属性设置见表 2-1;窗体 1 以及窗体 1 内各控件对象的属性设置见表 2-2;图片框控件 Picture2 内各控件对象的属性设置见表 2-3。各控件的字体属性如字体、字形、大小、效果、颜色等,用户在属性窗口中可以根据自己的爱好来确定。

## 2.4.3　编写通用过程与事件过程代码

本系统应用模型的模块文件中有 6 个通用过程(1 个 Sub 子程序和 5 个 Function 函数过程),分别是:Sub PAIXU(V3(), Myinzishu1)、Function GAMMLN(XX)、Function

**表 2-1 窗体 1 菜单对象的属性设置**

| 菜单等级 | 标题 | 名称 | 内缩符号 |
|---|---|---|---|
| 主菜单 | 首页 | ShouYe | 无 |
| 主菜单 | 输入数据 | ShuRuShuJu | 无 |
| 一级子菜单 | 顺序文本文件 | ShunXuWenBenWenJian | …… |
| 一级子菜单 | 数据库 | ShuJuKu | …… |
| 二级子菜单 | Microsoft Access | MS_Access | ……… |
| 二级子菜单 | Microsoft Excel | MS_ Excel | ……… |
| 二级子菜单 | 其它数据库（待创建） | QiTa | ……… |
| 一级子菜单 | 键盘输入 | JianPanShuRu | …… |
| 主菜单 | 确认输入结果 | QueRenShuRuJieGuo | 无 |
| 主菜单 | 历史过程线图 | LiShiGuoChengQuXian | 无 |
| 主菜单 | 确定时间序列类型 | QueDingShiJianXuLieLeiXing | 无 |
| 主菜单 | 下一步 | XiaYiBu | 无 |
| 一级子菜单 | 识别与提取趋势函数 | ShiBieYuTiQuQuShiHanShu | …… |
| 一级子菜单 | 平稳时间序列分析计算 | PingWenShiJianXuLieFenXiJiSuan | …… |
| 主菜单 | 退出 | TuiChu | 无 |

BETACF（A, B, X）、Function BETAI（A, B, X）、Function ShiSuanT（n0, t, r0）和 Function ShiSuanF（f2, f1, f3, r0）。

窗体 1 应用程序界面共有 24 个事件过程，包括：窗体装载 Form_Load（）、单击【首页】主菜单项的 ShouYe_Click（）、单击【输入数据】主菜单项的 ShuRuShuJu_Click（）、单击【顺序文本文件】一级子菜单项的 ShunXuWenBenWenJian_Click（）、单击【Microsoft Access】二级子菜单项的 MS_Access_Click（）、单击【Microsoft Excel】二级子菜单项的 MS_ Excel_Click（）、单击【浏览】按钮 Command1_Click（）、单击【显示可选项】按钮 Command2_Click（）、单击【确认选择结果】Command3_Click（）、单击【关闭】按钮 Command4_Click（）、单击组合框所触发的事件过程 Combo1_Click（）、单击【其它数据库（待创建）】二级子菜单项的 QiTa_Click（）、单击【键盘输入】一级子菜单项的 JianPanShuRu_Click（）、单击【确认输入结果】主菜单项的 QueRenShuRuJieGuo_Click（）、单击网格控件 MSFlexGrid1_Click（）、按下和松开键盘上一个可打印字符键的 MSFlexGrid1_KeyPress（KeyAscii As Integer）、按下和松开键盘上一个可打印字符键的 Text1_KeyPress（KeyAscii As Integer）、文本框失去焦点的 Text1_LostFocus（）、单击【历史过程线图】主菜单项的 LiShiGuoChengQuXian_Click（）、单击【确定时间序列类型】主菜单项的 QueDingShiJianXuLieLeiXing_Click（）、单击【下一步】主菜单项的 XiaYiBu_Click（）、单击【识别与提取趋势函数】一级子菜单项的 ShiBieYuTiQuQuShiHanShu_Click（）、单击【平稳时间序列分析计算】一级子菜单项的 PingWenShiJianXuLieFenXiJiSuan_Click（）和单击【退出】主菜单项的 TuiChu_Click（）。

**表 2-2　窗体 1 以及窗体 1 内各控件(不含图片框内控件)对象的属性设置**

| 对象 | 属性 | 设置 |
| --- | --- | --- |
| 窗体 | Caption | 非平稳时间序列 VB6.0 系统应用模型 |
| | | (确定时间序列类型) |
| | (名称) | Form1 |
| | WindowState | 2(最大化) |
| 图像框 | (名称) | Image1～Image5 |
| | Picture | (Image5 为风景图，其余为序列过程线图) |
| | Stretch | True |
| 形状控件 1～形状控件 3 | (名称) | Shape1(0)、Shape1(1)、Shape1(2) |
| | BorderWidth | 3 |
| | Shape | 0(矩形) |
| 标签框 1 | Caption | 欢迎使用非平稳时间序列 VB6.0 系统应用模型 |
| | (名称) | Label1(0) |
| 标签框 2 | Caption | 研制与开发：旦木仁加甫 |
| | (名称) | Label1(1) |
| 标签框 3 | Caption | 新疆巴音郭楞蒙古自治州水文水资源勘测局 |
| | (名称) | Label1(2) |
| 标签框 4 | Caption | 二〇〇五年一月 |
| | (名称) | Label1(3) |
| 标签框 1 | Caption | 序列名称： |
| | (名称) | Label2(0) |
| 标签框 2 | Caption | 序列开始年份： |
| | (名称) | Label2(1) |
| 标签框 3 | Caption | 序列结束年份： |
| | (名称) | Label2(2) |
| 标签框 4 | Caption | 逐年序列值： |
| | (名称) | Label2(3) |
| 标签框 5 | Caption | 历史过程线图： |
| | (名称) | Label2(4) |
| 标签框 6 | Caption | 请据历史过程线图确定序列类型： |
| | (名称) | Label2(5) |
| 文本框 | (名称) | Text1 |
| | Text | 置空 |
| 文本框 1～文本框 3 | (名称) | Text3(0)、Text3(1)、Text3(2) |
| | Text | 置空 |
| 单选钮控件 1 | (名称) | Option1 |
| | Caption | 平稳序列 |
| 单选钮控件 2 | (名称) | Option2 |
| | Caption | 均值时变 |
| 单选钮控件 3 | (名称) | Option3 |
| | Caption | 方差时变 |
| 单选钮控件 4 | (名称) | Option4 |
| | Caption | 均值、方差时变 |
| MSFlexGrid 网格控件 | (名称) | MSFlexGrid1 |
| 图片框控件 1～图片框控件 2 | (名称) | Picture1、Picture2 |
| 通用对话框控件 | (名称) | CommonDialog1 |

表 2-3　图片框控件 Picture2 内各控件对象的属性设置

| 对象 | 属性 | 设置 |
|---|---|---|
| 形状控件 | (名称) | Shape2 |
| 标签框 1 | Caption | 输入 Microsoft Access 数据库名称: |
|  | (名称) | Label3 (0) |
| 标签框 2 | Caption | 选择时间序列所在的数据表名称: |
|  | (名称) | Label3 (1) |
| 标签框 3 | Caption | 选择序列统计年限: |
|  | (名称) | Label3 (2) |
| 标签框 4 | Caption | 开始: |
|  | (名称) | Label3 (3) |
| 标签框 5 | Caption | 结束: |
|  | (名称) | Label3 (4) |
| 标签框 6 | Caption | 选择时间序列: |
|  | (名称) | Label3 (5) |
| 标签框 7 | Caption | SQL 查询(含条件): |
|  | (名称) | Label3 (6) |
| 标签框 8 | Caption | SQL 查询结果: |
|  | (名称) | Label3 (7) |
| 文本框 | (名称) | Text2 |
|  | Text | 置空 |
| 组合框 1~组合框 3 | (名称) | Combo1 (0)、Combo1 (1)、Combo1 (2) |
|  | Style | 2(下拉式列表框) |
| 列表框 | (名称) | List1 |
|  | MultiSelect | 0 |
| 命令按钮 1 | Caption | 浏览 (&B)... |
|  | (名称) | Command1 |
| 命令按钮 2 | Caption | 显示可选项 |
|  | (名称) | Command2 |
| 命令按钮 3 | Caption | 确认选择结果 |
|  | (名称) | Command3 |
| 命令按钮 4 | Caption | 关闭 |
|  | (名称) | Command4 |
| 通用对话框控件 | (名称) | CommonDialog2 |
| ADO Data 控件 | Caption | Adodc1 |
|  | (名称) | Adodc1 |
|  | Visible | False |
| 图像框 | (名称) | Image6 |
|  | Picture | (风景图) |
|  | Stretch | True |
| Data Grid 控件 | Caption | 置空 |
|  | (名称) | DataGrid1 |

各过程计算功能与程序代码(部分程序代码复用于本书以后章节，故作详细介绍)：

(1)在模块文件声明部分，用 Public 关键词定义了如下全局变量：

```
Public n As Integer                              ' 存放时间序列样本容量长度
Public MC(1)                                     ' 存放时间序列开始年份、序列名称
Public XLZ() As Single                           ' 存放逐年时间序列样本观测值
Public AVEX As Double                            ' 存放时间序列样本观测平均值
Public kk                                        ' 存放平稳时间序列模型阶数
Public XuLieLeiXing                              ' 存放所选定的时间序列类型

' 存放所识别和提取的时间序列趋势、周期、平稳项函数值
Public QSHSZ() As Single, ZQHSZ() As Single, PWXLZ() As Single

' 确定是否识别和提取时间序列趋势、周期、平稳项的判别系数字符串变量
Public PBXS_QS_ZX$, PBXS_QS_ZB$, PBXS_ZQ_FC$
Public PBXS_ZQ_ZB$, PBXS_ZQ_XB$, PBXS_PWXL$

' 存放所识别和提取的时间序列趋势、周期、平稳项分析计算预报结果的字符串变量
Public JieGuo_QS_ZX$, JieGuo_QS_ZB$, JieGuo_ZQ_FC$, JieGuo_ZQ_ZB$, JieGuo_ZQ_XB$
Public JieGuo_PWXL$, JieGuo_FPWXL$

' 存放所识别和提取的时间序列趋势、周期、平稳项模型形式的字符串变量
Public QSHSX_MXXS$, ZQHSX_MXXS$, PWXLX_MXXS$, FPWXL_MXSM$, FPWXL_MXXS$

' 返回识别和提取时间序列周期项画面的判别系数字符串变量
Public FHPBXS_ZQ_FC$, FHPBXS_ZQ_ZB$, FHPBXS_ZQ_XB$
```

(2)模块通用子程序 Sub PAIXU(V3(), Myinzishu1)代码。

子程序 Sub PAIXU(V3(), Myinzishu1)用来计算并输出方差贡献从小到大的排序结果，其中动态数组变量 V3()在输入时存放方差贡献计算值，输出时存放方差贡献从小到大的排序结果。子程序代码如下：

```
Sub PAIXU(V3(), Myinzishu1)
    For i = 1 To Myinzishu1 - 1
        For j = i + 1 To Myinzishu1
            If V3(i) > V3(j) Then VV = V3(i) : V3(i) = V3(j) : V3(j) = VV
        Next j
    Next i
End Sub
```

(3)模块通用函数过程 Function GAMMLN(XX)。

函数过程 Function GAMMLN(XX)，对实数 XX > 0，由 Lanczos 逼进公式计算 GAMMLN(XX)值，即 $\Gamma$ 函数的对数 $\ln\Gamma(XX)$。函数过程代码如下：

```
'XX    大于 1 的实自变量
Function GAMMLN(XX)
    Dim COF(6)
```

```
    COF(1) = 76.18009173: COF(2) = -86.50532033: COF(3) = 24.01409822
    COF(4) = -1.231739516: COF(5) = 0.00120858003: COF(6) = -0.00000536382
    STP = 2.50662827465: HALF = 0.5: ONE = 1#: FPF = 5.5: X = XX-ONE
    TMP = X + FPF: TMP = (X + HALF) * Log(TMP) - TMP: SER = ONE
    For j = 1 To 6: X = X + ONE: SER = SER + COF(j) / X: Next j
    GAMMLN = TMP + Log(STP * SER)                        ' 计算 Γ 函数的对数
End Function
```

（4）模块通用函数过程 Function BETACF(A, B, X)。

函数过程 Function BETACF(A, B, X)用于计算不完全贝塔函数中的连分式。应用连分式计算不完全贝塔函数值，收敛速度非常快。函数过程代码如下：

```
'A     实型变量，不完全贝塔函数的参数 x 的幂次
'B     实型变量，不完全贝塔函数的参数 (1-x) 的幂次
'X     实型变量，自变量
Function BETACF(A, B, X)
    ITMAX = 100: EPS = 0.0000003: AM = 1#: BM = 1#: AZ = 1#
    QAB = A + B: QAP = A + 1#: QAM = A - 1#: BZ = 1# - QAB * X / QAP
    For mm = 1 To ITMAX
        EM = mm: TEM = EM + EM: D = EM * (B - mm) * X / ((QAM + TEM) * (A + TEM))
        AP = AZ + D * AM: BP = BZ + D * BM
        D = - (A + EM) * (QAB + EM) * X / ((A + TEM) * (QAP + TEM))
        AAP = AP + D * AZ: BPP = BP + D * BZ: AOLD = AZ
        AM = AP / BPP: BM = BP / BPP: AZ = AAP / BPP: BZ = 1#
        If Abs(AZ - AOLD) < EPS * Abs(AZ) Then GoTo 1
    Next mm
1   BETACF = AZ                     ' 把不完全贝塔函数中的连分式计算值赋给 BETACF
End Function
```

（5）模块通用函数过程 Function BETAI(A, B, X)。

函数过程 Function BETAI(A, B, X)通过调用 Function GAMMLN(XX)和 Function BETACF(A, B, X1)，用 Γ 函数的对数和不完全贝塔函数中的连分式来计算不完全贝塔函数值。函数过程代码如下：

```
Function BETAI(A, B, X)
    If X = 0# Or X = 1# Then
        BT = 0#
    Else
        ' 调用函数过程 GAMMLN(XX)
        AAA = GAMMLN(A + B) - GAMMLN(A) - GAMMLN(B)
        BT = Exp(AAA + A * Log(X) + B * Log(1# - X))          ' 计算 Γ(XX) 特殊函数
    End If
    If X < (A + 1#) / (A + B + 2#) Then
        BETAI = BT * BETACF(A, B, X) / A              ' 调用函数过程 BETACF(A, B, X1)
        Exit Function
    Else
```

```
    BETAI = 1# - BT * BETACF(B, A, 1# - X) / B        ' 调用函数过程 BETACF(A, B, X1)
    Exit Function
  End If
End Function
```

(6) 模块通用函数过程 Function ShiSuanT(n0, t, r0)。

在数理统计 $T$ 分布表中，当信度标准 $\alpha$ 高于 0.1 时，其双侧 $t(\alpha/2)$ 值(代码中用 t 表示)不会超过 1.64。对于给定的信度 $\alpha$，函数过程 Function ShiSuanT(n0, t, r0) 通过调用 Function BETAI(A, B, X)，计算一次不完全贝塔函数值，该值即为 $\alpha$ 的近似计算值，若近似计算值与给定信度之差的绝对值超过允许误差(代码中用 r_r 表示)，则以相同步长 0.0001 使 $t(\alpha/2)$ 累增，再调用 Function BETAI(A, B, X)，计算一次不完全贝塔函数值，直到近似计算值与给定信度之差的绝对值不超过允许误差为止，此时得出的 $t$ 即为 $T$ 分布表中较为精确的双侧 $t(\alpha/2)$ 值。补充说明一点，允许误差 r_r 是在信度标准 $\alpha$ 高于 0.1、累增步长统一取 0.0001 时，经过反复试算、验证而得；另外，当序列样本容量 $n$ 超过 1000 时，应用程序有可能陷入死循环，所以 $n$ 尽量不要超过 1000。函数过程代码如下：

```
'n0     通用类型变量，T 分布表中的自由度
't      通用类型变量，T 分布表中的双侧 t(α/2)值
'r0     通用类型变量，信度α值
' 适用于序列样本容量 n<=1000 和信度标准α高于 0.1 的情形
Function ShiSuanT(n0, t, r0)
    If r0 = 0.1 Then r_r = 0.0001
    If r0 = 0.05 Then r_r = 0.00004
    If r0 = 0.025 Then r_r = 0.000007
    If r0 = 0.01 Then r_r = 0.000006
    If r0 = 0.001 Then r_r = 0.000002
    Do While Abs(BETAI(n0 / 2, 1 / 2, n0 / (n0 + t * t)) - r0) > r_r: t = t + 0.0001: Loop
End Function
```

(7) 模块通用函数过程 Function ShiSuanF(f2, f1, f3, r0)。

$F$ 分布表中，在自由度 $f1$、$f2$ 和信度 $\alpha$ 给定的条件下，序列样本容量 $n \leq 500$ 时，$F$ 分布表中的 $F(\alpha)$ 上分位点(代码中用 f3 表示)不会超过 1.17。对于给定的信度 $\alpha$，函数过程 Function ShiSuanF(f2, f1, f3, r0) 通过调用 Function BETAI(A, B, X)，计算一次不完全贝塔函数值，该值即为信度 $\alpha$ 的近似计算值，若近似计算值与给定信度之差的绝对值超过允许误差(代码中用 r_r 表示)，则以相同步长 0.0002 使 $F(\alpha)$ 累增，再调用 Function BETAI(A, B, X)，计算一次不完全贝塔函数值，直到近似计算值与给定信度之差的绝对值不超过允许误差为止，此时得出的 $f3$ 即为 $F$ 分布表中较为精确的上分位点 $F(\alpha)$ 值。补充说明一点，允许误差 r_r 是在序列样本容量 $n \leq 500$、累增步长统一取 0.0002 时，经过反复试算、验证而得。函数过程代码如下：

```
'f1     通用类型变量，组间离差平方和的自由度
'f2     通用类型变量，组内离差平方和的自由度
```

```
'f3      通用类型变量，F 分布表中的上分位点 F(α)值
'r0      通用类型变量，信度 α 值
' 适用于序列样本容量 n<=500 的情形，否则应调大 r_r 或调小 f3 = f3 + 0.0002 中的 0.0002
Function ShiSuanF(f2, f1, f3, r0)
    If r0 = 0.1 Then r_r = 0.000117
    If r0 = 0.05 Then r_r = 0.0000634
    If r0 = 0.025 Then r_r = 0.0000355
    If r0 = 0.01 Then r_r = 0.000016
    If r0 = 0.005 Then r_r = 0.00000809
    If r0 = 0.001 Then r_r = 0.00000178
    ' 调用函数过程 BETAI(A, B, X) 来试算上分位点 F(α)值，即代码中的 f3
    Do While Abs(BETAI(f2 / 2, f1 / 2, f2 / (f2 + f1 * f3))) - r0) > r_r: f3 = f3 + 0.0002: Loop
End Function
```

(8) 在窗体的代码窗口声明部分，用 Dim 关键词声明了如下窗体级变量：

```
Dim SJKLX As String                                    ' 存放数据库类型
Dim SJBMC As String                                    ' 存放数据表名称
Dim XSJG As String                                     ' 存放是否显示数据查询结果
```

(9) 窗体装载所触发的事件过程 Form_Load()。

Form_Load() 窗体装载事件过程将窗体 1 上的【首页】、【输入数据】、【退出】之外的主菜单项设为不可用，将 Label1(i) 之外的其它控件均不显示，为显示初始画面和输入数据做准备。事件过程代码如下：

```
Private Sub Form_Load()
    ' 将窗体 1 上的【首页】、【输入数据】、【退出】之外的主菜单项均设为不可用
    QueRenShuRuJieGuo.Enabled = False: LiShiGuoChengQuXian.Enabled = False
    QueDingShiJianXuLieLeiXing.Enabled = False: XiaYiBu.Enabled = False

    ' 将 Label1(i) 之外的其它控件均不显示，即仅显示初始画面中的标题
    For i = 0 To 3: Label1(i).Visible = True: Next i
    For i = 0 To 5: Label2(i).Visible = False: Next i
    Text1.Visible = False: Text2.Visible = False
    For i = 0 To 2: Text3(i).Visible = False: Shape1(i).Visible = False: Next i
    MSFlexGrid1.Visible = False: Picture1.Visible = False: Picture2.Visible = False
    Image1.Visible = False: Image2.Visible = False: Image3.Visible = False: Image4.Visible = False
    Option1.Visible = False: Option2.Visible = False: Option3.Visible = False: Option4.Visible = False
End Sub
```

(10) 单击主菜单项【首页】所触发的事件过程 ShouYe_Click()。

事件过程 ShouYe_Click() 为显示初始画面或程序运行后返回初始画面做准备。事件过程代码如下：

```
Private Sub ShouYe_Click()
    ' 将窗体 1 上的【首页】、【输入数据】、【退出】之外的主菜单项均设为不可用
    QueRenShuRuJieGuo.Enabled = False: LiShiGuoChengQuXian.Enabled = False
    QueDingShiJianXuLieLeiXing.Enabled = False: XiaYiBu.Enabled = False
```

```
' 将 Label1(i)之外的其它控件均不显示，即仅显示初始画面中的标题
For i = 0 To 3: Label1(i).Visible = True: Next i
For i = 0 To 5: Label2(i).Visible = False: Next i
Label2(3).Caption = "逐年序列值："                          ' 给逐年序列值标题赋值
Text1.Visible = False: Text2.Visible = False
For i = 0 To 2: Text3(i).Visible = False: Shape1(i).Visible = False: Next i
MSFlexGrid1.Visible = False: Picture1.Visible = False: Picture2.Visible = False
Image1.Visible = False: Image2.Visible = False: Image3.Visible = False: Image4.Visible = False
Option1.Visible = False: Option2.Visible = False: Option3.Visible = False: Option4.Visible = False
End Sub
```

(11) 单击主菜单项【输入数据】所触发的事件过程 ShuRuShuJu_Click()。

事件过程 ShuRuShuJu_Click()首先隐藏初始画面中的标题；接着将显示数据库名称、时间序列名称、序列开始与结束年份的控件设为可见，其余控件设为不可见；最后初始化显示逐年序列值的网格控件，为用顺序文本文件、Microsoft Access 数据库、Microsoft Excel 工作簿或键盘输入方式输入时间序列数据做好准备(可反复单击【输入数据】主菜单项，不会出错)。事件过程代码如下：

```
Private Sub ShuRuShuJu_Click()
    QueRenShuRuJieGuo.Enabled = False: LiShiGuoChengQuXian.Enabled = False
    QueDingShiJianXuLieLeiXing.Enabled = False: XiaYiBu.Enabled = False

    ' 隐藏初始画面中的标题
    For i = 0 To 3: Label1(i).Visible = False: Next i
    Label2(3).Caption = "逐年序列值："                          ' 给逐年序列值标题赋值

    ' 将显示数据库名称、时间序列名称、序列开始结束年份的控件设为可见，其余为不可见
    Text2.Visible = True
    For i = 0 To 5
        Label2(i).Visible = True
        If i < 3 Then Text3(i).Visible = True: Text3(i).Text = "": Shape1(i).Visible = True
    Next i
    MSFlexGrid1.Visible = False: Picture1.Cls: Picture1.Visible = False: Picture2.Visible = False
    Image1.Visible = False: Image2.Visible = False: Image3.Visible = False: Image4.Visible = False
    Option1.Visible = False: Option2.Visible = False: Option3.Visible = False: Option4.Visible = False
    Option1.Value = False: Option2.Value = False: Option3.Value = False: Option4.Value = False

    ' 初始化显示逐年序列值的网格控件
    With MSFlexGrid1
        .Clear
        .AllowUserResizing = flexResizeBoth                  ' 可以通过鼠标重新调整行列大小(默认值)
        .Cols = 2: .Rows = 100
        .ColWidth(0) = .Width / 3
        .ColWidth(1) = .Width * 1.68 / 3
        .TextMatrix(0, 0) = "年份"
```

```
        .TextMatrix(0, 1) = "逐年序列值"
        .ColAlignment(1) = flexAlignCenterCenter                        '第二列中数据居中对齐
        For i = 1 To 99
            .RowHeight(-1) = 300
            .TextMatrix(i, 0) = ""
            .ColAlignment(0) = flexAlignCenterCenter                    '第一列中数据居中对齐
        Next i
    End With
End Sub
```

（12）单击一级子菜单项【顺序文本文件】所触发的事件过程 ShunXuWenBenWenJian_Click()。

事件过程 ShunXuWenBenWenJian_Click() 用于以顺序文本文件方式读取时间序列开始年份、序列名称以及逐年序列值。当程序运行时，只要用户通过【请选择顺序文本文件名：】通用对话框选择正确的顺序文本文件名，应用程序便可自动读取序列开始年份、序列名称以及序列值，并把读取的数据存放在模块级动态数组变量中，接着在窗体文本框中显示序列名称、序列开始与结束年份，在网格控件单元中显示逐年序列值，并使主菜单项【历史过程线图】可用。为防止出现读错文件类的错误，用 On Error 语句指定了可能发生错误时的处理子程序，如果存在错误，则用消息框显示错误的简要说明，用户可以重新进行操作，运行程序不会中断。事件过程代码如下：

```
Private Sub ShunXuWenBenWenJian_Click()
    '设置【请选择顺序文本文件名：】通用对话框属性并显示对话框
    CommonDialog1.FileName = ""
    CommonDialog1.DialogTitle = "请选择顺序文本文件名："
    CommonDialog1.Filter = "*.txt|*.txt"
    CommonDialog1.InitDir = "D:\DataBase"
    CommonDialog1.ShowOpen
    AA$ = CommonDialog1.FileName

    '在可能发生错误的语句之前用 On Error 语句指定错误处理子程序
    On Error GoTo ErrorHandler                                      'ErrorHandler 为行标号
    Open AA$ For Input As #1
    n = -1
    Do While Not EOF(1)                              '到顺序文本文件数据序列末尾时停止读数
        n = n + 1
        If n = 0 Then
            For i = 0 To 1                              '读取时间序列开始年份、序列名称
                Input #1, MC(i)              'MC(0)即序列开始年份,MC(1)即时间序列名称
            Next i
        End If
        ReDim Preserve XLZ(n)              '重定义存放时间序列样本观测值的动态数组变量
        Input #1, XLZ(n)                                    '读取时间序列样本观测值
    Loop
    Close #1
```

```
        n = n + 1                                                           ' 计算序列样本容量 n
        If n > 500 Then          ' 本应用程序 F 检验要求序列长度不得超过 500，否则会导致死循环
            MsgBox "序列长度超过 500，运行程序会陷入死循环，请将序列长度控制在 500 之内。"
            Exit Sub
        End If
        Text3(0).Text = MC(1)                                              ' 显示时间序列名称
        Text3(1).Text = MC(0): Text3(2).Text = MC(0) + n - 1      ' 显示时间序列开始、结束年份

        MSFlexGrid1.Visible = True: AVEX = 0
        ' 在网格控件显示逐年序列值
        For i = 1 To n
            MSFlexGrid1.Rows = n + 1
            MSFlexGrid1.TextMatrix(i, 0) = i + CInt(Text3(1).Text) - 1     ' 第一列中显示逐年年份
            MSFlexGrid1.TextMatrix(i, 1) = XLZ(i - 1)           ' 第二列中显示逐年序列值
            AVEX = AVEX + XLZ(i - 1)
        Next i
        AVEX = AVEX / n                                                   ' 计算时间序列平均值

        LiShiGuoChengQuXian.Enabled = True                 ' 主菜单项【历史过程线图】可用
        Label2(3).Caption = "由顺序文本文件读取的序列值："           ' 给逐年序列值标题赋值
        Text1.Visible = False

        Exit Sub                    ' 如无错误，则不执行错误处理子程序，退出 Sub 过程
ErrorHandler:                         ' 行标号 ErrorHandler 指定的错误处理子程序入口
        If Err.Number = 53 Then
            MsgBox "读取的顺序文本文件不存在，请核对所输入的文件名是否正确。"
        Else
            MsgBox (Err.Description)            ' 如有其它错误，用消息框显示错误的简要说明
        End If
        Close #1
End Sub
```

（13）单击二级子菜单项【Microsoft Access】所触发的事件过程 MS_Access_Click()。

事件过程 MS_Access_Click()首先显示时间序列查询图；接着将显示查询条件等内容的文本框、组合框、列表框的内容清空；最后为进行 Microsoft Access 数据库时间序列查询做初始化准备。事件过程代码如下：

```
Private Sub MS_Access_Click()
        Picture2.Visible = True                                        ' 显示时间序列查询图
        Text2.Text = "": Combo1(0).Clear: Combo1(1).Clear: Combo1(2).Clear: List1.Clear

        ' 为进行 SQL 查询做初始化准备
        SJKLX = "Microsoft Access"                          ' 数据库类型是 Microsoft Access
        XSJG = "NO"                                               ' 不显示数据查询结果
        Label3(0).Caption = "输入 Microsoft Access 工作簿名称："
```

```
        Label3 (2).Caption = "选择序列统计年限："
        Label3 (7).Enabled = True
        DataGrid1.Visible = False
End Sub
```

(14) 单击二级子菜单项【Microsoft Excel】所触发的事件过程 MS_Excel_Click()。

事件过程 MS_Excel_Click() 首先显示时间序列查询图；接着将显示查询条件等内容的文本框、组合框、列表框的内容清空；最后为对 Microsoft Excel 工作簿进行时间序列查询做初始化准备。事件过程代码如下：

```
Private Sub MS_Excel_Click()
        Picture2.Visible = True                                       ' 显示时间序列查询图
        Text2.Text = "": Combo1 (0).Clear: Combo1 (1).Clear: Combo1 (2).Clear: List1.Clear

        ' 为进行 SQL 查询做初始化准备
        SJKLX = "Microsoft Excel"                             ' 数据库类型是 Microsoft Excel
        XSJG = "NO"                                                   ' 不显示数据查询结果
        Label3 (0).Caption = "输入 Microsoft Excel 工作簿名称："
        Label3 (2).Caption = "选择序列统计年限："
        Label3 (7).Enabled = False
        DataGrid1.Visible = False
End Sub
```

(15) 单击【浏览】按钮所触发的事件过程 Command1_Click()。

事件过程 Command1_Click() 首先将显示查询条件等内容的组合框、列表框的内容清空，用户可以通过通用对话框来选定 Microsoft Access 数据库文件名或 Microsoft Excel 工作簿名称；接着，打开数据库或工作簿，把其中的所有表名添加在组合框 Combo1 (0)。事件过程代码如下：

```
Private Sub Command1_Click()
        ' 必须引用 Microsoft DAO 3.6 Object Library 后，才能运行以下程序代码
        Dim dbname As String
        Dim db As Database                                    ' 必声明 Database 类型的对象变量
        Dim td As TableDef                                    ' 必声明 TableDef 类型的对象变量
        Dim fld As Field                                      ' 必声明 Field 类型的对象变量

        Combo1 (0).Clear: Combo1 (1).Clear: Combo1 (2).Clear: List1.Clear
        Text3 (0).Text = "": Text3 (1).Text = "": Text3 (2).Text = "": DataGrid1.Visible = False

        ' 在可能发生错误的语句之前用 On Error 语句指定错误处理子程序
        On Error GoTo ErrorHandler                                    ' ErrorHandler 为行标号
        ' 设置通用对话框属性并显示对话框
        CommonDialog2.FileName = "请选择以上文件名"            ' 设置具有提示意义的缺省文件名
        If SJKLX = "Microsoft Access" Then
            CommonDialog2.DialogTitle = "请选择 Microsoft Access 数据库文件名："
            CommonDialog2.Filter = "Microsoft Access 数据库|*.mdb"
```

```
End If
If SJKLX = "Microsoft Excel" Then
    CommonDialog2.DialogTitle = "请选择 Micosoft Excel 工作簿名："
    CommonDialog2.Filter = "Micosoft Excel 工作簿|*.xls"
End If
CommonDialog2.InitDir = "D:\DataBase"
CommonDialog2.ShowOpen
dbname = CommonDialog2.FileName
Text2.Text = dbname

' 打开数据库
If SJKLX = "Microsoft Access" Then Set db = OpenDatabase(dbname)
If SJKLX = "Microsoft Excel" Then _
Set db = OpenDatabase(Text2.Text, False, False, "Excel 8.0;HDR=YES;")
Combo1(0).Clear
For Each td In db.TableDefs              ' 在组合框里显示选定数据库里的所有表名
    ' 不允许使用系统表
    If Left$(td.Name, 4) <> "MSys" Then Combo1(0).AddItem td.Name
Next td
db.Close                                             ' 关闭数据库

Exit Sub
ErrorHandler:                           ' 行标号 ErrorHandler 指定的错误处理子程序入口
    MsgBox(Err.Description)             ' 如有错误，用消息框显示错误的简要说明
End Sub
```

（16）单击【显示可选项】按钮所触发的事件过程 Command2_Click()。

当用户未选定 Microsoft Access 数据库或 Microsoft Excel 工作簿名称，或者未选择时间序列所在的数据库或工作簿中的数据表名称，事件过程 Command2_Click()将提示重新选择(或输入)，用户可以重新进行操作，运行程序不会中断；同时，链接所选定的 Microsoft Access 数据库或打开所选定的 Microsoft Excel 工作簿，用户可以选定其中一个数据表，接着程序自动查询所选定数据表的所有字段并显示在列表框 List1 中；最后在组合框 Combo1(1) 和 Combo1(2) 中分别添加序列年限值(用户可以在统计年限范围内，自行选定起止年份)，在其 Text 属性中分别显示序列开始、结束年份。事件过程代码如下：

```
Private Sub Command2_Click()
    For i = 0 To 2: Text3(i).Text = "": Next i
    On Error GoTo 1                       ' 在可能出错语句前用 On Error 语句指定出错时出口
    If SJKLX = "Microsoft Access" Then
        ' 如果未选定 Microsoft Access 数据库名称，提示重新输入(或选定)
        If Text2.Text = "" Then
            MsgBox "您未输入 Microsoft Access 数据库名称,请输入。": Text2.SetFocus
            GoTo 1
        End If
```

```
        ' 链接所选定的 Microsoft Access 数据库
        Adodc1.ConnectionString = "Provider=Microsoft.Jet.OLEDB.4.0; _
        Data Source=" & Text2.Text & ";Persist Security Info=False"

        ' 如果未选择时间序列所在的数据表名称，提示重新选择
        If Combo1(0).Text = "" Then
            MsgBox "您未选择时间序列所在的数据表名称,请选择。": Combo1(0).SetFocus
            GoTo 1
        End If
        SJBMC = Combo1(0).Text                    ' 将所选择的数据表名称存放在变量 SJBMC 中

        ' 通过 SQL 语句查询选定数据表的所有字段
        Adodc1.RecordSource = "select * from " & Combo1(0).Text
        Adodc1.Refresh                                      ' 刷新数据库记录集
        Set DataGrid1.DataSource = Adodc1              ' 将 DataGrid1 控件绑定到 Adodc1 上
        DataGrid1.Caption = "《" & Combo1(0).Text & "》数据表数据" ' 给 DataGrid1 标题赋值

        n = Adodc1.Recordset.RecordCount             ' 将记录总数即序列长度存放在变量 n 中
        Combo1(1).Clear: Combo1(2).Clear

        ' 将查询到的主键"年份"字段值分别添加在组合框的 List 属性中
        For i = 0 To n - 1
            ' 当前记录的序号位置 AbsolutePosition 从 1 开始取值
            Adodc1.Recordset.AbsolutePosition = i + 1
            Combo1(1).List(i) = Adodc1.Recordset.Fields(0).Value
            Combo1(2).List(i) = Adodc1.Recordset.Fields(0).Value
        Next i
        ' 将"年份"字段的开始、结束值分别显示在组合框的 Text 属性中
        Adodc1.Recordset.AbsolutePosition = 1          ' 当前记录的序号位置 AbsolutePosition=1
        Combo1(1).Text = Adodc1.Recordset.Fields(0).Value
        Adodc1.Recordset.AbsolutePosition = n          ' 当前记录的序号位置 AbsolutePosition=n
        Combo1(2).Text = Adodc1.Recordset.Fields(0).Value
        Label3(2).Caption = "序列年限：" & Combo1(1).Text & "～" & Combo1(2).Text & _
        "年。如需变动,请选择: "

        List1.Clear
        For i = 0 To Adodc1.Recordset.Fields.Count - 1
            ' 将查询到的数据表所有字段显示在列表框 List1 中
            List1.AddItem Adodc1.Recordset.Fields(i).Name
        Next i
        DataGrid1.Visible = True
    End If

If SJKLX = "Microsoft Excel" Then
    ' 必须引用 Microsoft DAO 3.6 Object Library 后，才能运行以下程序代码
```

```
Dim db As Database                                    ' 必声明 Database 类型的对象变量
Dim td As TableDef                                    ' 必声明 TableDef 类型的对象变量
Dim fld As Field                                      ' 必声明 Field 类型的对象变量
Dim rst As Recordset                                  ' 必声明 Recordset 类型的对象变量

' 如果未选定 Microsoft Excel 工作簿名称，提示重新输入（或选定）
If Text2.Text = "" Then
    MsgBox "您未输入 Microsoft Excel 工作簿名称,请输入。": Text2.SetFocus
    GoTo 1
End If
Set db = OpenDatabase(Text2.Text, False, False, "Excel 8.0;HDR=YES;")     ' 打开数据库

' 如果未选择时间序列所在的数据表名称，提示重新选择
If Combo1(0).Text = "" Then
    MsgBox "您未选择时间序列所在的数据表名称,请选择。": Combo1(0).SetFocus
    GoTo 1
End If
SJBMC = Combo1(0).Text                    ' 将所选择的数据表名称存放在变量 SJBMC 中

Set rst = db.OpenRecordset(Combo1(0).Text)                     ' 打开数据记录集
List1.Clear
For i = 0 To rst.Fields.Count - 1
    ' 将查询到的数据表所有字段显示在列表框 List1 中
    List1.AddItem rst.Fields(i).Name, i
Next i

For i = 0 To List1.ListCount - 1      ' 从列表框 List1 内所有字段中，选择一个时间序列
    If List1.Selected(i) = True Then
        ListIndexX = i: Exit For
    ElseIf List1.SelCount = 0 Then
        List1.Selected(1) = True: ListIndexX = 1: Exit For
    End If
Next i

rst.MoveLast
n = rst.RecordCount                             ' 将记录总数即序列长度存放在变量 n 中
Combo1(1).Clear: Combo1(2).Clear
rst.MoveFirst
' 将查询到的主键"年份"字段值分别添加在组合框中
For i = 0 To n - 1
    Combo1(1).AddItem rst.Fields(0).Value,i:Combo1(2).AddItem rst.Fields(0).Value, i
    rst.MoveNext
Next i
' 将"年份"字段的开始、结束值分别显示在组合框的 Text 属性中
If Combo1(1).List(0) <> "" Then Combo1(1).Text = Combo1(1).List(0)
If Combo1(2).List(n - 1) <> "" Then Combo1(2).Text = Combo1(2).List(n - 1)
```

```
            Label3(2).Caption = "序列年限: " & Combo1(1).Text & _
                "~" & Combo1(2).Text & "年。如需变动,请选择: "
            rst.Close                                          ' 关闭数据记录集
            db.Close                                           ' 关闭数据库
        End If
    1
End Sub
```

(17)单击【确认选择结果】按钮所触发的事件过程 Command3_Click()。

事件过程 Command3_Click()首先根据用户选定的统计年限范围,从列表框 List1 内所有字段中,选择一个时间序列;接着查询所选择的时间序列值,并把读取的数据存放在模块级动态数组变量中;最后在网格控件单元中显示逐年序列值。事件过程代码如下:

```
Private Sub Command3_Click()
    Dim ListIndexX As Integer, LX As String, i1 As String

    On Error GoTo ErrorHandler
    ' 如果重新选择数据表名称而未按【显示可选项】按钮, 则予以提示
    If SJBMC <> Combo1(0).Text Or List1.ListCount = 0 Then
        XSJG = "NO": MsgBox Space(6) & "您未按【显示可选项】按钮!"
        Command2.SetFocus: Exit Sub
    End If

    If SJKLX = "Microsoft Access" Then
        ' 将选定的序列开始、结束年限范围存放在变量 i1 中
        i1 = Combo1(0).Text & ".年份" & ">=" & CInt(Combo1(1).Text) & " And " & _
        Combo1(0).Text & ".年份" & "<=" & CInt(Combo1(2).Text)

        For i = 0 To List1.ListCount - 1          ' 从列表框 List1 内所有字段中, 选择一个时间序列
            If List1.Selected(i) = True Then
                ListIndexX = i: Exit For
            ElseIf List1.SelCount = 0 Then
                MsgBox Space(9) & "您未选择时间序列!": List1.SetFocus: Exit Sub
            End If
        Next i
        LX = List1.List(ListIndexX)                ' 将选中的时间序列名存放在变量 LX 中
        Text3(0).Text = LX                         ' 显示选中的时间序列名

        ' 通过 SQL 语句查询所选择的时间序列值(包括年份字段)
        Adodc1.RecordSource = "select " & Combo1(0).Text & ".年份 ," & LX & " from " & _
        Combo1(0).Text & " Where " & i1

        Adodc1.Refresh: Set DataGrid1.DataSource = Adodc1
        DataGrid1.Caption = "选定的时间序列数据表"
        n = Adodc1.Recordset.RecordCount          ' 将记录总数即序列长度存放在变量 n 中
        ReDim XLZ(n-1)                             ' 重定义存放时间序列样本观测值的动态数组变量
```

```
        For i = 0 To n - 1
            '当前记录的序号位置 AbsolutePosition 从 1 开始取值
            Adodc1.Recordset.AbsolutePosition = i + 1
            XLZ(i) = Adodc1.Recordset.Fields(1).Value          ' 将序列值储存在数组变量 XLZ(i)中
            If i = 0 Then MC(1)=Adodc1.Recordset.Fields(1).Name    ' 将序列名储存在 MC(1)中
        Next i
        Adodc1.Recordset.AbsolutePosition = 1          ' 当前记录的序号位置 AbsolutePosition=1
        Text3(1).Text = Adodc1.Recordset.Fields(0).Value              ' 显示序列开始年份
        MC(0) = Val(Text3(1).Text)
        Adodc1.Recordset.AbsolutePosition = n          ' 当前记录的序号位置 AbsolutePosition=n
        Text3(2).Text = Adodc1.Recordset.Fields(0).Value              ' 显示序列结束年份
End If


If SJKLX = "Microsoft Excel" Then
    ' 必须引用 Microsoft DAO 3.6 Object Library 后，才能运行以下程序代码
    Dim db As Database                              ' 必声明 Database 类型的对象变量
    Dim td As TableDef                              ' 必声明 TableDef 类型的对象变量
    Dim fld As Field                                ' 必声明 Field 类型的对象变量
    Dim rst As Recordset                            ' 必声明 Recordset 类型的对象变量

    Set db = OpenDatabase(Text2.Text, False, False, "Excel 8.0;HDR=YES;")    ' 打开数据库
    Set rst = db.OpenRecordset(Combo1(0).Text)                    ' 打开数据记录集

    For i = 0 To List1.ListCount - 1       ' 从列表框 List1 内所有字段中，选择一个时间序列
        If List1.Selected(i) = True Then
            ListIndexX = i: Exit For
        ElseIf List1.SelCount = 0 Then
            List1.Selected(1) = True: ListIndexX = 1: Exit For
        End If
    Next i
    LX = List1.List(ListIndexX)                          ' 将选中的时间序列名存放在变量 LX 中
    Text3(0).Text = LX                                  ' 显示选定的时间序列名
    MC(1) = LX                                        ' 将时间序列名储存在变量 MC(1)中

    rst.MoveLast
    n = rst.RecordCount                        ' 将记录总数即序列长度存放在变量 n 中
    Text3(1).Text = Combo1(1).Text                      ' 显示选定的时间序列开始年份
    MC(0) = Val(Text3(1).Text)                   ' 将时间序列开始年份储存在变量 MC(0)中
    Text3(2).Text = Combo1(2).Text                      ' 显示选定的时间序列结束年份
    n1 = CInt(Text3(2).Text) - CInt(Text3(1).Text) + 1    ' 计算所选定的序列样本容量 n

    ReDim XLZ(n1 - 1)                 ' 重定义存放时间序列样本观测值的动态数组变量
    rst.MoveFirst
    n_KaiShi = CInt(Text3(1).Text) - rst.Fields(0).Value
```

```
        n_JieShu = CInt (Text3 (1) .Text) - rst.Fields (0) .Value + n1 - 1

        '将所选定的时间序列值储存在数组变量 XLZ (i) 中
        For i = 0 To n - 1
            If i >= n_KaiShi And i <= n_JieShu Then _
            XLZ (i - n_KaiShi) = rst.Fields (ListIndexX) .Value
            rst.MoveNext
        Next i
        n = n1
        rst.Close                                              '关闭数据记录集
        db.Close                                               '关闭数据库
    End If

    '给逐年序列值标题赋值
    If SJKLX = "Microsoft Access" Then Label2 (3) .Caption = "由 MS Access 读取的序列值："
    If SJKLX = "Microsoft Excel" Then Label2 (3) .Caption = "由 MS Excel 读取的序列值："

    Label3 (2) .Caption = "序列年限：" & Combo1 (1) .Text & "～" & Combo1 (2) .Text & _
    "年。需变动,请选择："
    MsgBox "您选择的时间序列是：" & Text3 (0) .Text & "(" & Combo1 (1) .Text & _
    "～" & Combo1 (2) .Text & "年)。现在可以按【关闭】按钮, 结束查询了。"
    XSJG = "YES"

    AVEX = 0
    For i = 1 To n                                             '在网格控件显示逐年序列值
        MSFlexGrid1.Rows = CInt (Text3 (2) .Text) - CInt (Text3 (1) .Text) + 2
        MSFlexGrid1.TextMatrix (i, 0) = i + CInt (Text3 (1) .Text) - 1    '第一列中显示逐年年份
        MSFlexGrid1.TextMatrix (i, 1) = XLZ (i - 1)            '第二列中显示逐年序列值
        AVEX = AVEX + XLZ (i - 1)
    Next i
    AVEX = AVEX / n                                            '计算时间序列平均值

    Exit Sub
ErrorHandler:
    MsgBox （Err.Description）
End Sub
```

(18) 单击【关闭】按钮所触发的事件过程 Command4_Click ()。

　　如果用户按完整步骤进行时间序列的查询, 则事件过程 Command4_Click () 将使时间序列查询图不可见, 在网格控件单元中显示逐年序列值, 并使主菜单项【历史过程线图】可用; 否则提示用户按完整步骤进行时间序列的查询。事件过程代码如下:

```
Private Sub Command4_Click ()
    If XSJG = "YES" And SJBMC = Combo1 (0) .Text And Text3 (0) .Text <> "" Then
        Picture2.Visible = False                              '使时间序列查询图不可见
        MSFlexGrid1.Visible = True                            '显示网格控件
```

```
            LiShiGuoChengQuXian.Enabled = True                    ' 主菜单项【历史过程线图】可用
    Else
            For i = 0 To 2: Text3(i).Text = "": Next i
            Answer = MsgBox("由于您未按完整步骤进行时间序列查询，故不能获得 _
            时间序列数据，确定要关闭时间序列查询图吗?", 36, "关闭时间序列查询图对话框")
            If Answer = 6 Then
                    Picture2.Visible = False                      ' 使时间序列查询图不可见
                    MSFlexGrid1.Visible = False                   ' 隐藏网格控件
                    LiShiGuoChengQuXian.Enabled = False           ' 主菜单项【历史过程线图】不可用
            End If
            If Answer = 7 Then Picture2.Visible = True            ' 使时间序列查询图可见
    End If
End Sub
```

（19）单击组合框所触发的事件过程 Combo1_Click()。

事件过程 Combo1_Click() 将组合框 Combo1(1) 和 Combo1(2)，列表框 List1，文本框 Text3(0)、Text3(1) 和 Text3(2) 的内容清空。事件过程代码如下：

```
Private Sub Combo1_Click(Index As Integer)
    If Index = 0 Then
            Combo1(1).Clear: Combo1(2).Clear: List1.Clear
            Text3(0).Text = "": Text3(1).Text = "": Text3(2).Text = ""
            If SJKLX = "Microsoft Access" Then DataGrid1.Visible = False
    End If
End Sub
```

（20）单击二级子菜单项【其它数据库（待创建）】所触发的事件过程 QiTa_Click()。

在事件过程 QiTa_Click() 中，将弹出内容为"对不起，其它类数据库待创建"的提示框，按下【确定】按钮，提示框便消失。本代码是为以后创建其它类数据库留下接口。事件过程代码如下：

```
Private Sub QiTa_Click()
    MsgBox Space(5) & "对不起，其它类数据库待创建。"
End Sub
```

（21）单击一级子菜单项【键盘输入】所触发的事件过程 JianPanShuRu_Click()。

事件过程 JianPanShuRu_Click() 为键盘输入时间序列值做准备：主菜单项【确认输入结果】设为可用，给逐年序列值标题赋值，显示网格控件等。事件过程代码如下：

```
Private Sub JianPanShuRu_Click()
    QueRenShuRuJieGuo.Enabled = True
    Label2(3).Caption = "请输入逐项序列值："           ' 给逐年序列值标题赋值
    MSFlexGrid1.Visible = True                        ' 显示网格控件
End Sub
```

（22）单击主菜单项【确认输入结果】所触发的事件过程 QueRenShuRuJieGuo_Click()。

事件过程 QueRenShuRuJieGuo_Click() 供用户用键盘输入时间序列数据。当用户未输入序列名称、序列开始与结束年份，或者未输入某年序列值，或者序列长度 $n$ 超过 500，该事件过程将用提示框进行提示，用户可以重新进行操作，运行程序不会中断。如果不希望显示这些提示框，在单击一级子菜单项【键盘输入】之后，逐项输入完序列名称、序列开始与结束年份以及逐年序列值即可。最后，把输入的数据存放在模块级动态数组变量中，并使主菜单项【历史过程线图】可用。事件过程代码如下：

```
Private Sub QueRenShuRuJieGuo_Click()
    On Error GoTo ErrorHandler
    If Text3(0).Text = Empty Then                          ' 如果未输入序列名称，进行提示
        MsgBox Space(8) & "您未输入时间序列名称!": Text3(0).SetFocus: GoTo 1
    End If
    MC(1) = Text3(0).Text
    If Text3(1).Text = Empty Then                          ' 如果未输入序列开始年份，进行提示
        MsgBox Space(7) & "您未输入序列开始年份!": Text3(1).SetFocus: GoTo 1
    End If
    MC(0) = Val(Text3(1).Text)
    If Text3(2).Text = Empty Then                          ' 如果未输入序列结束年份，进行提示
        MsgBox Space(7) & "您未输入序列结束年份!": Text3(2).SetFocus: GoTo 1
    End If

    With MSFlexGrid1
        .Cols = 2
        .Rows = CInt(Text3(2).Text) - CInt(Text3(1).Text) + 2
        For i = 1 To MSFlexGrid1.Rows - 1
            .TextMatrix(i, 0) = i + CInt(Text3(1).Text) - 1          ' 第一列中显示逐年年份
        Next i
    End With

    n = CInt(Text3(2).Text) - CInt(Text3(1).Text) + 1          ' 计算序列样本容量 n
    If n > 500 Then      ' 本应用程序 F 检验要求序列长度不得超过 500，否则会导致死循环
        MsgBox "序列长度超过 500，运行程序会陷入死循环，请将序列长度控制在 500 之内。"
        Exit Sub
    End If

    For i = 1 To n                                   ' 如果未输入某年时间序列值，进行提示
        If MSFlexGrid1.TextMatrix(i, 1) = Empty Then
            MsgBox "您未输入  " & i + CInt(Text3(1).Text) - 1 & " 年时间序列值，请输入。"
            MSFlexGrid1.SetFocus: GoTo 1
        End If
    Next i

    ReDim XLZ(n - 1)                      ' 重定义存放时间序列样本观测值的动态数组变量
    AVEX = 0
    For i = 0 To n - 1
        If i = 0 Then MC(1) = Text3(0).Text
```

```
        XLZ(i) = MSFlexGrid1.TextMatrix(i + 1, 1)        '给动态数组变量 XLZ(i)赋值
        AVEX = AVEX + XLZ(i)
    Next i
    AVEX = AVEX / n                                       '计算时间序列平均值
    LiShiGuoChengQuXian.Enabled = True                   '主菜单项【历史过程线图】可用
l
    Exit Sub
ErrorHandler:
    MsgBox(Err.Description)
End Sub
```

（23）单击网格控件所触发的事件过程 SFlexGrid1_Click()。

事件过程 SFlexGrid1_Click()把文本框设置成网格控件的单元格，便于用户键盘输入时间序列值。事件过程代码如下：

```
Private Sub MSFlexGrid1_Click()
    Dim c As Integer, r As Integer
    '把文本框设置成网格控件的单元格
    With MSFlexGrid1
        c = .Col: r = .Row
        If c = 1 Then
            Text1.Left = .Left + .ColPos(c)
            Text1.Top = .Top + .RowPos(r)
            Text1.Width = .ColWidth(c)
            Text1.Height = .RowHeight(r)
            Text1 = .Text
            Text1.Visible = True
            Text1.SetFocus                               '获得焦点
        End If
    End With
End Sub
```

（24）按下和松开键盘上一个可打印字符键所触发的事件过程 MSFlexGrid1_KeyPress(KeyAscii As Integer)。

该事件过程用于调用 MSFlexGrid1_Click 过程。事件过程代码如下：

```
Private Sub MSFlexGrid1_KeyPress(KeyAscii As Integer)
    If KeyAscii = vbKeyReturn Then Call MSFlexGrid1_Click
End Sub
```

（25）按下和松开键盘上一个可打印字符键所触发的事件过程 Text1_KeyPress(KeyAscii As Integer)。

该事件过程对用键盘输入的时间序列值的有效性进行确认。事件过程代码如下：

```
Private Sub Text1_KeyPress(KeyAscii As Integer)
    If KeyAscii = vbKeyEscape Then                       '如果按下"Esc"则取消键盘输入的数据
        Text1.Visible = False: MSFlexGrid1.SetFocus: Exit Sub
```

```
            End If
        If KeyAscii = vbKeyReturn Then                    ' 如果按下"Return"则确认键盘输入的数据
            MSFlexGrid1.Text = Text1.Text                 ' 把文本框的值赋给网格单元
            Text1.Visible = False: MSFlexGrid1.SetFocus
        End If
End Sub
```

（26）文本框失去焦点所触发的事件过程 Text1_LostFocus()。

该事件过程用于隐藏文本框，并使网格控件获得焦点。事件过程代码如下：

```
Private Sub Text1_LostFocus()
        Text1.Visible = False: MSFlexGrid1.SetFocus
End Sub
```

（27）单击主菜单项【历史过程线图】所触发的事件过程 LiShiGuoChengQuXian_Click()事件过程。

事件过程 LiShiGuoChengQuXian_Click()用来显示时间序列历史过程线图（包括均值线）。在图片框 Picture1 的自定义坐标系统中，用绘图语句绘制了时间序列及其均值两条过程线图，并配有标题、纵横坐标和图例，最后将与确定时间序列类型有关的控件属性进行了初始化设置。事件过程代码如下：

```
Private Sub LiShiGuoChengQuXian_Click()
        Dim ZZ(), ZZ1()                              ' 声明过程级动态数组变量 ZZ() 和 ZZ1()
        ReDim ZZ(n - 1, 1), ZZ1(n - 1, 1)

        For i = 0 To n - 1
            ZZ(i, 0) = XLZ(i)                        ' 将逐年时间序列值赋予变量 ZZ(i, 0)
            ZZ1(i, 0) = ZZ(i, 0)
            ZZ(i, 1) = AVEX                          ' 将时间序列均值赋予变量 ZZ(i, 1)
            ZZ1(i, 1) = ZZ(i, 1)
        Next i
        For i = 0 To n - 2                           ' 挑选时间序列的最大、最小值
            For j = i + 1 To n - 1
                If ZZ1(i, 0) > ZZ1(j, 0) Then: ij = ZZ1(i, 0): ZZ1(i, 0) = ZZ1(j, 0): ZZ1(j, 0) = ij
                If ZZ1(i, 1) > ZZ1(j, 1) Then: ij = ZZ1(i, 1): ZZ1(i, 1) = ZZ1(j, 1): ZZ1(j, 1) = ij
            Next j
        Next i
        ZMAX1 = ZZ1(n - 1, 0): ZMIN1 = ZZ1(0, 0): ZMAX2 = ZZ1(n - 1, 1): ZMIN2 = ZZ1(0, 1)
        If ZMAX1 >= ZMAX2 Then                       ' 将挑选到的时间序列的最大值赋予变量 ZMAX
            ZMAX = ZMAX1
        Else
            ZMAX = ZMAX2
        End If
        If ZMIN1 <= ZMIN2 Then                       ' 将挑选到的时间序列的最小值赋予变量 ZMIN
            ZMIN = ZMIN1
        Else
```

```
        ZMIN = ZMIN2
End If


' 限制实测值和估计值序列的显示范围
ZMAX_MIN = ZMAX - ZMIN: ZMIN = ZMIN - ZMAX_MIN * 0.5
ZMAX = ZMAX + ZMAX_MIN * 0.3
If ZMAX >= 10 Then ZMAX = Int(ZMAX)
If ZMAX >= 1 And ZMAX < 10 Then ZMAX = (Int((ZMAX) * 10)) / 10
If ZMAX >= 0.1 And ZMAX < 1 Then ZMAX = (Int((ZMAX) * 100)) / 100
If ZMAX >= 0.01 And ZMAX < 0.1 Then ZMAX = (Int((ZMAX) * 1000)) / 1000
If ZMAX >= 0 And ZMAX < 0.01 Then ZMAX = (Int((ZMAX) * 10000)) / 10000
If ZMIN <= -10 Then ZMIN = Int(ZMIN)
If ZMIN > -10 And ZMIN <= -1 Then ZMIN = (Int((ZMIN) * 10)) / 10
If ZMIN > -1 And ZMIN <= -0.1 Then ZMIN = (Int((ZMIN) * 100)) / 100
If ZMIN > -0.1 And ZMIN <= -0.01 Then ZMIN = (Int((ZMIN) * 1000)) / 1000
If ZMIN > -0.01 And ZMIN <= 0 Then ZMIN = (Int((ZMIN) * 10000)) / 10000


Picture1.Cls                                          ' 选择清除图片框 Picture1 中的内容
Picture1.ScaleMode = 0                                       ' 选择自定义坐标系统
Picture1.AutoRedraw = True                      ' 图片框被遮盖后又重显时，会自动画图形
Picture1.ScaleLeft = -(n - 1) * 0.2          ' 设置自定义坐标系统四属性，使图形显示更美观
Picture1.ScaleTop = ZMAX + (ZMAX - ZMIN) * 0.15
Picture1.ScaleWidth = (n - 1) * 1.325
Picture1.ScaleHeight = -((ZMAX - ZMIN) * 1.3)


Picture1.DrawWidth = 3                                          ' 设置线条宽度
Picture1.PSet (0, ZZ(0, 0))                                    ' 设置绘线起点
For i = 0 To n - 1: Picture1.Line -(i, ZZ(i, 0)), QBColor(12): Next i    ' 绘制实测值过程线
Picture1.PSet (0, ZZ(0, 1))
For i = 0 To n - 1: Picture1.Line -(i, ZZ(i, 1)), QBColor(2): Next I      ' 绘制均值线

Picture1.Line (-(n - 1) * 0.05, ZMIN)-((n - 1) * 1.05, ZMAX), , B        ' 绘制边框
Picture1.DrawWidth = 1
For i = 0 To 5                            ' 绘制等间距水平线并在左面标明刻度（即纵坐标）
    Picture1.PSet (-(n - 1) * 0.2, i * (ZMAX - ZMIN) / 5 + 0.1 _
    * (ZMAX - ZMIN) / 5 + ZMIN), QBColor(7)
    ZongZuoBiao = i * (ZMAX - ZMIN) / 5 + ZMIN
    If Abs(ZongZuoBiao) >= 10000 Then Picture1.Print ZongZuoBiao
    If Abs(ZongZuoBiao) >= 1000 And Abs(ZongZuoBiao) < 10000 Then _
    Picture1.Print Int(10 * ZongZuoBiao) / 10
    If Abs(ZongZuoBiao) >= 100 And Abs(ZongZuoBiao) < 1000 Then _
    Picture1.Print Int(100 * ZongZuoBiao) / 100
    If Abs(ZongZuoBiao) >= 10 And Abs(ZongZuoBiao) < 100 Then _
    Picture1.Print Int(1000 * ZongZuoBiao) / 1000
    If Abs(ZongZuoBiao) >= 0 And Abs(ZongZuoBiao) < 10 Then _
    Picture1.Print Int(10000 * ZongZuoBiao) / 10000
```

```
        Picture1.Line (-(n - 1) * 0.05, i * (ZMAX - ZMIN) / 5 + ZMIN) - ((n - 1) _
            * 1.05, i * (ZMAX - ZMIN) / 5 + ZMIN)
    Next i

    If (n - 1) >= 5 Then
        Nmax = Int ((n - 1) / 5)
    Else
        Nmax = 1
    End If
    For i = 0 To n - 1 Step Nmax          ' 绘制等间距短垂直线并在下面标明刻度 (即水平坐标轴)
        Picture1.Line (i, ZMIN + 0.1 * (ZMAX - ZMIN) / 5) - (i, ZMIN)
        Picture1.PSet (i - 0.055 * (n - 1), ZMIN - 0.2 * (ZMAX - ZMIN) / 5), QBColor (7)
        Picture1.Print MC (0) + i
    Next i
    Picture1.PSet ((n - 1) * 1.025 / 2, ZMAX + 0.4 * (ZMAX - ZMIN) / 5), QBColor (7)
    Picture1.Print "红线:实测值        绿线:平均值"                              ' 设置图例

    ' 将与确定时间序列类型有关的控件属性进行初始化设置
    LiShiGuoChengQuXian.Enabled = False: QueDingShiJianXuLieLeiXing.Enabled = True
    Picture1.Visible = True
    Image1.Visible = True: Image2.Visible = True: Image3.Visible = True: Image4.Visible = True
    Option1.Visible = True: Option2.Visible = True: Option3.Visible = True: Option4.Visible = True
End Sub
```

（28）单击主菜单项的【确定时间序列类型】所触发的事件过程 QueDingShiJianXuLie-LeiXing_Click（）。

　　事件过程 QueDingShiJianXuLieLeiXing_Click（）供用户确定时间序列类型。当用户未确定时间序列类型时予以提示，最后使主菜单项【下一步】可用。事件过程代码如下：

```
Private Sub QueDingShiJianXuLieLeiXing_Click ()
    ' 如果未确定时间序列类型, 进行提示
    If Option1.Value = False And Option2.Value = False _
    And Option3.Value = False And Option4.Value = False Then
        MsgBox "您未确定时间序列类型, 请据历史过程线图选定之!": Exit Sub
    End If

    ' 提示所确定的时间序列类型
    If Option1.Value = True Then
        XuLieLeiXing = "您确定的序列类型是平稳序列!": MsgBox Space (4) & XuLieLeiXing
    End If
    If Option2.Value = True Then
        XuLieLeiXing = "您确定的序列类型是均值时变非平稳序列!": MsgBox XuLieLeiXing
    End If
    If Option3.Value = True Then
        XuLieLeiXing = "您确定的序列类型是方差时变非平稳序列!": MsgBox XuLieLeiXing
    End If
```

```
    If Option4.Value = True Then
        XuLieLeiXing = "您确定的序列类型是均值、方差时变非平稳序列!"
        MsgBox XuLieLeiXing
    End If
    XiaYiBu.Enabled = True                                    ' 主菜单项【下一步】可用
End Sub
```

(29) 单击主菜单项【下一步】所触发的事件过程 XiaYiBu_Click()。

事件过程 XiaYiBu_Click() 用于确定下一步本系统应用模型应操作的步骤，并把确定是否识别和提取时间序列趋势、周期、平稳项的判别系数字符串变量以及返回识别和提取时间序列周期项画面的判别系数字符串变量均赋值为 "NO"。事件过程代码如下：

```
Private Sub XiaYiBu_Click()
    ' 确定下一步本系统应用模型应操作的步骤
    If Option1.Value = True Then
        ' 一级子菜单项【平稳时间序列分析计算】可用
        PingWenShiJianXuLieFenXiJiSuan.Enabled = True
        ' 一级子菜单项【识别与提取趋势函数】不可用
        ShiBieYuTiQuQuShiHanShu.Enabled = False
    End If
    If Option2.Value = True Or Option3.Value = True Or Option4.Value = True Then
        ' 一级子菜单项【平稳时间序列分析计算】不可用
        PingWenShiJianXuLieFenXiJiSuan.Enabled = False
        ' 一级子菜单项【识别与提取趋势函数】可用
        ShiBieYuTiQuQuShiHanShu.Enabled = True
    End If

    ' 把确定是否识别和提取时间序列趋势、周期、平稳项的判别系数字符串变量均设为"NO"
    PBXS_QS_ZX$ = "NO": PBXS_QS_ZB$ = "NO": PBXS_ZQ_FC$ = "NO"
    PBXS_ZQ_ZB$ = "NO": PBXS_ZQ_XB$ = "NO": PBXS_PWXL$ = "NO"

    ' 把返回识别和提取时间序列周期项画面的判别系数字符串变量赋予"NO"
    FHPBXS_ZQ_FC$ = "NO": FHPBXS_ZQ_ZB$ = "NO": FHPBXS_ZQ_XB$ = "NO"
End Sub
```

(30) 单击一级子菜单项【识别与提取趋势函数】所触发的事件过程 ShiBieYuTiQuQuShiHanShu_Click()。

事件过程 ShiBieYuTiQuQuShiHanShu_Click() 将窗体 2 上的【趋势分析】、【退出】之外的主菜单项设为不可用，将 Label1(0) 之外的其它控件均不显示，为显示识别和提取时间序列趋势函数的初始画面做准备。事件过程代码如下：

```
Private Sub ShiBieYuTiQuQuShiHanShu_Click()
    ' 为识别和提取时间序列趋势函数做准备
    XiaYiBu.Enabled = False
    Form1.Hide: Form2.Show                                    ' 隐藏窗体 1, 显示窗体 2
```

```
    ' 将窗体 2【趋势分析】、【退出】之外的主菜单项均设为不可用
    Form2.QuShiFenXi.Enabled = True: Form2.XianShiHuiGuiJieGuo.Enabled = False
    Form2.TF_JianYan.Enabled = False: Form2.LiShiNiHeQuXian.Enabled = False
    Form2.YuBao.Enabled = False: Form2.QueRenZuiZhongJieGuo.Enabled = False

    ' 将窗体 2 内的 Label1(0)之外的其它控件均不显示，即仅显示初始画面中的标题
    For i = 0 To 14
        If i > 0 Then Form2.Label1(i).Visible = False
        If i < 11 Then Form2.Label2(i).Visible = False
        If i < 4 Then Form2.Text1(i).Visible = False: Form2.Shape1(i).Visible = False
    Next i
    Form2.Picture1.Visible = False: Form2.Picture2.Visible = False
    Form2.Combo1.Visible = False: Form2.Label1(0).Visible = True
    Form2.Label1(0).Caption = "欢迎使用非平稳序列趋势分析应用程序"
End Sub
```

（31）单击一级子菜单项【平稳时间序列分析计算】所触发的事件过程 PingWenShiJianXuLieFenXiJiSuan_Click()。

事件过程 PingWenShiJianXuLieFenXiJiSuan_Click()将窗体 6 上的【递推求解模型参数】、【上一步】、【下一步】、【退出】之外的主菜单项设为不可用，将 Label1(0) 之外的其它控件均不显示，为显示平稳时间序列分析计算的初始画面做准备。事件过程代码如下：

```
Private Sub PingWenShiJianXuLieFenXiJiSuan_Click()
    ' 为进行平稳时间序列分析计算做准备
    XiaYiBu.Enabled = False
    Form6.Hide: Form2.Show                          ' 隐藏窗体 6，显示窗体 2

    ' 将窗体 6【递推求解模型参数】、【上一步】、【下一步】、【退出】之外的主菜单项_
      均设为不可用
    Form6.DiTuiQiuJieMoXingCanShu.Enabled = True
    Form6.XianShiCanShuGuJiJieGuo.Enabled = False
    Form6.QueRenGuJiJieGuo.Enabled = False: Form6.LiShiNiHeQuXianTu.Enabled = False
    Form6.YuBao.Enabled = False: Form6.QueRenZuiZhongJieGuo.Enabled = False

    ' 将窗体 6 内的 Label1(0)之外的其它控件均不显示，即仅显示初始画面中的标题
    For i = 0 To 10
        If i > 0 Then Form6.Label1(i).Visible = False
        If i < 3 Then Form6.Label2(i).Visible = False
        If i < 3 Then Form6.Text1(i).Visible = False: Form6.Shape1(i).Visible = False
    Next i
    Form6.Picture1.Visible = False: Form6.Picture2.Visible = False
    Form6.Combo1.Visible = False: Form6.Label1(0).Visible = True
    Form6.Label1(0).Caption = "欢迎使用平稳时间序列分析应用程序"
End Sub
```

(32)单击主菜单项【退出】所触发的事件过程 TuiChu_Click()。

事件过程 TuiChu_Click()用来确认是否退出正在运行的系统应用模型，代码如下：

```
Private Sub TuiChu_Click()
    Answer = MsgBox("您确认要退出非平稳时间序列 VB6.0 系统应用模型吗?", 36, _
    "退出系统应用模型对话框")
    If Answer = 6 Then End
    If Answer = 7 Then Exit Sub
End Sub
```

以上介绍了有关窗体 1 应用程序的用户界面设计、属性设置、事件过程代码编写(包括本系统应用模型模块文件中的 6 个通用过程)等详细步骤。窗体 1 用于时间序列值的输入与时间序列类型的确定，下面举一个实例，进一步说明窗体 1 应用程序的具体操作过程。

## 2.5　应用程序实例

本例选用新疆巴音郭楞蒙古自治州开都河大山口水文站 1955~2004 年年径流量时间序列，用本系统应用模型对时间序列值的输入与时间序列类型的确定进行了演示。

时间序列值的输入分顺序文本文件、Microsoft Access 数据库、Microsoft Excel 工作簿和键盘输入四种方式，这里仅选用图 2-2、图 2-3 所示的"巴州主要河流水文站月年平均流量"Microsoft Access 数据库中的"大山口水文站月年平均流量"数据表来加以说明如下：

(1)运行本系统应用模型程序，出现图 2-9 所示的初始画面，选择主菜单项【输入数

图 2-9　系统应用模型初始画面

据】、一级子菜单项【数据库】、二级子菜单项【Microsoft Access】，则显示图 2-10 所示的时间序列查询图，按下图中【浏览】按钮，在弹出的选定 Microsoft Access 数据库文件名的通用对话框中，选择"巴州主要河流水文站月年平均流量"，按下【打开】按钮，便在【浏览】按钮左侧的文本框中显示所选定的数据库文件名。

图 2-10　时间序列查询图

在图 2-10 标签框"选择时间序列所在的数据表名称"下侧的组合框中选择"大山口水文站月年平均流量"，按【显示可选项】按钮；在标签框"选择时间序列"下侧的列表框中选定"大年径流量"，再按【确认选择结果】按钮，则显示图 2-11 所示的时间序列查询结果图和时间序列选定完毕提示框；按下提示框中的【确定】按钮和查询图中的【关闭】按钮，在 1 个矩形形状控件内会显示时间序列值；选择主菜单项【历史过程线图】，则在 2 个矩形形状控件内分别显示历史拟合曲线图与序列类型图，由于大山口水文站年径流量历史过程线图与均值、方差时变的非平稳时间序列类型相接近，故选中【均值、方差时变】单选钮(如果用户未选中【平稳序列】、【均值时变】、【方差时变】或【均值、方差时变】单选钮，便选择主菜单项【确定时间序列类型】，则弹出图 2-12 所示的未确定时间序列类型的提示框)，接着选择主菜单项【确定时间序列类型】，则弹出图 2-13 所示的确定时间序列类型的提示框，按下提示框中的【确定】按钮，结果见图 2-14。

(2)在图 2-14 中，选择主菜单项【下一步】，如果用户选中【平稳序列】单选钮，则一级子菜单项【平稳时间序列分析计算】可用，选择该子菜单则显示第 7 章中图 7-1

所示的平稳时间序列分析初始画面。

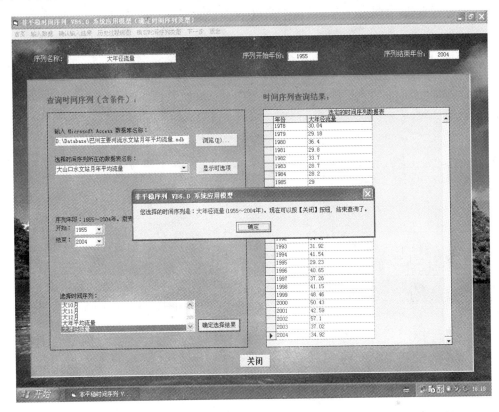

图 2-11　时间序列查询结果图

图 2-12　未确定时间序列类型的提示框

图 2-13　确定时间序列类型的提示框

（3）在图 2-14 中，选择主菜单项【下一步】，如果用户选中【均值时变】、【方差时变】或【均值、方差时变】单选钮，则一级子菜单项【识别与提取趋势函数】可用，选择该子菜单，则显示第 3 章中图 3-1 所示的趋势分析初始画面。

应用程序适用条件：本系统应用模型时间序列值的输入分顺序文本文件、Microsoft Access 数据库、Microsoft Excel 工作簿和键盘输入四种方式。这四种输入方式对于 $t$ 检验，要求样本容量 $n$ 不得超过 1000；对于 $F$ 检验，要求 $n$ 不得超过 500。由于本系统应用模型需要同时进行这两种检验，所以总体要求 $n$ 不得超过 500。

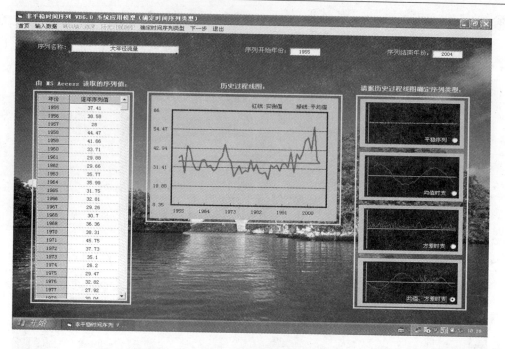

图 2-14　时间序列值以及序列类型显示图

# 第 3 章　趋势分析

上一章介绍了时间序列值的四种输入方式以及如何根据时间序列过程线图来确定时间序列的类型。在上一章图 2-14 中，如果用户选中【均值时变】、【方差时变】或【均值、方差时变】三单选钮之一，则说明时间序列属非平稳时间序列，选择主菜单项【下一步】、一级子菜单项【识别与提取趋势函数】，则可进行非平稳时间序列趋势分析。那么，如何从非平稳时间序列中识别和提取趋势函数呢? 识别和提取趋势函数的方法很多，本章主要介绍一元线性回归趋势分析和逐步回归趋势分析两种方法。

## 3.1　一元线性回归趋势分析

在分析非平稳时间序列的趋势函数时，常用一元线性回归模型来拟合趋势项。所谓一元线性回归分析，就是研究具有线性关系的两个变量相关关系的方法。在识别和提取趋势函数时,通常将随时间 $x$ 而变化的非平稳时间序列 $Y(x)$ 与时间 $x$ 建立如下回归方程:

$$Y(x) = b_0 + b_1 * x + u(x) \qquad (x = 1, 2, \cdots, n) \qquad (3\text{-}1)$$

式中: $b_0$、$b_1$ 是待估的回归系数; $n$ 是样本容量; $u(t)$ 是除 $t$ 对 $X(t)$ 线性影响之外的其它因素对 $Y(x)$ 的影响, 称为随机误差。假设随机误差总体服从 $N(0, \sigma^2)$ 分布且相互独立, 就可在 $x$、$Y(x)$ 的观测样本下以最小二乘法来估计 $b_0$、$b_1$。

$$b_0 = \bar{y} - b_1 * \bar{x} \qquad (3\text{-}2)$$
$$b_1 = S_{xy} / S_{xx} \qquad (3\text{-}3)$$

式中: $\bar{y}$、$\bar{x}$ 分别是 $Y(x)$、$x$ 的样本均值; $S_{xy} = \sum ((x - \bar{x}) * (Y(x) - \bar{y}))$; $S_{xx} = \sum (x - \bar{x})^2$。

非平稳时间序列 $Y(x)$ 所隐含的趋势函数估计值 $QS(t)$ 可由以下回归模型求得:

$$QS(x) = b_0 + b_1 * x \qquad (3\text{-}4)$$

## 3.2　逐步回归趋势分析

### 3.2.1　基本思路

在介绍非平稳时间序列逐步回归趋势分析的基本思路之前，先介绍一下逐步回归分析法的基本思路: 假设有 $m$ 个预报因子，在建立多元回归方程时，这些因子的挑选是逐步进行的，即每一步只挑选一个因子。首先，计算 $m$ 个因子的方差贡献，挑选其中未引进因子中方差贡献最大者进行给定信度 $\alpha$ 下的 $F$ 检验(即引进检验)，若通过检验则引进该因子，否则不引进。其次，若可以引进的因子不足 3 个，则逐步回归结束；若引进因子超过 3 个，则从第 4 步开始，计算 $m$ 个因子的方差贡献，挑选其中所引进因子中方差贡献最小者进行给定信度 $\alpha$ 下的 $F$ 检验(即剔除检验)，若通过检验则剔除该因子，否则不剔除。最后，直到回归方程中既不能引进也不能剔除因子、或者可供挑选的因子均通过引进检验而全被引进时，逐步回归结束（前 3 步只要无因子可引进便可结束回归）。

在识别和提取非平稳时间序列的趋势函数时，有时也常采用下列关系式作为趋势函数项的近似拟合值：

$$X(t)=b_0+b_1t+b_2t^2+b_3t^3+b_4t^4+b_5t^{-1}+b_6t^{-2}+b_7t^{-1/2}+b_8t^{1/2}+b_9e^t+b_{10}\ln t \qquad (3\text{-}5)$$

式中：$t=1, 2, \cdots, n$，$n$ 是样本容量。

将上述关系式中 $t$、$t^2$、$t^3$、$t^4$、$t^{-1}$、$t^{-2}$、$t^{-1/2}$、$t^{1/2}$、$e^t$、$\ln t$ 等 10 项按时间 $t$ 的次序计算排列，可得到样本容量为 $n$ 的 10 个时间序列。将这 10 个时间序列与所分析的非平稳时间序列 $X(t)$ 建立多元逐步回归方程，用逐步回归分析法来估计关系式中的参数 $b_i(i = 0, 1, 2, \cdots, 10)$，给出 $X(t)$ 的具体形式。若经逐步回归计算后，所估计的回归系数均为零，则可认为该非平稳时间序列无趋势项函数存在；否则可认为有趋势项函数存在，$X(t)$ 的具体形式就是非平稳时间序列所隐含的趋势项函数 $QS(t)$。这就是非平稳时间序列逐步回归趋势分析的基本思路。补充一点，如果上述 10 个时间序列因子中经逐步回归分析计算只选中第一个因子，则 $X(t)$ 的具体形式即为一元线性回归趋势分析模型，从这一点来讲，一元线性回归趋势分析是逐步回归趋势分析的特例。

### 3.2.2　计算公式

（1）增广矩阵及变换公式。

逐步回归一般采用标准化正规方程组，其系数和常数项组成的矩阵即为原始增广矩阵，用 $R(0, j, k)$ 来表示，其中 $j$，$k=1, 2, \cdots, m+1$。用 $R(i, j, k)$ 来表示由矩阵变换公式得到的第 $i$ 步增广矩阵，其中 $i=1, 2, \cdots, m$。假如第 $i$ 步所选中的因子中方差贡献最小的第 $kk$ 个因子通过剔除检验，或者在未选中的因子中方差贡献最大的第 $kk$ 个因子通过引进检验，则其第 $(i+1)$ 步矩阵元素与 $i$ 步矩阵元素之间的变换关系为：

$$j=kk、k<>kk\text{ 时，} R(i+1,j,k)=R(i,j,k)/R(i,kk,kk) \qquad (3\text{-}6)$$
$$j<>kk、k<>kk\text{ 时，} R(i+1,j,k)=R(i,j,k) - R(i,j,kk)*R(i,kk,k)/R(i,kk,kk) \qquad (3\text{-}7)$$
$$j<>kk、k=kk\text{ 时，} R(i+1,j,k)=- R(i,j,kk)/R(i,kk,kk) \qquad (3\text{-}8)$$
$$j=kk、k=kk\text{ 时，} R(i+1,j,k)=1/R(i,kk,kk) \qquad (3\text{-}9)$$

（2）方差贡献。

无论剔除还是引进因子，都用同一公式来计算方差贡献 $V(j), j =1, 2, \cdots, m$。如，第 $i$ 步时：

$$V(j)=R(i-1,j,m+1)* R(i-1,j,m+1)/ R(i-1,j,j) \qquad (3\text{-}10)$$

（3）$F$ 检验。

在样本容量为 $n$ 时，以 $F11(i)$、$F22(i)$ 分别表示第 $i$ 步引进或剔除第 $kk$ 个因子时的方差比 $F$，假如此前已选中 $p$ 个因子，则方差比计算公式为：

$$F11(i) = V(kk) * (n-p-2) / (R(i-1, m+1,m+1) - V(kk)) \qquad (3\text{-}11)$$
$$F22(i) = V(kk) * (n-p-1) / R(i-1, m+1,m+1) \qquad (3\text{-}12)$$

由 $F$ 分布表可计得信度为 $\alpha$，自由度分别为 1、$(n-p-2)$ 和 1、$(n-p-1)$ 时的上分位点 $F_{1\alpha}(i)$、$F_{2\alpha}(i)$ 值（本应用程序只要给定信度 $\alpha$，便计算生成上分位点值）。如果

$F11(i) > F_{1\alpha}(i)$ 则引进第 $kk$ 个因子，否则不引进。如果 $F22(i) \leqslant F_{2\alpha}(i)$，则剔除第 $kk$ 个因子，否则不剔除。

(4) 将逐步回归方程转换为标准化前的原值。

假如在第 $i$ 步时逐步回归结束，共引进 $p$ 个因子，用数组变量 $k(t)$ 来表示这 $p$ 个因子在可供挑选的 $m$ 个因子中的序号（$t=1, 2, \cdots, p$），则转换为原值后的回归方程为：

$$Y_j = \bar{Y} + \sum (SQR(S(m+1,m+1)/S(k(t),k(t)) * R(i-1,k(t),m+1)) * (X_{jk(t)} - \bar{X}_{k(t)})) \quad (3\text{-}13)$$

式中：$\bar{Y}$、$\bar{X}_{k(t)}$ 分别是非平稳时间序 $Y$、第 $k(t)$ 个预报因子的样本均值；$S(m+1, m+1)$、$S(k(t), k(t))$ 分别是非平稳时间序列 $Y$、第 $k(t)$ 个预报因子的 $n$ 次观测值的总离差平方和；$j=1, 2, \cdots, n$。

## 3.3　回归效果的统计检验

由于一元线性回归趋势分析是逐步回归趋势分析的特例，这里主要讨论逐步回归效果的统计检验。

除了前文介绍的 $S(m+1,m+1)$，$S(k(t), k(t))$、$\bar{Y}$、$\bar{X}_{k(t)}$之外，下面再补充几个重要的样本统计量：

(1) 非平稳时间序列 $Y$ 的 $n$ 次观测值的总离差平方和 $S_{yy}$、残差平方和 $Q$、回归平方和 $U$ 的计算公式（假如在第 $i$ 步时逐步回归结束）：

$$S_{yy} = S(m+1, m+1) \quad (3\text{-}14)$$

$$U = SQR(1 - R(i-1,m+1,m+1)) * SQR(1 - R(i-1,m+1,m+1)) * S(m+1,m+1) \quad (3\text{-}15)$$

$$Q = S_{yy} - U \quad (3\text{-}16)$$

(2) 复相关系数 $R$，$R = SQR(U/S_{yy})$，它反映的是已引进的全部自变量 $X_p$ 与 $Y$ 之间的线性相关情况（不分正、负相关）。在样本数为 $n$、预报因子数为 $p$ 时，计算统计量 $t = R * SQR(n-p-1) / SQR(1-R^2)$，选定信度 $\alpha$，应用程序便自动计算 $T$ 分布表中对应的 $t(\alpha/2)$，若 $t > t(\alpha/2)$，则预报对象 $Y$ 与全部预报因子 $X_p$ 在信度 $\alpha$ 下是线性相关的，若 $t \leqslant t(\alpha/2)$，则是不相关的。注意：$R$ 在一元线性回归趋势分析中被称为相关系数。

(3) 统计量 $F$，$F = (U/p)/(Q/(n-p-1))$。在样本数为 $n$、预报因子数为 $p$ 时，选定信度 $\alpha$，应用程序便自动计算 $F$ 分布表中对应的 $F(\alpha)$，若 $F > F(\alpha)$，则各回归系数全为零的假设不成立，回归效果显著；若 $F \leqslant F(\alpha)$，则各回归系数全为零的假设成立，回归效果不显著。

(4) 剩余标准差 $S_y$，$S_y = SQR(Q/(n-p-1))$。它可以看作是在排除了 $p$ 个预报因子对 $Y$ 的线性影响以后，衡量 $Y$ 随机波动大小的一个估计量。当 $Y$ 服从正态分布时，对应 $p$ 个预报因子观测值的预报对象估计值 $\hat{y}_j$，落在区间 $[\hat{y}_j - S_y, \hat{y}_j + S_y]$ 内的可能性约为 68%，落在区间 $[\hat{y}_j - 2 * S_y, \hat{y}_j + 2 * S_y]$ 内的可能性约为 95%。可见，$S_y$ 越小，用回归方程所估计的 $\hat{y}_j$ 值就越精确。

## 3.4　分析计算流程

(1) 从一元线性回归趋势分析和逐步回归趋势分析中择其一种作为识别和提取趋势

函数的方法。

（2）非平稳时间序列趋势分析。包括显示趋势函数回归方程和回归效果、进行某一信度的 t 检验和 F 检验、显示历史拟合曲线图、预报、确认最终结果等。

（3）如果对趋势分析结果满意，则准备从非平稳时间序列中识别和提取周期函数；否则可以返回到第 2 章图 2-14 所示的界面，重新输入时间序列值并确定其类型。

# 3.5　应用程序步骤

## 3.5.1　设计用户界面

用户界面分别由 1 个窗体和添加在窗体上的若干控件或控件数组组成。

在第 2 章 2.4.1 节曾经介绍过，本系统应用模型中的窗体 2 用于从时间序列中识别提取趋势函数和趋势预报，并显示分析计算与预报结果，用户界面见本章 3.6 节中的图 3-4。在窗体 2 的菜单编辑器中，创建了【趋势分析】、【显示回归结果】、【t 检验与 F 检验】、【历史拟合曲线图】、【预报】、【确认最终结果】、【上一步】、【下一步】和【退出】等 9 个主菜单控件。在【趋势分析】主菜单项内创建了一级子菜单项【一元线性回归】和【多元逐步回归】。在【历史拟合曲线图】主菜单项内创建了一级子菜单项【正常图形】和【放大图形】，在【正常图形】子菜单项内创建了二级子菜单项【显示】，在【放大图形】子菜单项内创建了二级子菜单项【显示】和【关闭】。在【下一步】主菜单项内创建了一级子菜单项【识别与提取周期函数】，在【识别与提取周期函数】一级子菜单项内创建了二级子菜单项【周期均值叠加分析】、【逐步回归周期分析】和【谐波分析】。

窗体 2 内还添加了 1 个图像框控件、1 个具有 4 个元素的矩形形状控件数组、1 个具有 15 个元素的无边框标签框控件数组、1 个具有 11 个元素的有边框标签框控件数组、1 个具有 4 个元素的文本框控件数组、1 个下拉式列表框控件和 2 个图片框控件。

## 3.5.2　属性设置

窗体 2 菜单对象的属性设置见表 3-1；窗体 2 以及窗体 2 内各控件对象的属性设置见表 3-2。各控件的字体属性如字体、字形、大小、效果、颜色等，用户在属性窗口中可以根据自己的爱好来确定。

表 3-1　窗体 2 菜单对象的属性设置

| 菜单等级 | 标题 | 名称 | 内缩符号 |
|---|---|---|---|
| 主菜单 | 趋势分析 | QuShiFenXi | 无 |
| 一级子菜单 | 一元线性回归 | ZhiXian | ···· |
| 一级子菜单 | 多元逐步回归 | DuoYuan | ···· |
| 主菜单 | 显示回归结果 | XianShiHuiGuiJieGuo | 无 |
| 主菜单 | t 检验与 F 检验 | TF_JianYan | 无 |

续表 3-1

| 菜单等级 | 标题 | 名称 | 内缩符号 |
|---|---|---|---|
| 主菜单 | 历史拟合曲线图 | LiShiNiHeQuXian | 无 |
| 一级子菜单 | 正常图形 | ZhengChangTuXing | ···· |
| 二级子菜单 | 显示 | XianShi1 | ········ |
| 一级子菜单 | 放大图形 | FangDaTuXing | ···· |
| 二级子菜单 | 显示 | XianShi2 | ········ |
| 二级子菜单 | 关闭 | GuanBi | ········ |
| 主菜单 | 预报 | YuBao | 无 |
| 主菜单 | 确认最终结果 | QueRenZuiZhongJieGuo | 无 |
| 主菜单 | 上一步 | ShangYiBu | 无 |
| 主菜单 | 下一步 | XiaYiBu | 无 |
| 一级子菜单 | 识别与提取周期函数 | ShiBieYuTiQuZhouQiHanShu | ···· |
| 二级子菜单 | 周期均值叠加分析 | ZhouQiJunZhiDieJiaFenXi | ········ |
| 二级子菜单 | 逐步回归周期分析 | ZhuBuHuiGuiZhouQiFenXi | ········ |
| 二级子菜单 | 谐波分析 | XieBoFenXi | ········ |
| 主菜单 | 退出 | TuiChu | 无 |

表 3-2　窗体 2 以及窗体 2 内各控件对象的属性设置

| 对象 | 属性 | 设置 |
|---|---|---|
| 窗体 | Caption | 非平稳时间序列 VB6.0 系统应用模型（趋势函数的识别与提取） |
| | （名称） | Form2 |
| | WindowState | 2（最大化） |
| 图像框 | （名称） | Image1 |
| | Picture | （风景图） |
| | Stretch | True |
| 形状控件 1～形状控件 4 | （名称） | Shape1（0）、Shape1（1）… Shape1（3） |
| | BorderWidth | 3 |
| | Shape | 0（矩形） |
| 标签框 1 | Caption | 置空 |
| | （名称） | Label1（0） |
| 标签框 2 | Caption | 序列名称： |
| | （名称） | Label1（1） |
| 标签框 3 | Caption | 因子名称： |
| | （名称） | Label1（2） |
| 标签框 4 | Caption | 序列开始年份： |
| | （名称） | Label1（3） |
| 标签框 5 | Caption | 序列结束年份： |
| | （名称） | Label1（4） |
| 标签框 6 | Caption | 回归方程与回归效果 |
| | （名称） | Label1（5） |

续表 3-2

| 对象 | 属性 | 设置 |
|---|---|---|
| 标签框 7 | Caption（名称） | 回归方程：Label1（6） |
| 标签框 8 | Caption（名称） | 回归效果：Label1（7） |
| 标签框 9 | Caption（名称） | 检验 Label1（8） |
| 标签框 10 | Caption（名称） | 请选择信度 α：Label1（9） |
| 标签框 11 | Caption（名称） | t 检验结果：Label1（10） |
| 标签框 12 | Caption（名称） | F 检验结果：Label1（11） |
| 标签框 13 | Caption（名称） | 趋势估计值与非平稳序列历史拟合曲线图 Label1（12） |
| 标签框 14 | Caption（名称） | 预报 Label1（13） |
| 标签框 15 | Caption（名称） | 预报结果：Label1（14） |
| 标签框 1～标签框 11 | Caption（名称）BorderStyle | 置空 Label2（0）、Label2（1）… Label2（10）1（有边框） |
| 文本框 1～文本框 4 | （名称）Text MultiLine | Text1（0）、Text1（1）… Text1（3）置空 True |
| 组合框 | （名称）Style | Combo1 2（下拉式列表框） |
| 图片框控件 1～图片框控件 2 | （名称） | Picture1、Picture2 |

### 3.5.3 编写事件过程代码

趋势分析应用程序界面共有 18 个事件过程。

18 个事件过程包括：单击【趋势分析】主菜单项的 QuShiFenXi_Click()、单击【一元线性回归】一级子菜单项的 ZhiXian_Click()、单击【多元逐步回归】一级子菜单项的 DuoYuan_Click()、单击【显示回归结果】主菜单项的 XianShiHuiGuiJieGuo_Click()、单击标签框"请选择信度 α："右侧组合框的 Combo1_Click()、单击【t 检验与 F 检验】主菜单项的 TF_JianYan _Click()、单击【正常图形】一级子菜单项的 ZhengChangTuXing_Click()、单击【显示】二级子菜单项的 XianShi1_Click()、单击【放大图形】一级子菜单项的 FangDaTuXing_Click()、单击【显示】二级子菜单项的 XianShi2_Click()、单击【关闭】二级子菜单项的 GuanBi_Click()、单击【预报】主菜单项的 YuBao_Click()、单击【确认最终结果】主菜单项的 QueRenZuiZhongJieGuo_Click()、单击【上一步】主菜单项的 ShangYiBu_Click()、单击【周期均值叠加分析】二级子菜单项的 ZhouQiJunZhiDieJiaFenXi_Click()、单击【逐步回归周期分析】二级子菜单项的

ZhuBuHuiGuiZhouQiFenXi_Click()、单击【谐波分析】二级子菜单项的 XieBoFenXi_Click()和单击【退出】主菜单项的 TuiChu_Click()。

18 个事件过程中有一部分计算功能、程序代码与第 2 章 2.4.3 节相应内容相同或基本相同，这里主要介绍不同之处。

(1)在窗体的代码窗口声明部分，用 Dim 关键词声明了如下窗体级变量：

```
Const m As Integer = 10                    ' 存放预报因子总数
Dim XX()                                   ' 存放非平稳时间序列、预报因子名等
Dim X_Y() As Single          ' 存放非平稳时间序列样本观测值、预报因子序列值
Dim S(),B()                                ' 动态数组变量
' 存放回归系数 b0、趋势函数形式名、预报因子值和预报值
Dim b0, HanShuXingShi, YuBaoYinZiZhi(),YuBaoZhi(10)
Dim r() As Single                          ' 存放各步增广矩阵元素
Dim V(), V1()                              ' 存放所选中的预报因子序号
Dim V2() As Single                         ' 存放方差贡献计算值
Dim V3()          ' 输入时存放方差贡献 V2()值，输出时存放方差贡献从小到大的排序结果
Dim V4()                                   ' 存放所剔除的预报因子序号
Dim r_0                                    ' 存放 F 分布信度 α
Dim Myinzishu As Integer                   ' 存放所选中的预报因子总数
Dim ii As Integer                          ' 存放逐步回归结束时的总步数
Dim F11(), F1r(), F22(), F2r()  ' 存放方差比和给定信度 α 下的 F 分布上分位点值
Dim Syy As Single, U As Single             ' 存放总离差平方和、回归平方和值
```

(2)单击主菜单项【趋势分析】所触发的事件过程 QuShiFenXi_Click()。

事件过程 QuShiFenXi_Click()为进行一元线性回归趋势分析或逐步回归趋势分析做初始化准备，如隐藏部分主菜单项，置空部分标签框和文本框，显示部分标签框、文本框和形状控件，清空组合框、图片框内容并使图片框不可见，命名 10 个预报因子并置数等。事件过程代码如下：

```
Private Sub QuShiFenXi_Click()
    ReDim XX(11)                ' 重定义存放非平稳时间序列、预报因子名等的动态数组变量

    ' 使部分主菜单项不可用
    XianShiHuiGuiJieGuo.Enabled = False: TF_JianYan.Enabled = False
    LiShiNiHeQuXian.Enabled = False: YuBao.Enabled = False
    QueRenZuiZhongJieGuo.Enabled = False

    ' 将显示趋势分析结果的标签框、文本框均置空
    Label1(0).Caption = ""
    For i = 0 To 10: Label2(i).Caption = "": If i < 4 Then Text1(i).Text = "": Next I

    ' 使显示趋势分析结果的标签框、文本框、形状控件均可见
    For i = 0 To 14
        If i > 0 Then Label1(i).Visible = True
        If i < 11 Then Label2(i).Visible = True
        If i < 4 Then Text1(i).Visible = True: Shape1(i).Visible = True
```

```
    Next i

    '将组合框、图片框内容清空并使图片框不可见
    Combo1.Clear: Picture1.Cls: Picture2.Cls: Picture1.Visible = False: Picture2.Visible = False

    '命名 10 个预报因子
    XX(1) = "t (t=1、2、…)": XX(2) = "t^2 (t=1、2、…)": XX(3) = "t^3 (t=1、2、…)"
    XX(4) = "t^4 (t=1、2、…)": XX(5) = "t^-1 (t=1、2、…)": XX(6) = "t^-2 (t=1、2、…)"
    XX(7) = "t^-0.5 (t=1、2、…)": XX(8) = "t^0.5 (t=1、2、…)"
    XX(9) = "Exp(t) (t=1、2、…)": XX(10) = "Log(t) (t=1、2、…)"
    XX(0) = MC(0): XX(11) = MC(1)                     'XX(0)即序列开始年份、XX(11)即序列名称

    ReDim X_Y(m + 1, n + 9)              '重定义存放非平稳时间序列、预报因子值的动态数组变量
    '给 10 个预报因子赋逐年序列值(将 10 个预报因子逐年序列值在 n 基础上外延 10 年)
    For i = 0 To n + 9
        X_Y(1, i) = i + 1: X_Y(2, i) = (i + 1) ^ 2: X_Y(3, i) = (i + 1) ^ 3: X_Y(4, i) = (i + 1) ^ 4
        X_Y(5, i) = (i + 1) ^ -1: X_Y(6, i) = (i + 1) ^ -2: X_Y(7, i) = (i + 1) ^ -0.5
        X_Y(8, i) = (i + 1) ^ 0.5: X_Y(9, i) = Exp(i + 1): X_Y(10, i) = Log(i + 1)
        If i <= n - 1 Then X_Y(11, i) = XLZ(i)        '给 X_Y(11, i)赋逐年非平稳时间序列值
    Next i
End Sub
```

(3) 单击一级子菜单项【一元线性回归】所触发的事件过程 ZhiXian_Click()。

事件过程 ZhiXian_Click()首先显示非平稳时间序列名等;接着进行一元线性回归趋势分析计算,包括计算非平稳时间序列的总离差平方和 $S_{yy}$、回归平方和 $U$ 和一元线性回归分析系数等;最后使主菜单项【显示回归结果】和【t 检验与 F 检验】可用,并将用于 $t$ 检验的信度 $\alpha$ 置入组合框 Combo1 的 List()属性内。事件过程代码如下:

```
Private Sub ZhiXian_Click()
    Dim AVEX_Y(1 To m + 1)                       '存放非平稳时间序列、预报因子平均值
    ReDim B(1)

    Label2(0).Caption = XX(11)                              '显示非平稳时间序列名
    Label2(1).Caption = "时间 t, 取值: 1、2、3、…"              '显示预报因子名
    Label2(2).Caption = XX(0): Label2(3).Caption = XX(0) + n - 1    '显示序列开始、结束年份
    HanShuXingShi = "ZhiXian"                               '确定趋势函数形式
    Myinzishu = 1                                          '确定所选中的预报因子总数

    Sxx = 0: Syy = 0: Sxy = 0: C1 = 0: C2 = 0
    For i = 0 To n - 1: C1 = C1 + X_Y(1, i): C2 = C2 + X_Y(11, i): Next i
    AVEX_Y(1) = C1 / n: AVEX_Y(11) = C2 / n

    For i = 0 To n - 1                            '进行一元线性回归趋势分析计算
        Sxx1 = (X_Y(1, i) - AVEX_Y(1)) * (X_Y(1, i) - AVEX_Y(1)): Sxx = Sxx + Sxx1
        SYY1 = (X_Y(11, i) - AVEX_Y(11)) * (X_Y(11, i) - AVEX_Y(11)): Syy = Syy + SYY1
        Sxy1 = (X_Y(1, i) - AVEX_Y(1)) * (X_Y(11, i) - AVEX_Y(11)): Sxy = Sxy + Sxy1
```

```
        Next i
        B(1) = Sxy / Sxx: b0 = AVEX_Y(11) - B(1) * AVEX_Y(1)    '计算一元线性回归分析系数
        U = B(1) * Sxy                              '计算非平稳时间序列回归平方和 U

        '使主菜单项【显示回归结果】和【t 检验与 F 检验】可用
        XianShiHuiGuiJieGuo.Enabled = True: TF_JianYan.Enabled = True

        '将用于 t 检验的信度 α 置入组合框 Combo1 的 List() 属性内
        Combo1.Visible = True: Combo1.List(0) = 0.1: Combo1.List(1) = 0.05
        Combo1.List(2) = 0.025: Combo1.List(3) = 0.01: Combo1.List(4) = 0.001
End Sub
```

(4) 单击一级子菜单项【多元逐步回归】所触发的事件过程 DuoYuan_Click()。

事件过程 DuoYuan_Click() 首先显示非平稳时间序列名等，计算所有可供挑选的预报因子序列与非平稳时间序列的平均值、离差平方和以及原始增广矩阵元素值，并要求用户输入引进或剔除 $F$ 检验所需的信度 $\alpha$ 值；接着，进行逐步回归分析与计算，并计算回归系数、非平稳时间序列的总离差平方和 $S_{yy}$、回归平方和 $U$；最后使主菜单项【显示回归结果】和【t 检验与 F 检验】可用，并将用于 $t$ 检验的信度 $\alpha$ 置入组合框 Combo1 的 List() 属性内。事件过程代码如下：

```
Private Sub DuoYuan_Click()
        Dim AVEX_Y()                                    '存放非平稳时间序列、预报因子平均值
        Dim s2: ReDim S(1 To m + 1, 1 To m + 1): ReDim AVEX_Y(1 To m + 1)
        ReDim r(m, m + 1, m + 1), V(m), V1(m), V2(m), V3(m), V4(m), F11(m), F1r(m),_
        F22(m), F2r(m)

        Label2(0).Caption = XX(11)                             '显示非平稳时间序列名
        Label2(1).Caption = "时间 t 的 10 种函数形式"            '显示预报因子名
        Label2(2).Caption = XX(0): Label2(3).Caption = XX(0) + n - 1   '显示序列开始、结束年份
        HanShuXingShi = "DuoYuan"                              '确定趋势函数形式

        For i = 1 To m + 1                 '计算并储存所有可供挑选的预报因子与非平稳时间序列平均值
            C1 = 0
            For k = 0 To n - 1: C1 = C1 + X_Y(i, k): Next k: AVEX_Y(i) = C1 / n
        Next i
        For i = 1 To m + 1         '计算并储存所有可供挑选的预报因子与非平稳时间序列的离差平方和
            For j = 1 To m + 1
                C1 = 0
                For k = 0 To n - 1
                    s1 = (X_Y(i, k) - AVEX_Y(i)) * (X_Y(j, k) - AVEX_Y(j)): C1 = C1 + s1
                Next k
                S(i, j) = C1
            Next j
        Next i
```

```
For i = 1 To m + 1                                        ' 计算并储存原始增广矩阵元素值
    For j = 1 To m + 1: r(1, i, j) = S(i, j) / Sqr(S(i, i) * S(j, j)): Next j
Next i


Do                                               ' 输入引进或剔除 F 检验所需的信度 α 值
    r0 = InputBox(Space(4) & "引入或者剔除因子需要进行 F 检验, 请输入信度 α: _
    0.10、0.05、0.025、0.01 或 0.001.", "信度输入对话框")
Loop Until r0 <> Empty And (r0 = 0.1 Or r0 = 0.05 Or r0 = 0.025 Or r0 = 0.01 Or r0 = 0.001)
r_0 = r0


kk = 0
Myinzishu = 0
For i = 1 To m                                           ' 进行逐步回归分析与计算
    For j = 1 To m + 1                    ' 通过矩阵转换公式来计算并储存各步增广矩阵元素值
        For k = 1 To m + 1
            If i = 1 Then r(i, j, k) = r(1, j, k)
            If i > 1 Then
                If j = kk And k <> kk Then r(i, j, k) = r(i - 1, j, k) / r(i - 1, kk, kk)
                If j <> kk And k <> kk Then r(i, j, k) = r(i - 1, j, k) - r(i - 1, j, kk) _
                * r(i - 1, kk, k) / r(i - 1, kk, kk)
                If j <> kk And k = kk Then r(i, j, k) = -r(i - 1, j, kk) / r(i - 1, kk, kk)
                If j = kk And k = kk Then r(i, j, k) = 1 / r(i - 1, kk, kk)
            End If
        Next k
    Next j
' 计算并储存各步方差贡献值
    For j = 1 To m: V2(j) = r(i, j, m + 1) * r(i, j, m + 1) / r(i, j, j): Next j

    If Myinzishu >= 3 Then
        For j = 1 To Myinzishu: V3(j) = V2(V(j)): Next j     ' 储存所选中因子的方差贡献值
        Myinzishu1 = Myinzishu
        ' 调用子程序, 输出时存放选中因子的方差贡献从小到大的排序结果
        Call PAIXU(V3(), Myinzishu1)
        ' 从选中的因子中挑选最小的方差贡献值, 并将其序号存放在 V4(i) 中
        For j = 1 To Myinzishu: If V3(1) = V2(V(j)) Then V4(i) = V(j): Next j
        ' 计算剔除因子的方差比 F22(i) 和 F 分布上分位点 F2r(i) 值
        F22(i) = V2(V4(i)) * (n - Myinzishu - 1) / r(i, m + 1, m + 1)
        f1 = 1: f2 = n - Myinzishu - 1: f3 = 1.17: RR = ShiSuanF(f2, f1, f3, r0)
        F2r(i) = Int((f3 + 0.00555) * 100) / 100


        ' 若通过剔除因子 F 检验, 则将剔除因子序号存放在 kk 中, 并剔除该因子
        If F22(i) <= F2r(i) Then
            kk = V4(i): t = 0
            For j = 1 To Myinzishu: If V(j) <> kk Then t = t + 1: V(t) = V(j): Next j
            Myinzishu = Myinzishu - 1
        End If
```

```
        End If

        If i = 1 Then                          ' 第 1 步将 m 个因子的方差贡献值存放在 V3(j) 中
            For j = 1 To m: V3(j) = V2(j): Next j
        End If

        If i > 1 Then                   ' 从第 2 步开始将未选中因子的方差贡献值存放在 V3(j) 中
            t = 0
            For j = 1 To m
                If Myinzishu = 1 Then s2 = j <> V(1)
                If Myinzishu > 1 Then
                    s2 = j <> V(1)
                    For k = 2 To Myinzishu: s2 = s2 And j <> V(k): Next k
                End If
                If s2 Then: t = t + 1: V3(t) = V2(j)
            Next j
        End If


    Myinzishu1 = m - Myinzishu
    ' 调用子程序，输出时存放未选中因子的方差贡献从小到大的排序结果
    Call PAIXU(V3(), Myinzishu1)
    ' 从未选中的因子中挑选最大的方差贡献值，并将其序号存放在 V1(i) 中
    For j = 1 To m: If V3(m - Myinzishu) = V2(j) Then V1(i) = j: Next j
    ' 计算引进因子的方差比 F11(i) 和 F 分布上分位点 F1r(i) 值
    F11(i) = V2(V1(i)) * (n - Myinzishu - 2) / (r(i, m + 1, m + 1) - V2(V1(i)))
    f1 = 1: f2 = n - Myinzishu - 2: f3 = 1.17: RR = ShiSuanF(f2, f1, f3, r0)
    F1r(i) = Int((f3 + 0.00555) * 100) / 100


    ' 若第 1 步引进因子时，不能通过 F 检验，则终止逐步回归分析
    If i = 1 And F11(i) <= F1r(i) Then
        MsgBox("在给定信度 α = " & r0 & " 时,无法引进任何预报因子!"): GoTo 1
    End If
    ' 若通过引进因子 F 检验，则将选中因子序号存放在 kk 中，并引进该因子
    If F11(i) > F1r(i) Then kk = V1(i): Myinzishu = Myinzishu + 1: V(Myinzishu) = V1(i)
    ' 若可供挑选的因子全被引进，或前 3 步不能引进因子，_
        或既无因子可引进又无因子可剔除时，则终止逐步回归分析
    If i = m Or (F11(i) <= F1r(i) And Myinzishu < 3) _
    Or (F11(i) <= F1r(i) And F22(i) > F2r(i)) Then ii = i: Exit For
Next i


' 计算回归系数、非平稳时间序列的总离差平方和 Syy、回归平方和 U
ReDim B(1 To Myinzishu)
For i=1 To Myinzishu:B(i)=Sqr(S(m + 1, m + 1) / S(V(i), V(i))) * r(ii, V(i), m + 1): Next i
b0 = 0
For i = 1 To Myinzishu: b0 = b0 + B(i) * AVEX_Y(V(i)): Next i
b0 = AVEX_Y(m + 1) - b0: Syy = S(m + 1, m + 1)
```

```
    U = Sqr (1 - r (ii, m + 1, m + 1)) * Sqr (1 - r (ii, m + 1, m + 1)) * S (m + 1, m + 1)

    ' 使主菜单项【显示回归结果】和【t 检验与 F 检验】可用
    XianShiHuiGuiJieGuo.Enabled = True: TF_JianYan.Enabled = True

    ' 将用于 T 检验的信度 α 置入组合框 Combo1 的 List () 属性内
    Combo1.Visible = True: Combo1.List (0) = 0.1: Combo1.List (1) = 0.05
    Combo1.List (2) = 0.025: Combo1.List (3) = 0.01: Combo1.List (4) = 0.001
1
End Sub
```

（5）单击主菜单项【显示回归结果】所触发的事件过程 XianShiHuiGuiJieGuo_Click ()。

事件过程 XianShiHuiGuiJieGuo_Click () 首先显示所识别和提取的非平稳时间序列趋势函数关系式（即一元线性回归趋势分析或逐步回归趋势分析方程，包括回归系数值）；接着显示趋势分析回归效果，包括统计年限长度 $n$、离差平方和 $S_{yy}$、残差平方和 $Q$、回归平方和 $U$、复相关系数 $R$（或相关系数 $r$）和剩余标准差 $S_y$。事件过程代码如下：

```
Private Sub XianShiHuiGuiJieGuo_Click ()
    ' 显示回归方程
    Label2 (4) .Caption = Space (4) & "Y = b0 " & "+" & " ∑ bi* Xi" & _
    " ( i = 1 ～ " & Myinzishu & " )"
    Ch$ = Chr (13) + Chr (10)
    If HanShuXingShi = "ZhiXian" Then
        JieGuo1$ = Space (4) & "式中：Y -- 非平稳序列趋势函数（直线）" & Ch$ & Space (10) _
        & "Xi -- 预报因子" & Ch$ & Space (10) & "bi -- 回归系数, 取值为：" & Ch$ _
        & Space (10) & "b0 = " & CSng (b0) & Ch$ & Space (10) & "b1" & " = " & CSng (B (1))
        Text1 (0) .Text = JieGuo1$: GoTo 1
    End If
    JieGuo1$ = Space (4) & "式中：Y   -- 非平稳序列趋势函数" & Ch$ & Space (10) _
    & "Xi -- 预报因子" & Ch$ & Space (10) & "bi -- 回归系数, 取值为：" & Ch$ _
    & Space (10) & "b0 = " & CSng (b0)
    JieGuo2$ = ""
    For i = 1 To Myinzishu
        JieGuo2$ = JieGuo2$ & Ch$ & Space (10) & "b" & i & " = " & CSng (B (i)) _
        & " ( 因子" & V (i) & " )"
    Next i
    Text1 (0) .Text = JieGuo1$ & JieGuo2$
1
    ' 显示回归效果
    Label2 (5) .Caption = Space (4) & "统计年限长度  n = " & n
    Label2 (6) .Caption = Space (4) & "离差平方和  Syy = " & Syy
    Label2 (7) .Caption = Space (4) & "残差平方和  Q = " & Syy - U
    Label2 (8) .Caption = Space (4) & "回归平方和  U = " & U
    If HanShuXingShi = "ZhiXian" Then Label2 (9) .Caption = Space (4) & _
    "相关系数  R = " & CSng (Sqr (U / Syy))
```

```
If HanShuXingShi = "DuoYuan" Then Label2 (9).Caption = Space (4) & _
    "复相关系数  R = " & CSng (Sqr (U / Syy))
    Label2 (10).Caption = Space (4) & "剩余标准差  Sy = " & _
    CSng (Sqr ((Syy - U) / (n - Myinzishu - 1)))
End Sub
```

(6) 单击标签框"请选择信度 $\alpha$ ："右侧组合框的 Combo1_Click ()。

事件过程 Combo1_Click ()，将显示 $t$ 检验和 $F$ 检验结果的文本框内容置空。事件过程代码如下：

```
Private Sub Combo1_Click ()
    Text1 (1).Text = "": Text1 (2).Text = ""
End Sub
```

(7) 单击主菜单项【t 检验与 F 检验】所触发的事件过程 TF_JianYan _Click ()。

事件过程 TF_JianYan_Click () 首先由用户选择信度 $\alpha$ 值；接着，应用程序调用函数过程 ShiSuanT (n0, t, r0) 和 ShiSuanF (f2, f1, f3, r0)，计算得到较为精确的 $T$ 分布表中的双侧 $t (\alpha/2)$ 值（即代码中的 t）和 $F$ 分布表中的上分位点 $F (\alpha)$ 值（即代码中的 f3）（注意：对于 $t$ 检验，序列长度不要超过 1000，对于 $F$ 检验，不要超过 500）；最后进行给定信度 $\alpha$ 下的 $t$ 检验和 $F$ 检验，将检验结果分别显示在文本框 Text1 (1)、Text1 (2) 的 Text 属性中，并使主菜单项【历史拟合曲线图】、【预报】和【确认最终结果】可用。事件过程代码如下：

```
Private Sub TF_JianYan_Click ()
    If Combo1.Text = Empty Then
        MsgBox Space (5) & "您未选择信度 α 值，  请选择。": Combo1.SetFocus: GoTo 1
    End If: Text1 (3).SetFocus
    If n > 1000 Then
        MsgBox "对不起，序列长度超过 1000 时，程序会陷入死循环，故不能作 T 检验。"
        GoTo 1
    End If
    ' 用 Val 函数将 Combo1.Text 由字符型转为数值型数据，系双精度实型
    r0 = Val (Combo1.Text): n0 = n - Myinzishu - 1: t = 1.64
    ' 以下几个特殊双侧 T (α/2) 值，调用 ShiSuanT 时，计算时间太长，故直接给出了结果
    If r0 = 0.01 And n0 = 1 Then t = 63.66: GoTo 2
    If r0 = 0.001 And n0 = 1 Then t = 636.62: GoTo 2
    If r0 = 0.001 And n0 = 2 Then t = 31.6: GoTo 2
2
    RR1 = ShiSuanT (n0, t, r0)                      ' 调用函数过程 ShiSuanT (n0,  t,  r0)
    t0 = Int ((t + 0.00555) * 100) / 100
    Rf = Sqr (U / Syy)                             ' 计算复相关系数 Rf
    t1 = Sqr (n0) * Rf / Sqr (1 - Rf * Rf): t1 = Int ((t1 + 0.00555) * 100) / 100
    If t1 > t0 Then                  ' 进行 t 检验，并在文本框 Text1 (1) 的 Text 属性中显示检验结果
        Text1 (1).Text = Space (4) & "由于  t = " & t1 & " > " & "t" & " (" & r0 & "/2) = " & t0 _
        & ",在信度  α  = " & r0 & "时，全部随机自变量 Xi 与因变量是线性相关的。"
    Else
```

```
    Text1(1).Text = Space(4) & "由于 t = " & t1 & " < = " & "t" & "(" & r0 & "/2) = " & t0 _
    & ",在信度 α = " & r0 & "时，全部随机自变量 Xi 与因变量是线性不相关的。"
End If

If n > 500 Then
    MsgBox "对不起,序列长度超过 500 时,程序有可能陷入死循环,故不能作 F 检验。"
    GoTo 1
End If
f1 = Myinzishu: f2 = n - Myinzishu - 1: f3 = 1.17
RR2 = ShiSuanF(f2, f1, f3, r0)                    ' 调用函数过程 ShiSuanF(f2, f1, f3, r0)
f0 = Int((f3 + 0.00555) * 100) / 100: f4 = (U / Myinzishu) / ((Syy - U) / (n - Myinzishu - 1))
f4 = Int((f4 + 0.00555) * 100) / 100
If f4 > f0 Then              ' 进行 F 检验，并在文本框 Text1(2) 的 Text 属性中显示检验结果
    Text1(2).Text = Space(4) & "由于 F = " & f4 & " > " & "F" & "(" & r0 & ") = " & f0 _
    & ",在信度 α = " & r0 & "时，各回归系数为零的假设不成立,回归效果是显著的。"
Else
    Text1(2).Text = Space(4) & "由于 F = " & f4 & " < = " & "F" & "(" & r0 & ") = " & f0 _
    & ",在信度 α = " & r0 & "时,各回归系数为零的假设不成立,回归效果是不显著的。"
End If

' 使主菜单项【历史拟合曲线图】、【预报】和【确认最终结果】可用
LiShiNiHeQuXian.Enabled = True: YuBao.Enabled = True
QueRenZuiZhongJieGuo.Enabled = True
1
End Sub
```

（8）单击一级子菜单项【正常图形】所触发的事件过程 ZhengChangTuXing_Click()。

事件过程 ZhengChangTuXing_Click()为显示历史拟合正常曲线图形做准备，即把图片框 Picture1 的 Visible 属性设置为 True。事件过程代码如下：

```
Private Sub ZhengChangTuXing_Click()
    Picture1.Visible = True
End Sub
```

（9）单击二级子菜单项【显示】所触发的事件过程 XianShi1_Click()。

事件过程 XianShi1_Click()用来显示非平稳时间序列实测值及其趋势估计值的历史拟合正常曲线图。在图片框 Picture1 的自定义坐标系统中，用绘图语句绘制了非平稳时间序列实测值及其趋势估计值两条过程线图，并配有纵、横坐标和图例。事件过程代码与第 2 章 2.4.3 节中的 LiShiGuoChengQuXian_Click()基本相同，只需将代码 For 循环中的 "ZZ(i, 0) = XLZ(i)"、"ZZ1(i, 0) = ZZ(i, 0)"、"ZZ(i, 1) = AVEX"、"ZZ1(i, 1) = ZZ(i, 1)" 四个语句（包括 For 循环）改为：

```
For i = 0 To n - 1
    ZZ(i, 0) = X_Y(m + 1, i)                    ' 将非平稳时间序列值赋予变量 ZZ(i, 0)
    ZZ1(i, 0) = ZZ(i, 0) : ZZ0 = 0
    For j = 1 To Myinzishu
```

```
    If HanShuXingShi = "ZhiXian" Then
        ZZ0 = ZZ0 + B (j) * X_Y (1, i)
    Else
        ZZ0 = ZZ0 + B (j) * X_Y (V (j), i)
    End If
    Next j
    ZZ (i, 1) = b0 + ZZ0                    ' 将非平稳时间序列估计值赋予变量 ZZ (i, 1)
    ZZ1 (i, 1) = ZZ (i, 1)
Next i
```

并删除代码中的下列一段语句即可：

```
' 将与确定时间序列类型有关的控件属性进行初始化设置
LiShiGuoChengQuXian.Enabled = False: QueDingShiJianXuLieLeiXing.Enabled = True
Picture1.Visible = True
Image1.Visible = True: Image2.Visible = True: Image3.Visible = True: Image4.Visible = True
Option1.Visible = True: Option2.Visible = True: Option3.Visible = True: Option4.Visible = True
```

（10）单击一级子菜单项【放大图形】所触发的事件过程 FangDaTuXing_Click ()。

事件过程 FangDaTuXing_Click () 为显示历史拟合放大曲线图形做准备：首先把【历史拟合曲线图】、【上一步】、【下一步】和【退出】之外的主菜单项的 Enabled 属性均设置为 False；接着显示图片框 Picture2 并用 Cls 方法来清除 Picture2 中的内容；最后把显示回归分析结果和历史拟合正常图形的其它控件的 Visible 属性设置为 False。事件过程代码如下：

```
Private Sub FangDaTuXing_Click ()
    QuShiFenXi.Enabled = False: XianShiHuiGuiJieGuo.Enabled = False
    TF_JianYan.Enabled = False: YuBao.Enabled = False
    QueRenZuiZhongJieGuo.Enabled = False: ZhengChangTuXing.Enabled = False

    Picture2.Visible = True: Picture2.Cls
    For i = 0 To 14
        If i > 4 Then Label1 (i).Visible = False
        If i > 3 And i < 11 Then Label2 (i).Visible = False
        If i < 4 Then Text1 (i).Visible = False: Shape1 (i).Visible = False
    Next i
    Picture1.Visible = False: Combo1.Visible = False
End Sub
```

（11）单击二级子菜单项【显示】所触发的事件过程 XianShi2_Click ()。

事件过程 XianShi2_Click () 用来显示非平稳时间序列实测值及其趋势估计值的历史拟合放大曲线图。在图片框 Picture2 的自定义坐标系中，用绘图语句绘制了非平稳时间序列实测值及其趋势估计值两条过程线图，并配有标题、纵横坐标和图例。事件过程代码如下：

```
Private Sub XianShi2_Click ()
    Dim ZZ (), ZZ1 ()                        ' 声明过程级动态数组变量 ZZ () 和 ZZ1 ()
```

```
ReDim ZZ(n - 1, 1), ZZ1(n - 1, 1)
For i = 0 To n - 1
    ZZ(i, 0) = X_Y(m + 1, i)                  ' 将非平稳时间序列值赋予变量 ZZ(i, 0)
    ZZ1(i, 0) = ZZ(i, 0) : ZZ0 = 0
    For j = 1 To Myinzishu
        If HanShuXingShi = "ZhiXian" Then
            ZZ0 = ZZ0 + B(j) * X_Y(1, i)
        Else
            ZZ0 = ZZ0 + B(j) * X_Y(V(j), i)
        End If
    Next j
    ZZ(i, 1) = b0 + ZZ0                       ' 将非平稳时间序列趋势估计值赋予变量 ZZ(i, 1)
    ZZ1(i, 1) = ZZ(i, 1)
Next i

For i = 0 To n - 2                  ' 挑选非平稳时间序列实测值和趋势估计值的最大、最小值
    For j = i + 1 To n - 1
        If ZZ1(i, 0) > ZZ1(j, 0) Then ij = ZZ1(i, 0) : ZZ1(i, 0) = ZZ1(j, 0) : ZZ1(j, 0) = ij
        If ZZ1(i, 1) > ZZ1(j, 1) Then ij = ZZ1(i, 1) : ZZ1(i, 1) = ZZ1(j, 1) : ZZ1(j, 1) = ij
    Next j
Next i
ZMAX1 = ZZ1(n - 1, 0) : ZMIN1 = ZZ1(0, 0) : ZMAX2 = ZZ1(n - 1, 1) : ZMIN2 = ZZ1(0, 1)

If ZMAX1 >= ZMAX2 Then       ' 将挑选到的实测值和趋势估计值的最大值赋予变量 ZMAX
    ZMAX = ZMAX1
Else
    ZMAX = ZMAX2
End If
If ZMIN1 <= ZMIN2 Then       ' 将挑选到的实测值和趋势估计值的最小值赋予变量 ZMIN
    ZMIN = ZMIN1
Else
    ZMIN = ZMIN2
End If

' 限制实测值和趋势估计值序列的显示范围
ZMAX_MIN = ZMAX - ZMIN : ZMIN = ZMIN - ZMAX_MIN * 0.5
ZMAX = ZMAX + ZMAX_MIN * 0.3
If ZMAX >= 10 Then ZMAX = Int(ZMAX)
If ZMAX >= 1 And ZMAX < 10 Then ZMAX = (Int((ZMAX) * 10)) / 10
If ZMAX >= 0.1 And ZMAX < 1 Then ZMAX = (Int((ZMAX) * 100)) / 100
If ZMAX >= 0.01 And ZMAX < 0.1 Then ZMAX = (Int((ZMAX) * 1000)) / 1000
If ZMAX >= 0 And ZMAX < 0.01 Then ZMAX = (Int((ZMAX) * 10000)) / 10000
If ZMIN <= -10 Then ZMIN = Int(ZMIN)
If ZMIN > -10 And ZMIN <= -1 Then ZMIN = (Int((ZMIN) * 10)) / 10
If ZMIN > -1 And ZMIN <= -0.1 Then ZMIN = (Int((ZMIN) * 100)) / 100
If ZMIN > -0.1 And ZMIN <= -0.01 Then ZMIN = (Int((ZMIN) * 1000)) / 1000
```

If ZMIN > -0.01 And ZMIN <= 0 Then ZMIN = $\left(\text{Int}\left(\left(\text{ZMIN}\right) * 10000\right)\right) / 10000$

Picture2.FontSize = 11: Picture2.ForeColor = QBColor(9)
Picture2.ScaleMode = 0　　　　　　　　　　　　　' 选择自定义坐标系统
Picture2.AutoRedraw = True　　　　　　　　' 图片框被遮盖后又重显时，会自动画图形
Picture2.ScaleLeft = -(n - 1) * 0.15　　　　　' 设置自定义坐标系统四属性，使图形显示更美观
Picture2.ScaleTop = ZMAX + (ZMAX - ZMIN) * 0.15
Picture2.ScaleWidth = n - 1 + (n - 1) * 0.25
Picture2.ScaleHeight = -(ZMAX - ZMIN + (ZMAX - ZMIN) * 0.23)

Picture2.DrawWidth = 3　　　　　　　　　　　　　　　　　' 设置线条宽度
Picture2.PSet (0, ZZ(0, 0))　　　　　　　　　　　　' 设置绘线起点
For i = 0 To n - 1
　　Picture2.Line - (i, ZZ(i, 0)), QBColor(12)　　　　　' 绘制实测值过程线
Next i
Picture2.PSet (0, ZZ(0, 1))
For i = 0 To n - 1: Picture2.Line - (i, ZZ(i, 1)), QBColor(2): Next i　' 绘制趋势估计值过程线

Picture2.DrawWidth = 4
Picture2.Line (-(n - 1) * 0.05, ZMIN) - ((n - 1) * 1.05, ZMAX), QBColor(6), B　' 绘制边框
Picture2.DrawWidth = 1
For i = 0 To 10　　　　　　　　' 绘制等间距水平线并在左面标明刻度（即纵坐标）
　　Picture2.PSet (-(n - 1) * 0.15, i * (ZMAX - ZMIN) / 10 + 0.15 _
　　* (ZMAX - ZMIN) / 10 + ZMIN), QBColor(7)
　　ZongZuoBiao = i * (ZMAX - ZMIN) / 10 + ZMIN
　　If Abs(ZongZuoBiao) >= 10000 Then Picture2.Print ZongZuoBiao
　　If Abs(ZongZuoBiao) >= 1000 And Abs(ZongZuoBiao) < 10000 Then _
　　Picture2.Print Int(10 * ZongZuoBiao) / 10
　　If Abs(ZongZuoBiao) >= 100 And Abs(ZongZuoBiao) < 1000 Then _
　　Picture2.Print Int(100 * ZongZuoBiao) / 100
　　If Abs(ZongZuoBiao) >= 10 And Abs(ZongZuoBiao) < 100 Then _
　　Picture2.Print Int(1000 * ZongZuoBiao) / 1000
　　If Abs(ZongZuoBiao) >= 0 And Abs(ZongZuoBiao) < 10 Then _
　　Picture2.Print Int(10000 * ZongZuoBiao) / 10000
　　If i > 0 And i < 10 Then　　　　　　　　　　　' 不绘制 0 和 10 两条线
　　　　Picture2.Line (-(n - 1) * 0.05, i * (ZMAX - ZMIN) / 10 + ZMIN) - ((n - 1) _
　　　　* 1.05, i * (ZMAX - ZMIN) / 10 + ZMIN)
　　End If
Next i

If (n - 1) >= 10 Then
　　Nmax = Int((n - 1) / 10)
Else
　　Nmax = 1
End If
For i = 0 To n - 1 Step Nmax　　　' 绘制等间距短垂直线并在下面标明刻度（即水平坐标轴）

```
            Picture2.Line (i, ZMIN + 0.1 * (ZMAX - ZMIN) / 10) - (i, ZMIN)
            Picture2.PSet (i - 0.0375 * (n - 1), ZMIN - 0.2 * (ZMAX - ZMIN) / 10), QBColor (7)
            Picture2.Print MC (0) + i
        Next i
        Picture2.PSet ((n - 1) - (n - 1) / 3.5, ZMAX + 0.5 * (ZMAX - ZMIN) / 10), QBColor (7)
        Picture2.Print "红线: 实测值        绿线: 估计值"                          ' 设置图例
        Picture2.FontSize = 18
        Picture2.PSet ((n - 1) / 3, ZMAX + (ZMAX - ZMIN) / 10), QBColor (7)
        Picture2.Print "历史拟合曲线图"                                          ' 设置标题
End Sub
```

(12) 单击二级子菜单项【关闭】所触发的事件过程 GuanBi_Click ()。

事件过程 GuanBi_Click () 使用户界面恢复到显示回归分析结果和历史拟合正常图形时的状态。事件过程代码如下:

```
Private Sub GuanBi_Click ()
        QuShiFenXi.Enabled = True: XianShiHuiGuiJieGuo.Enabled = True
        TF_JianYan.Enabled = True: YuBao.Enabled = True
        QueRenZuiZhongJieGuo.Enabled = True: ZhengChangTuXing.Enabled = True

        Picture2.Visible = False
        For i = 0 To 14
            If i > 0 Then Label1 (i) .Visible = True
            If i < 11 Then Label2 (i) .Visible = True
            If i < 4 Then Text1 (i) .Visible = True: Shape1 (i) .Visible = True
        Next i
        Picture1.Visible = True: Combo1.Visible = True
End Sub
```

(13) 单击主菜单项【预报】所触发的事件过程 YuBao_Click ()。

事件过程 YuBao_Click () 首先由应用程序读取未来 10 年预报因子值;接着计算非平稳时间序列未来 10 年的趋势函数预报值;最后在文本框 Text1 (3) 的 Text 属性中显示预报因子值和预报结果(区间概率预报)。事件过程代码如下:

```
Private Sub YuBao_Click ()
        ReDim YuBaoYinZiZhi (Myinzishu)                    ' 重定义存放预报因子值的数组变量
        Text1 (3) .Text = ""                               ' 将显示预报结果的文本框 Text 属性置空
        Ch$ = Chr (13) + Chr (10)

        For YuJianQi = 1 To 10                                      ' 读取未来 10 年预报因子值
            For i = 1 To Myinzishu
                If HanShuXingShi = "ZhiXian" Then
                    YuBaoYinZiZhi (i) = X_Y (1, n - 1 + YuJianQi)
                Else
                    YuBaoYinZiZhi (i) = X_Y (V (i), n - 1 + YuJianQi)
                End If
            Next i
```

```
        YBZ = 0
        For i = 1 To Myinzishu                                    ' 预报未来 10 年趋势函数值
            On Error GoTo ErrorHandler: YBZ = YBZ + B(i) * YuBaoYinZiZhi(i)
        Next i
        YuBaoZhi(YuJianQi) = b0 + YBZ                             ' 计算趋势函数的估计值

        ' 显示未来 10 年预报因子值和预报结果（区间概率预报）
        JieGuo$ = JieGuo$ & Ch$ & Space(4) & YuJianQi & "、" & _
        CInt(Label2(3).Caption) + YuJianQi & "年对应的预报因子值: "
        JieGuo1$ = ""
        For i = 1 To Myinzishu
            If HanShuXingShi = "ZhiXian" Then
                JieGuo1$ = JieGuo1$ & Ch$ & Space(4) & XX(1) & ": " _
                & CSng(YuBaoYinZiZhi(i))
            Else
                JieGuo1$ = JieGuo1$ & Ch$ & Space(4) & XX(V(i)) & ": " _
                & CSng(YuBaoYinZiZhi(i))
            End If
         Next i
        JieGuo$ = JieGuo$ & JieGuo1$
        JieGuo$ = JieGuo$ & Ch$ & Space(4) & "此时，非平稳序列" & MC(1) _
        & "趋势函数预报值为: " & CSng(YuBaoZhi(YuJianQi))
        Sy = CSng(Sqr((Syy - U) / (n - Myinzishu - 1)))
        JieGuo$ = JieGuo$ & Ch$ & Space(4) & "预报结果取值在" _
        & "[" &CSng(YuBaoZhi(YuJianQi)) -Sy &"," & CSng(YuBaoZhi(YuJianQi)) +Sy & "]" _
        & "之间的可能性是 68%. "
        JieGuo$ = JieGuo$ & Ch$ & Space(4) & "预报结果取值在" _
        & "[" & CSng(YuBaoZhi(YuJianQi)) - 2 * Sy & ", " _
        & CSng(YuBaoZhi(YuJianQi)) + 2 * Sy & "]" & "之间的可能性是 95%. " & Ch$ & Ch$
    Next YuJianQi
    Text1(3).Text = JieGuo$

    Exit Sub
ErrorHandler:
    MsgBox(Err.Description)
End Sub
```

(14) 单击主菜单项【确认最终结果】所触发的事件过程 QueRenZuiZhongJieGuo_Click()。

事件过程 QueRenZuiZhongJieGuo_Click() 首先将与趋势分析有关的分析结果标题、资料统计年限、逐步回归分析计算过程、逐年相对拟合误差、逐步回归方程、逐步回归效果、$t$ 检验与 $F$ 检验结果以及预报结果（区间概率预报）等内容依次保存在一个全局变量中；接着要求用户确认保存结果（用于确定是否识别和提取时间序列趋势项的判别系数字符串变量的内容）；最后将识别和提取的趋势函数模型形式保存在另一个全局变量中

(不管确认保存结果与否)。事件过程代码如下:

```
Private Sub QueRenZuiZhongJieGuo_Click()
    Dim ZZ()                                        ' 声明过程级动态数组变量
    ReDim ZZ(n - 1), QSHSZ(n + 9): ReDim Preserve YuBaoYinZiZhi(m)

    ' On Error GoTo ErrorHandler
    Ch$ = Chr(13) + Chr(10)
    ' 保存标题
    If HanShuXingShi = "ZhiXian" Then
        JieGuo$ = Ch$ & Space(4) & MC(1) & "非平稳序列一元线性回归趋势分析结果" _
        & Ch$ & Ch$
    Else
        JieGuo$=Ch$ & Space(4) & MC(1) & "非平稳序列逐步回归趋势分析结果" & Ch$ & Ch$
    End If

    ' 保存资料统计年限
    JieGuo$ = JieGuo$ & Space(8) & "(一)、资料统计年限:" & Ch$
    JieGuo$ = JieGuo$ & Space(8) & Label2(2).Caption & "~" _
    & Label2(3).Caption & "年(时间 t=1" & "~" _
    & CInt(Label2(3).Caption) - CInt(Label2(2).Caption) + 1 & ")" & Ch$ & Ch$

    ' 保存逐步回归分析计算过程
    If HanShuXingShi = "ZhiXian" Then
        GoTo 1
    Else
        JieGuo$ = JieGuo$ & Space(8) & "(二)、逐步回归分析过程:" & Ch$: JieGuo1$ = ""
    End If
    For i = 1 To ii
        If i = 1 Then JieGuo1$ = JieGuo1$ & Space(8) _
        & "原始增广矩阵(" & m + 1 & "*" & m + 1 & ")为:" & Ch$
        If i > 1 Then JieGuo1$ = JieGuo1$ & Space(8) _
        & "由矩阵变换公式计得第" & i - 1 _
        & "步增广矩阵(" & m + 1 & "*" & m + 1 & ")为:" & Ch$
        For j = 1 To m + 1
            For k = 1 To m + 1
                If k = 1 Then JieGuo1$ = JieGuo1$ & Space(8) & r(i, j, k)
                If k > 1 And k < m + 1 Then JieGuo1$ = JieGuo1$ _
                & Space(15 - Len(CStr(r(i, j, k - 1)))) & r(i, j, k)
                If k = m + 1 Then JieGuo1$ = JieGuo1$ _
                & Space(15 - Len(CStr(r(i, j, k - 1)))) & r(i, j, k) & Ch$
            Next k
        Next j
        If i > 1 Then JieGuo1$ = JieGuo1$ & Ch$
        JieGuo1$ = JieGuo1$ & Space(8) & "第 " & i & " 步:" & Ch$
        JieGuo1$ = JieGuo1$ & Space(8) & "方差贡献顺次为:" & Ch$
```

```
For j = 1 To m
    JieGuo1$ = JieGuo1$ & Space (8) & "V (" & j & ") =" _
        & r (i, j, m + 1) * r (i, j, m + 1) / r (i, j, j) & Ch$
Next j
If i > 3 Then
    JieGuo1$ = JieGuo1$ & Space (8) & "在已选中的因子中, 方差贡献最小的是第" _
        & V4 (i) & "因子对应的值, 即: " _
        & r (i, V4 (i), m + 1) * r (i, V4 (i), m + 1) / r (i, V4 (i), V4 (i)) & "。" & Ch$
    If F22 (i) <= F2r (i) Then
        JieGuo1$=JieGuo1$ & Space (8) & "由于F22=" & Int (F22 (i) * 100+0.5) / 100 _
            & "<=" & "F2 (" & r_0 & ") =" & F2r (i) & ", 通过 F 检验, 所以应剔除第" _
            & V4 (i) & "因子。" & Ch$
    End If
    If F22 (i) > F2r (i) Then
        JieGuo1$ = JieGuo1$ & Space (8) & "由于 F22=" _
            & Int (F22 (i) * 100 + 0.5) / 100 & ">" & "F2 (" & r_0 & ") =" & F2r (i) _
            & ", 不能通过 F 检验, 所以不能剔除第" & V4 (i) & "因子。" & Ch$
    End If
End If
JieGuo1$ = JieGuo1$ & Space (8) & "在未选中的因子中, 方差贡献最大的是第" _
    & V1 (i) & "因子对应的值, 即: " _
    & r (i, V1 (i), m + 1) * r (i, V1 (i), m + 1) / r (i, V1 (i), V1 (i)) & "。" & Ch$
If F11 (i) > F1r (i) Then
    JieGuo1$ = JieGuo1$ & Space (8) & "由于 F11=" _
        & Int (F11 (i) * 100 + 0.5) / 100 & ">" & "F1 (" & r_0 & ") =" _
        & F1r (i) & ", 通过 F 检验, 所以应引进第" & V1 (i) & "因子。" & Ch$
End If
If F11 (i) <= F1r (i) Then
    JieGuo1$ = JieGuo1$ & Space (8) & "由于 F11=" _
        & Int (F11 (i) * 100 + 0.5) / 100 & "<=" & "F1 (" & r_0 & ") =" _
        & F1r (i) & ", 不能通过 F 检验, 所以不能引进第" & V1 (i) & "因子。" & Ch$
End If
If i = ii Then
    yj = ""
    For j = 1 To Myinzishu: yj = yj & V (j) & ", ": Next j
    If Myinzishu < 3 And F11 (i) <= F1r (i) And Myinzishu < m Then _
    JieGuo1$=JieGuo1$ & Space (8) & "至此, 可以引进的因子不足 3 个。最后共引进" _
        & Myinzishu & "个因子: " & yj & "逐步回归到此结束。" & Ch$
    If Myinzishu >= 3 And F11 (i) <= F1r (i) And F22 (i) > F2r (i) And _
    Myinzishu < m Then JieGuo1$ = JieGuo1$ & Space (8) _
        & "至此, 既无因子可以剔除, 又无因子可以引进。最后共引进" & Myinzishu _
        & "个因子: " & yj & "逐步回归到此结束。" & Ch$
    If Myinzishu = m Then JieGuo1$ = JieGuo1$ & Space (8) _
        & "至此, 可供挑选的因子都被引进。最后共引进" & Myinzishu & "个因子: " _
        & yj & "逐步回归到此结束。" & Ch$
End If
```

```vb
        Next i
        JieGuo$ = JieGuo$ & JieGuo1$ & Ch$
1


        ' 保存逐年相对拟合误差
        If HanShuXingShi = "ZhiXian" Then
            JieGuo$ = JieGuo$ & Space(8) & "(二)、相对拟合误差表：" & Ch$
        Else
            JieGuo$ = JieGuo$ & Space(8) & "(三)、相对拟合误差表：" & Ch$
        End If
        JieGuo$ = JieGuo$ & Space(8) & "年份"

        For i = 1 To Myinzishu: JieGuo$ = JieGuo$ & Space(4) & "预报因子 X" & i & "值": Next i
        JieGuo$ = JieGuo$ & Space(4) & "非平稳序列值" & Space(4) & "趋势估计值" _
        & Space(5) & "相对拟合误差(%)" & Ch$
        WUCHA = 0
        For i = 0 To n - 1
            JieGuo$ = JieGuo$ & Space(8) & CInt(Label2(2).Caption) + i
            ZZ0 = 0
            For j = 1 To Myinzishu
                If HanShuXingShi = "ZhiXian" Then
                    ZZ0 = ZZ0 + B(j) * X_Y(1, i): JieGuo$ = JieGuo$ & Space(4) & X_Y(1, i)
                Else
                    ZZ0 = ZZ0 + B(j) * X_Y(V(j), i)
                    If j = 1 Then
                        JieGuo$ = JieGuo$ & Space(4) & X_Y(V(j), i)
                    Else
                        JieGuo$=JieGuo$ & Space(16-Len(CStr(X_Y(V(j-1),i)))) & X_Y(V(j),i)
                    End If
                End If
            Next j
            ZZ(i) = b0 + ZZ0: QSHSZ(i) = ZZ(i)
            If HanShuXingShi = "ZhiXian" Then
                JieGuo$ = JieGuo$ & Space(16 - Len(CStr(X_Y(1, i)))) & X_Y(m + 1, i)
            Else
                JieGuo$=JieGuo$ & Space(16-Len(CStr(X_Y(V(Myinzishu),i)))) & X_Y(m+1,i)
            End If
            JieGuo$ = JieGuo$ & Space(16 - Len(CStr(X_Y(m + 1, i)))) & CSng(ZZ(i))
            JieGuo$ = JieGuo$ & Space(16 - Len(CStr(CSng(ZZ(i))))) _
            & CSng(Int(((ZZ(i) - X_Y(m+1, i)) / X_Y(m + 1, i) + 0.00005) * 10000) / 100) & Ch$
            WUCHA = WUCHA _
            + Abs(CSng(Int(((ZZ(i) - X_Y(m + 1, i)) / X_Y(m + 1, i) + 0.00005) * 10000) / 100))
        Next i
        JieGuo$ = JieGuo$ & Space(8) & "备注：" & Ch$
        For i = 1 To Myinzishu
            If HanShuXingShi = "ZhiXian" Then
```

```
                JieGuo$ = JieGuo$ & Space(8) _
                    & "预报因子 X" & i & "：" & "取值范围是：1、2、3、…" & Ch$
            Else
                JieGuo$ = JieGuo$ & Space(8) & "预报因子 X" & i & "：" & XX(V(i)) & Ch$
            End If
        Next i
        JieGuo$ = JieGuo$ & Space(8) & "非平稳序列值：" & XX(m + 1) & Ch$
        JieGuo$ = JieGuo$ & Space(8) & "非平稳序列多年平均值：" & CSng(AVEX) & Ch$
        JieGuo$ = JieGuo$ & Space(8) & "相对拟合误差绝对值的多年平均值：" _
        & WUCHA / n & " %" & Ch$ & Ch$


        ' 保存逐步回归方程
        If HanShuXingShi = "ZhiXian" Then
            JieGuo$ = JieGuo$ & Space(8) & "(三)、回归方程：" & Ch$
        Else
            JieGuo$ = JieGuo$ & Space(8) & "(四)、回归方程：" & Ch$
        End If
        JieGuo$ = JieGuo$ & Space(8) & "Y = b0 " & "+" & " ∑bi* Xi" _
        & " (i = 1 ～ " & Myinzishu & " )" & Ch$
        JieGuo1$ = Space(4) & "式中：Y  -- 非平稳序列趋势函数" & Ch$ _
        & Space(14) & "Xi -- 预报因子" & Ch$ & Space(14) & "bi -- 回归系数，取值为：" _
        & Ch$ & Space(14) & "b0 = " & CSng(b0)
        JieGuo2$ = ""
        For i = 1 To Myinzishu
            If HanShuXingShi = "ZhiXian" Then
                JieGuo2$ = JieGuo2$ & Ch$ & Space(14) & "b" & i & " = " & CSng(B(i))
            Else
                JieGuo2$ = JieGuo2$ & Ch$ & Space(14) & "b" & i & " = " & CSng(B(i)) _
                    & " ( 实为 10 预报因子中第" & V(i) & "个因子的回归系数 )"
            End If
        Next i
        JieGuo$ = JieGuo$ & Space(4) & JieGuo1$ & JieGuo2$ & Ch$ & Ch$


        ' 保存逐步回归效果
        If HanShuXingShi = "ZhiXian" Then
            JieGuo$ = JieGuo$ & Space(8) & "(四)、回归效果：" & Ch$
        Else
            JieGuo$ = JieGuo$ & Space(8) & "(五)、回归效果：" & Ch$
        End If
        JieGuo$ = JieGuo$ & Space(8) & "统计年限长度  n = " & n & Ch$
        JieGuo$ = JieGuo$ & Space(8) & "离差平方和  Syy = " & Syy & Ch$
        JieGuo$ = JieGuo$ & Space(8) & "残差平方和  Q = " & Syy - U & Ch$
        JieGuo$ = JieGuo$ & Space(8) & "回归平方和  U = " & U & Ch$
        If HanShuXingShi = "ZhiXian" Then JieGuo$ = JieGuo$ & Space(8) _
        & "相关系数  R = " & CSng(Sqr(U / Syy)) & Ch$
        If HanShuXingShi = "DuoYuan" Then JieGuo$ = JieGuo$ & Space(8) _
```

```
            & "复相关系数  R = " & CSng (Sqr (U / Syy)) & Ch$
    JieGuo$ = JieGuo$ & Space (8) _
            & "剩余标准差  Sy = " & CSng (Sqr ((Syy - U) / (n - Myinzishu - 1))) & Ch$ & Ch$


    ' 保存 t 检验与 F 检验结果
    If HanShuXingShi = "ZhiXian" Then
        JieGuo$ = JieGuo$ & Space (8) & "(五)、t 检验与 F 检验: " & Ch$
    Else
        JieGuo$ = JieGuo$ & Space (8) & "(六)、t 检验与 F 检验: " & Ch$
    End If
    If Text1 (1) .Text <> "" Then JieGuo$ = JieGuo$ & Space (4) & Text1 (1) .Text & Ch$
    If Text1 (2) .Text <> "" Then JieGuo$ = JieGuo$ & Space (4) & Text1 (2) .Text & Ch$ & Ch$


    ' 保存预报结果 (区间概率预报)
    If HanShuXingShi = "ZhiXian" Then
        JieGuo$ = JieGuo$ & Space (8) & "(六)、预报结果: " & Ch$
    Else
        JieGuo$ = JieGuo$ & Space (8) & "(七)、预报结果: " & Ch$
    End If
    For YuJianQi = 1 To 10
        For i = 1 To Myinzishu
            If HanShuXingShi = "ZhiXian" Then
                YuBaoYinZiZhi (i) = X_Y (1, n - 1 + YuJianQi)
            Else
                YuBaoYinZiZhi (i) = X_Y (V (i), n - 1 + YuJianQi)
            End If
        Next i


        YBZ = 0
        For i = 1 To Myinzishu: YBZ = YBZ + B (i) * YuBaoYinZiZhi (i): Next i
        YuBaoZhi (YuJianQi) = b0 + YBZ: QSHSZ (n - 1 + YuJianQi) = YuBaoZhi (YuJianQi)


        JieGuo$ = JieGuo$ & Space (8) & YuJianQi & "、" _
            & CInt (Label2 (3) .Caption) + YuJianQi & "年对应的预报因子值: "


        JieGuo1$ = ""
        For i = 1 To Myinzishu
            If HanShuXingShi = "ZhiXian" Then
                JieGuo1$ = JieGuo1$ & Ch$ _
                    & Space (8) & XX (1) & ": " & CSng (YuBaoYinZiZhi (i))
            Else
                JieGuo1$ = JieGuo1$ & Ch$ _
                    & Space (8) & XX (V (i)) & ": " & CSng (YuBaoYinZiZhi (i))
            End If
        Next i
    JieGuo$ = JieGuo$ & JieGuo1$
```

```
    JieGuo$ = JieGuo$ & Ch$ & Space(8) & "此时，非平稳序列" & MC(1) _
    & "趋势函数预报值为："& CSng(YuBaoZhi(YuJianQi))
    Sy = CSng(Sqr((Syy - U) / (n - Myinzishu - 1)))
    JieGuo$ = JieGuo$ & Ch$ & Space(8) & "预报结果取值在" _
    & "[" & CSng(YuBaoZhi(YuJianQi)) -Sy & "," & CSng(YuBaoZhi(YuJianQi)) +Sy &"]" _
    & "之间的可能性是 68%。"
    JieGuo$ = JieGuo$ & Ch$ & Space(8) & "预报结果取值在" _
    & "[" & CSng(YuBaoZhi(YuJianQi)) - 2 * Sy & ", " _
    & CSng(YuBaoZhi(YuJianQi)) + 2 * Sy & "]" & "之间的可能性是 95%。" & Ch$ & Ch$
Next YuJianQi


' 是否确认前述结果
Answer = MsgBox("您确认前述结果吗?", 36, "确认最终结果对话框")
If HanShuXingShi = "ZhiXian" Then
    JieGuo_QS_ZX$=JieGuo$ & Space(8) &"(七)、完成预报时间:"& Ch$ & Space(8) & Now
    If Answer = 6 Then PBXS_QS_ZX$ = "YES": PBXS_QS_ZB$ = "NO"
    If Answer = 7 Then PBXS_QS_ZX$ = "NO"
Else
    JieGuo_QS_ZB$=JieGuo$ & Space(8) &"(八)、完成预报时间:" & Ch$ & Space(8) & Now
    If Answer = 6 Then PBXS_QS_ZB$ = "YES": PBXS_QS_ZX$ = "NO"
    If Answer = 7 Then PBXS_QS_ZB$ = "NO"
End If


' 将识别和提取的趋势函数项形式储存在 QSHSX__MXXS$ 中
QSHSX_MXXS$ = ""
If HanShuXingShi = "ZhiXian" Then
    QSHSX_MXXS$ = Space(4) & "一元线性回归趋势分析方程：" & Ch$
Else
    QSHSX_MXXS$ = Space(4) & "多元逐步回归趋势分析方程：" & Ch$
End If
QSHSX_MXXS$ = QSHSX_MXXS$ _
& Space(4) & "QS = b0 " & "+" & " ∑bi* Xi" & "（i = 1 ～ " & Myinzishu & "）" & Ch$
QSHSX_MXXS1$ = Space(4) & "式中：QS -- 非平稳序列趋势函数" & Ch$ _
& Space(10) & "Xi -- 预报因子" & Ch$ _
& Space(10) & "bi -- 回归系数，取值为："& Ch$ & Space(10) & "b0 = " & CSng(b0)
QSHSX_MXXS2$ = ""
For i = 1 To Myinzishu
    If HanShuXingShi = "ZhiXian" Then
        QSHSX_MXXS2$ = QSHSX_MXXS2$ & Ch$ _
        & Space(10) & "b" & i & " = " & CSng(B(i))
    Else
        QSHSX_MXXS2$ = QSHSX_MXXS2$ & Ch$ & Space(10) _
        & "b" & i & " = " & CSng(B(i)) & "（ 实为因子" & XX(V(i)) & "的回归系数 ）"
    End If
Next i
QSHSX_MXXS$ = QSHSX_MXXS$ & QSHSX_MXXS1$ & QSHSX_MXXS2$ & Ch$
```

```
        Exit Sub
    ErrorHandler:
        MsgBox（Err.Description）
    End Sub
```

（15）单击主菜单项【上一步】所触发的事件过程 ShangYiBu_Click()。

事件过程 ShangYiBu_Click() 用于隐藏窗体 2、显示窗体 1。事件过程代码如下：

```
Private Sub ShangYiBu_Click()
    Form2.Hide: Form1.Show                              ' 隐藏窗体 2, 显示窗体 1
End Sub
```

（16）单击二级子菜单项【周期均值叠加分析】所触发的事件过程 ZhouQiJunZhiDieJiaFenXi_Click()。

事件过程 ZhouQiJunZhiDieJiaFenXi_Click() 显示窗体 3 并将窗体 3 上的主菜单项【显示分析预报结果】、【历史拟合曲线图】、【确认最终结果】设为不可用，将 Label1(0) 之外的其它控件均不显示，为显示周期均值叠加分析初始画面做准备。事件过程代码如下：

```
Private Sub ZhouQiJunZhiDieJiaFenXi_Click()
    ' 为用周期均值叠加分析法识别和提取时间序列周期函数做准备
    Form2.Hide: Form3.Show                              ' 隐藏窗体 2, 显示窗体 3

    ' 将识别和提取时间序列周期项的判别系数字符串变量赋予"NO"
    PBXS_ZQ_FC$ = "NO": PBXS_ZQ_ZB$ = "NO": PBXS_ZQ_XB$ = "NO"

    ' 把返回识别和提取时间序列周期项画面的判别系数字符串变量赋予"NO"
    FHPBXS_ZQ_FC$ = "NO": FHPBXS_ZQ_ZB$ = "NO": FHPBXS_ZQ_XB$ = "NO"

    ' 将窗体 3 主菜单项【显示分析预报结果】、【历史拟合曲线图】等设为不可用
    Form3.ZhouQiJunZhiDieJiaFenXiYuYuBao.Enabled = True
    Form3.XianShiFenXiYuBaoJieGuo.Enabled = False
    Form3.LiShiNiHeQuXian.Enabled = False: Form3.QueRenZuiZhongJieGuo.Enabled = False

    ' 将窗体 3 内的 Label1(0) 之外的其它控件均不显示, 即仅显示初始画面中的标题
    For i = 0 To 4
        If i > 0 Then Form3.Label1(i).Visible = False
        If i < 3 Then Form3.Label2(i).Visible = False
    Next i
    Form3.Shape1.Visible = False: Form3.Text1.Visible = False
    Form3.Picture2.Visible = False: Form3.Label1(0).Visible = True
    Form3.Label1(0).Caption = "欢迎使用周期均值叠加分析应用程序"
End Sub
```

（17）单击二级子菜单项【逐步回归周期分析】所触发的事件过程 ZhuBuHuiGuiZhouQiFenXi_Click()。

事件过程 ZhuBuHuiGuiZhouQiFenXi_Click()显示窗体 4 并将窗体 4 上的主菜单项【显示回归分析结果】、【t 检验与 F 检验】、【历史拟合曲线图】、【预报】、【确认最终结果】设为不可用，将 Label1(0)之外的其它控件均不显示，为显示逐步回归周期分析初始画面做准备。事件过程代码如下：

```
Private Sub ZhuBuHuiGuiZhouQiFenXi_Click()
    ' 为用逐步回归周期分析法识别和提取时间序列周期函数做准备
    Form2.Hide: Form4.Show                              ' 隐藏窗体 2, 显示窗体 4

    ' 将识别和提取时间序列周期项的判别系数字符串变量赋予"NO"
    PBXS_ZQ_FC$ = "NO": PBXS_ZQ_ZB$ = "NO": PBXS_ZQ_XB$ = "NO"

    ' 把返回识别和提取时间序列周期项画面的判别系数字符串变量赋予"NO"
    FHPBXS_ZQ_FC$ = "NO": FHPBXS_ZQ_ZB$ = "NO": FHPBXS_ZQ_XB$ = "NO"

    ' 将窗体 4【显示回归分析结果】等 5 个主菜单项设为不可用
    Form4.ZhuBuHuiGuiZhouQiFenXi.Enabled = True
    Form4.XianShiHuiGuiFenXiJieGuo.Enabled = False
    Form4.TF_JianYan.Enabled = False: Form4.LiShiNiHeQuXian.Enabled = False
    Form4.YuBao.Enabled = False: Form4.QueRenZuiZhongJieGuo.Enabled = False

    ' 将窗体 4 内的 Label1(0)之外的其它控件均不显示, 即仅显示初始画面中的标题
    For i = 0 To 14
        If i > 0 Then Form4.Label1(i).Visible = False
        If i < 11 Then Form4.Label2(i).Visible = False
        If i < 4 Then Form4.Text1(i).Visible = False
        If i < 4 Then Form4.Shape1(i).Visible = False
    Next i
    Form4.Picture1.Visible = False: Form4.Picture2.Visible = False
    Form4.Combo1.Visible = False: Form4.Label1(0).Visible = True
    Form4.Label1(0).Caption = "欢迎使用非平稳序列逐步回归周期分析应用程序"
End Sub
```

(18)单击二级子菜单项【谐波分析】所触发的事件过程 XieBoFenXi_Click()。

事件过程 XieBoFenXi_Click()显示窗体 5 并将窗体 5 上的主菜单项【显示分析预报结果】、【历史拟合曲线图】、【确认最终结果】设为不可用，将 Label1(0)之外的其它控件均不显示，为显示谐波分析初始画面做准备。事件过程代码如下：

```
Private Sub XieBoFenXi_Click()
    ' 为用谐波分析法识别和提取时间序列周期函数做准备
    Form2.Hide: Form5.Show                              ' 隐藏窗体 2, 显示窗体 5

    ' 将识别和提取时间序列周期项的判别系数字符串变量赋予"NO"
    PBXS_ZQ_FC$ = "NO": PBXS_ZQ_ZB$ = "NO": PBXS_ZQ_XB$ = "NO"

    ' 把返回识别和提取时间序列周期项画面的判别系数字符串变量赋予"NO"
```

```
FHPBXS_ZQ_FC$ = "NO": FHPBXS_ZQ_ZB$ = "NO": FHPBXS_ZQ_XB$ = "NO"

' 将窗体 5 主菜单项【显示分析预报结果】、【历史拟合曲线图】等设为不可用
Form5.FenXiYuBao.Enabled = True: Form5.XianShiFenXiYuBaoJieGuo.Enabled = False
Form5.LiShiNiHeQuXian.Enabled = False: Form5.QueRenZuiZhongJieGuo.Enabled = False

' 将窗体 5 内的 Label1(0)之外的其它控件均不显示，即仅显示初始画面中的标题
For i = 0 To 4
    If i > 0 Then Form5.Label1(i).Visible = False
    If i < 3 Then Form5.Label2(i).Visible = False
Next i
Form5.Shape1.Visible = False: Form5.Text1.Visible = False
Form5.Picture2.Visible = False: Form5.Label1(0).Visible = True
Form5.Label1(0).Caption = "欢迎使用谐波分析应用程序"
End Sub
```

(19)单击主菜单项【退出】所触发的事件过程 TuiChu_Click()（请参阅第 2 章 2.4.3 节的相应内容）。

以上给出了非平稳时间序列趋势分析应用程序的用户界面设计、属性设置、事件过程代码编写等详细步骤，下面举一个实例，进一步说明该应用程序的具体操作过程。

## 3.6　应用程序实例

本例继续选用新疆巴音郭楞蒙古自治州开都河大山口水文站 1955~2004 年年径流量时间序列，分别用一元线性回归趋势分析和逐步回归趋势分析两种方法对时间序列所隐含的趋势函数项进行了识别和提取，并对未来 10 年趋势函数值进行了预报。在第 3 章 3.2.1 节中曾经介绍过，一元线性回归趋势分析是逐步回归趋势分析的特例，所以这里重点介绍逐步回归趋势分析的情形，对一元线性回归趋势分析仅给出结果。具体说明如下：

(1)时间序列值的输入与时间序列类型的确定与第 2 章 2.5 节内容相同。

(2)选择第 2 章 2.5 节图 2-14 中的主菜单项【下一步】、一级子菜单项【识别与提取趋势函数】，由于时间序列类型选定为均值、方差时变型，故显示图 3-1 所示的趋势分析初始画面。

(3)选择图 3-1 中的主菜单项【趋势分析】、一级子菜单项【多元逐步回归】，便弹出图 3-2 所示的信度输入对话框，输入 0.001，按【确定】按钮，如果在给定信度下，不能识别非平稳时间序列隐含的趋势函数项，则会弹出图 3-3 所示的无法引进因子的提示框；如果可以识别趋势函数项，便显示图 3-4 所示的显示趋势分析结果的初始画面。

(4)在图 3-4 中，选择主菜单项【显示回归结果】，则会显示图 3-6 内标题为"回归方程和回归效果"的矩形形状控件内的数据。

(5)在图 3-4 中，如果直接选择主菜单项【t 检验与 F 检验】，则弹出图 3-5 所示的信度选择提示框。如果在图中的标题为"检验"的矩形形状控件内，单击标签框"请选择信度 α："右侧的组合框下拉按钮，选择信度 α 为 0.001，再选择主菜单项【t 检验与 F 检验】，则在组合框下侧的两个文本框内分别显示 t 检验和 F 检验结果，见图 3-6。

图 3-1　趋势分析初始画面

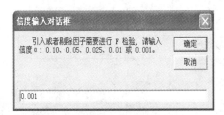

图 3-2　信度输入对话框

图 3-3　无法引进因子的提示框

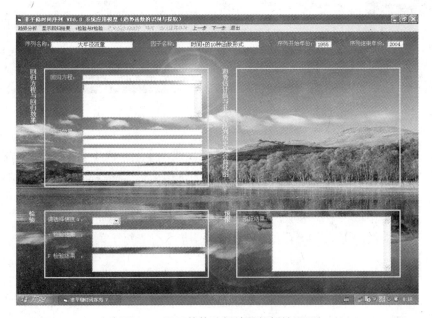

图 3-4　显示趋势分析结果的初始画面

图 3-5　信度选择提示框

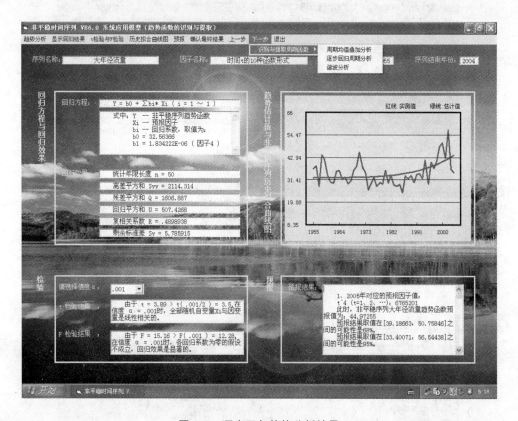

图 3-6　逐步回归趋势分析结果

　　(6)在图 3-4 中，选择主菜单项【历史拟合曲线图】、一级子菜单项【正常图形】、二级子菜单项【显示】，则显示图 3-6 中标题为"历史拟合曲线图"的矩形形状控件内的图形。如果想放大图形，则选择主菜单项【历史拟合曲线图】、一级子菜单项【放大图形】、二级子菜单项【显示】，会显示图 3-7 中的历史拟合曲线放大图；选择主菜单项【历史拟合曲线图】、一级子菜单项【放大图形】、二级子菜单项【关闭】，便返回到图 3-6。

　　(7)在图 3-4 中，选择主菜单项【预报】，则在标题为"预报"的矩形形状控件中的文本框内显示预报结果(可预报未来 10 年趋势函数值；但据经验分析，预见期不要超过 2~3 年，否则趋势函数会失真)，见图 3-6。

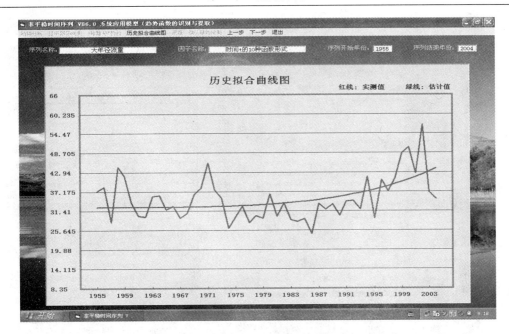

图 3-7　历史拟合曲线放大图

(8)在图 3-6 中，选择主菜单项【确认最终结果】，如果要确认并保存上述趋势分析与预报结果，则在弹出图 3-8 所示的确认最终结果对话框中，按下【是】按钮；否则按下【否】按钮。

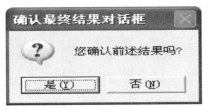

图 3-8　确认最终结果对话框

(9)在图 3-6 中，选择主菜单项【上一步】，则返回到第 2 章图 2-14 所示的时间序列值以及序列类型显示图画面。

(10)在图 3-6 中，选择主菜单项【下一步】、一级子菜单项【识别与提取周期函数】，再选择二级子菜单项【周期均值叠加分析】、【逐步回归周期分析】或【谐波分析】三者之一，则会对应显示图 4-1、图 5-1 或图 6-1 所示的识别和提取时间序列周期函数的初始画面。

(11)由于一元线性回归趋势分析是逐步回归趋势分析的特例,这里就不做详细介绍,仅给出一元线性回归趋势分析结果，见图 3-9。

应用程序适用条件:本应用程序对预报因子总数无明确限定,但必须满足两个条件:一是程序运行时不出现数据运算溢出现象;二是程序运行时要防止因子之间因相关性强而使正规方程组产生病态或退化。

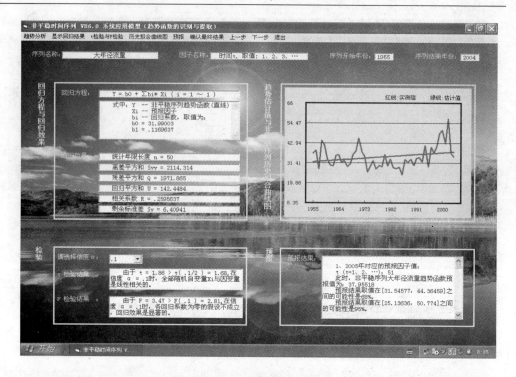

图 3-9　一元线性回归趋势分析结果

# 第4章　周期均值叠加分析

上一章介绍了如何从非平稳时间序列中识别和提取趋势函数。那么，如何从非平稳时间序列中识别和提取周期函数呢？识别和提取周期函数的方法很多，例如周期均值叠加分析法、逐步回归周期分析法和谐波分析法等。本章主要介绍周期均值叠加分析。

## 4.1　基本思路与计算过程

### 4.1.1　基本思路

一个随时间变化的等时距非平稳时间序列观测样本，可以看成是有限个不同周期波叠加而成的过程。从样本序列中识别周期时，可以将序列分成若干组，当分组组数等于客观存在的周期长度时，组内各个数据的差异小，而组间各个数据的差异大；反之，如果组间差异显著大于组内差异时，序列就存在周期，其长度就是组间差异最大而组内差异最小的分组组数。通常一个序列的总体差异是固定的，组间差异增大，组内差异则减小。那么，组内差异比组间差异小到什么程度才算是显著呢？通常是用 $F$ 检验来进行判断。

### 4.1.2　计算过程

设某水文要素随时间变化的等时距样本序列为 $X_1$, $X_2$, $\cdots$, $X_n$, 排成表 4-1 的形式，其中 $j=1$, 2, $\cdots$, $b$, 表示分为 $b$ 组, $b=2$, 3, $\cdots$, $m$(当样本数 $n$ 为偶数时, $m=n/2$; 为奇数时, $m=(n-1)/2$; 也就是说，可能存在的周期数 $b$ 为 2, 3, $\cdots$, $m$)。$i$ 为每组含有的项数, $i=1$, 2, $\cdots$, $a$, 表示每组有 $a$ 个数据。$T_j$ 为每组的合计数, $\overline{x}_j$ 为每组的组平均值。对于不同的 $b$, 可计得相应的方差比 $F$:

**表 4-1　试验周期分组排列表**

| $i$ | | 试验周期分组($j$) | | | |
|---|---|---|---|---|---|
| | | 1 | 2 | $\cdots$ | $b$ |
| 每 | 1 | $X_{11}$ | $X_{12}$ | $\cdots$ | $X_{1b}$ |
| 组 | 2 | $X_{21}$ | $X_{22}$ | $\cdots$ | $X_{2b}$ |
| 项 | $\vdots$ | $\vdots$ | $\vdots$ | $\vdots$ | $\vdots$ |
| 数 | $a$ | $X_{a1}$ | $X_{a2}$ | $\cdots$ | $X_{ab}$ |
| $T_j$ | | $T_1$ | $T_2$ | $\cdots$ | $T_b$ |
| $\overline{x}_j$ | | $\overline{x}_1$ | $\overline{x}_2$ | $\cdots$ | $\overline{x}_b$ |
| $T_j*T_j$ | | $T_1*T_1$ | $T_2*T_2$ | $\cdots$ | $T_b*T_b$ |
| $T_j*T_j/a_j$ | | $T_1*T_1/a_j$ | $T_2*T_2/a_j$ | $\cdots$ | $T_b*T_b/a_j$ |

$$F = (S1/f1) / (S2/f2) \qquad (4\text{-}1)$$

式中：$S1$ 为组间离差平方和，$S1 = \sum (T_j * T_j/a - T * T/n)$；$S2$：组内离差平方和，$S2 = \sum \sum (X_{ij} * X_{ij}) - \sum (T_j * T_j/a)$；$f1 = b - 1$，为对应于 $S1$ 的自由度；$f2 = n - b$，为对应于 $S2$ 的自由度。

当 $b$ 分别取 2，3，…，$m$ 时，可计得 $m - 1$ 个不同的 $F$ 值。同理，对于不同的 $b$，由 $f1$、$f2$ 和选定的信度 $\alpha$，在 $F$ 分布表中可查出相应的 $m - 1$ 个不同的上分位点 $F(\alpha)$ 值(本应用程序会自动计算 $F$ 分布表中对应的 $F(\alpha)$ 值)，挑选最大的 $F$ 值，与对应的 $F(\alpha)$ 值相比较，如果：

$F > F(\alpha)$，则表明在这一信度水平上，差异显著，有周期存在，所对应的 $b$ 即为周期长度，对应于 $b$ 的各组的平均值即为第一周期波各年的振幅。

$F \leqslant F(\alpha)$，则表明在这一信度水平上，差异不显著。

接着将所识别的第一周期波各年的振幅按顺序从序列起始年份排列至终止年份，就构成第一周期波序列，从样本序列中剔除第一周期波序列，便生成新序列，对新序列按上述步骤进行计算，可识别第二周期波。其余周期波的识别也以此类推，直到不能识别或者不想识别周期为止。然后对所识别出的各周期波外推叠加，即可进行预报。

分析计算流程可概括为：

(1)选定信度 $\alpha$。

(2)周期均值叠加分析。包括给定信度 $\alpha$ 下的周期均值叠加分析与预报、显示分析预报结果、显示历史拟合曲线图、确认最终结果等。

(3)如果对周期分析结果满意，则准备对提取确定函数项后的非平稳时间序列的余差序列进行平稳时间序列分析计算；否则可以返回到第 3 章图 3-6 或图 3-9 所示的界面，重新进行非平稳时间序列趋势分析。注意：确定函数即趋势函数、周期函数或两者其一。

# 4.2　应用程序步骤

## 4.2.1　设计用户界面

用户界面分别由 1 个窗体和添加在窗体上的若干控件或控件数组组成。

在第 2 章 2.4.1 节曾经介绍过，本系统应用模型中的窗体 3 用于从时间序列中识别和提取周期函数(用周期均值叠加分析法)，并显示分析计算与预报结果，用户界面见本章 4.3 节中的图 4-16。在窗体 3 的菜单编辑器中，创建了【周期均值叠加分析与预报】、【显示分析预报结果】、【历史拟合曲线图】、【确认最终结果】、【上一步】、【下一步】和【退出】等 7 个主菜单控件。在【历史拟合曲线图】主菜单项内创建了一级子菜单项【显示】和【关闭】。在【下一步】主菜单项内创建了一级子菜单项【平稳时间序列分析计算】。

窗体 3 内还添加了 1 个图像框控件、1 个矩形形状控件、1 个具有 5 个元素的无边框标签框控件数组、1 个具有 3 个元素的有边框标签框控件数组、1 个文本框控件和 1 个图片框控件。

## 4.2.2　属性设置

窗体 3 菜单对象的属性设置见表 4-2；窗体 3 以及窗体 3 内各控件对象的属性设置见表 4-3。各控件的字体属性如字体、字形、大小、效果、颜色等，用户在属性窗口中可以根据自己的爱好来确定。

表 4-2　窗体 3 菜单对象的属性设置

| 菜单等级 | 标题 | 名称 | 内缩符号 |
|---|---|---|---|
| 主菜单 | 周期均值叠加分析与预报 | ZhouQiJunZhiDieJiaFenXiYuYuBao | 无 |
| 主菜单 | 显示分析预报结果 | XianShiFenXiYuBaoJieGuo | 无 |
| 主菜单 | 历史拟合曲线图 | LiShiNiHeQuXian | 无 |
| 一级子菜单 | 显示 | XianShi | ········ |
| 一级子菜单 | 关闭 | GuanBi | ········ |
| 主菜单 | 确认最终结果 | QueRenZuiZhongJieGuo | 无 |
| 主菜单 | 上一步 | ShangYiBu | 无 |
| 主菜单 | 下一步 | XiaYiBu | 无 |
| 一级子菜单 | 平稳时间序列分析计算 | PingWenShiJianXuLieFenXiJiSuan | ····· |
| 主菜单 | 退出 | TuiChu | 无 |

表 4-3　窗体 3 以及窗体 3 内各控件对象的属性设置

| 对象 | 属性 | 设置 |
|---|---|---|
| 窗体 | Caption | 非平稳时间序列　VB6.0　系统应用模型<br>（周期均值叠加分析） |
| | （名称）<br>WindowState | Form3<br>2（最大化） |
| 图像框 | （名称）<br>Picture<br>Stretch | Image1<br>（风景图）<br>True |
| 形状控件 | （名称）<br>BorderWidth<br>Shape | Shape1<br>3<br>0（矩形） |
| 标签框 1 | Caption<br>（名称） | 置空<br>Label1（0） |
| 标签框 2 | Caption<br>（名称） | 序列名称：<br>Label1（1） |
| 标签框 3 | Caption<br>（名称） | 序列开始年份：<br>Label1（2） |
| 标签框 4 | Caption<br>（名称） | 序列结束年份：<br>Label1（3） |
| 标签框 5 | Caption<br>（名称） | 周期波外延叠加预报过程与结果<br>Label1（4） |
| 标签框 1～标签框 3 | Caption<br>（名称）<br>BorderStyle | 置空<br>Label2（0）、Label2（1）、Label2（2）<br>1（有边框） |
| 文本框 | （名称）<br>Text<br>MultiLine<br>ScrollBars | Text1<br>置空<br>True<br>3 |
| 图片框控件 | （名称） | Picture2 |

### 4.2.3　编写事件过程代码

周期均值叠加分析应用程序界面共有 9 个事件过程。

9 个事件过程包括：单击【周期均值叠加分析与预报】主菜单项的 ZhouQiJunZhiDieJiaFenXiYuYuBao_Click()、单击【显示分析预报结果】主菜单项的 XianShiFenXiYuBaoJieGuo_Click()、单击【历史拟合曲线图】主菜单项的 LiShiNiHeQuXian_Click()、单击【显示】一级子菜单项的 XianShi_Click()、单击【关闭】一级子菜单项的 GuanBi_Click()、单击【确认最终结果】主菜单项的 QueRenZuiZhongJieGuo_Click()、单击【上一步】主菜单项的 ShangYiBu_Click()、单击【平稳时间序列分析计算】一级子菜单项的 PingWenShiJianXuLieFenXiJiSuan_Click() 和单击【退出】主菜单项的 TuiChu_Click()。

9 个事件过程中有一部分计算功能、程序代码与前面章节相应内容相同或基本相同，这里主要介绍不同之处：

(1)首先在窗体的代码窗口声明部分，用关键词 Dim 声明了如下窗体级变量：

```
Dim GJZ()                           ' 存放非平稳时间序列周期函数的估计值
Dim Y1() As Single                  ' 存放非平稳时间序列样本观测值
Dim JieGuo$                         ' 存放周期均值叠加分析与预报结果
```

(2)单击主菜单项【周期均值叠加分析与预报】所触发的事件过程 ZhouQiJunZhiDieJiaFenXiYuYuBao_Click()。

事件过程 ZhouQiJunZhiDieJiaFenXiYuYuBao_Click()首先声明了与方差分析计算和周期均值外延叠加预报有关的过程级变量，并将显示时间序列名称以及序列开始、结束年份之外的控件均设为不可见；再根据时间序列样本容量 $n$，计算可能存在的周期数 $B$ 的上限值 $m$ 和对应于不同 $B$ 的自由度 $f1$ 和 $f2$；根据所选定的信度 $\alpha$（代码中用 r 表示），调用 Function ShiSuanF(f2, f1, f3, r)，计算对应于不同自由度 $f1$ 和 $f2$ 的 $F(\alpha)$ 值（即代码中数组变量 f(B)）。

其次，逐项计算不同周期数 $B$ 的方差分析计算结果，并从中挑选满足 $F > F(\alpha)$ 的最大方差比 $F$ 所对应的显著周期波振幅，作为用于外延预报的周期波序列；或者通过与用户交互的方式，以用户输入的物理成因显著且通过 $F$ 检验的周期长度为依据，计算相应周期波振幅，作为用于外延预报的周期波序列。

接着，根据识别出的各显著周期波序列，外延叠加预报包括未来 10 年在内的时间序列周期函数估计值及其相对拟合误差。

最后，将与周期均值叠加分析与预报有关的分析结果标题、资料统计年限、周期长度识别过程、相对拟合误差与未来 10 年预报结果等内容依次保存在一个全局变量中；将识别和提取的周期函数值序列保存在另一个全局变量中，并使主菜单项【显示分析预报结果】可用，标签框 Label1(4)、形状控件 Shape1 和文本框 Text1 可见（为显示周期均值叠加分析与预报结果做准备）。事件过程代码如下：

```
Private Sub ZhouQiJunZhiDieJiaFenXiYuYuBao_Click()
    ' 声明与方差分析预报有关的过程级变量
    Dim YY1(), X1() As Single, V() As Single, w3() As Single, w4() As Single
    Dim f() As Single, ZQ() As Single, F_Fr() As Single
    Dim BB(5) As Integer                          ' 存放各周期波最大方差比 F 所对应的显著周期
    Dim R1(5) As Single                           ' 存放各周期波最大方差比 F 所对应的信度α
    Dim r                                                    ' 存放信度α
    ReDim YY1(n + 9, 5)   ' 重定义存放周期波振幅序列值（含10年外延值）的动态数组变量
    ReDim X1(n, n), V(n), w3(n), w4(n), GJZ(n + 9), ZQHSZ(n + 9)

    ' 除显示时间序列名称以及序列开始、结束年份的控件外均不可见
    Label1(0).Visible = False
    For i = 0 To 3
        If i > 0 Then Label1(i).Visible = True
        If i < 3 Then Label2(i).Visible = True: Label2(i).Caption = ""
    Next i
    Label1(4).Visible = False: Shape1.Visible = False: Text1.Visible = False: Text1.Text = ""
    Label2(0).Caption = MC(1)                                        ' 显示非平稳时间序列名
    Label2(1).Caption = MC(0): Label2(2).Caption = MC(0) + n - 1    ' 显示序列开始、结束年份

    If Int(n / 2) = n / 2 Then                              ' 计算可能存在周期数 B 的上限值 m
        m = n / 2
    Else
        m = (n - 1) / 2
    End If
    ReDim f(m)                                    ' 重定义存放上分位点 F(α) 值的动态数组变量
    ReDim ZQ(5, m, m + 6)       ' 重定义显示方差分析计算结果和相应周期波振幅的动态数组变量
    ReDim F_Fr(m)                               ' 重定义存放并显示序列方差比的动态数组变量
    ReDim Y1(n + Int(n / 2 + 1))       ' 重定义存放包括余差新序列的序列值的动态数组变量
    For i = 0 To n - 1: Y1(i) = XLZ(i): Next i

    ' 将输入的信度α赋予变量 r
    Do
        r = InputBox(Space(4) & "识别周期波振幅需要进行 F 检验，请输入信度α: _
        0.10、0.05、0.025、0.01、0.005 或 0.001。", "信度输入对话框")
    Loop Until r <> Empty And (r =0.1 Or r =0.05 Or r =0.025 Or r =0.01 Or r =0.005 Or r =0.001)

    For B = 2 To m
        f1 = B - 1: f2 = n - B: f3 = 1.17: RR = ShiSuanF(f2, f1, f3, r)
        f(B) = Int((f3 + 0.00555) * 100) / 100       ' 将上分位点 F(α) 值即 f3 赋予数组变量 f(B)
    Next B

    For k0 = 1 To 5                                      ' 循环5次，最多可以识别5个周期波
        If k0 > 1 Then
            n1 = MsgBox("您想计算并识别第 " & k0 & _
            " 周期波振幅吗?", 36, "计算识别周期波振幅对话框")
```

```
        Else
1
            MsgBox "准备计算并识别第 " & k0 & " 周期波振幅。"
    End If
    If n1 = 7 Then GoTo 3
    ' 计算不同周期数 B 的方差分析计算结果和相应的周期波振幅
    For B = 2 To m
        If Int(n / B) = n / B Then                          ' 计算试验周期分组中每组数据个数 A
            A = n / B
        Else
            A = Int(n / B) + 1
        End If
        X2 = 0: Y2 = 0: s1 = 0: s2 = 0: s3 = 0                        ' 初始值
        For i = 0 To A - 1                          ' 将存放序列值的变量由一维转为二维
            For j = 0 To B - 1
                If i = 0 Then k = j
                If j = 0 Then K1 = k
                If i <> 0 Then k = K1 + j + 1
                If k > (n - 1) Then Y1(k) = 0
                X1(i, j) = Y1(k): Y2 = X1(i, j): X2 = Y2 + X2
            Next j
        Next i
        X2 = X2 / n                                   ' 计算序列多年平均值

        For j = 0 To n - (A - 1) * B - 1                    ' 计算序列周期波振幅 V(j)
            u1 = 0
            For i = 0 To A - 1: w1 = X1(i, j): u1 = w1 + u1: Next i
            V(j) = u1 / A
        Next j
        For j = n - (A - 1) * B To B - 1                    ' 计算序列周期波振幅 V(j)
            u2 = 0
            For i = 0 To A - 2: w2 = X1(i, j): u2 = w2 + u2: Next i
            V(j) = u2 / (A - 1)
        Next j
        For j = 0 To n - (A - 1) * B - 1                  ' 计算组间、组内离差平方和 s1 与 s2
            w3(j) = (V(j) - X2) ^ 2: s1 = w3(j) + s1
            For i = 0 To A - 1: w4(j) = (X1(i, j) - V(j)) ^ 2: s2 = w4(j) + s2: Next i
        Next j
        For j = n - (A - 1) * B To B - 1
            w3(j) = (V(j) - X2) ^ 2: s3 = w3(j) + s3
            For i = 0 To A - 2: w4(j) = (X1(i, j) - V(j)) ^ 2: s2 = w4(j) + s2: Next i
        Next j
        s1 = A * s1 + (A - 1) * s3
        If s2 = 0 Then
            s2 = 1E-28
            ' 保证 f1 不大于单精度实型上限值(+3.40E38)
```

```
        If s1 * (n - B) / (B - 1) > 30000000000# Then s1=30000000000# * (B - 1) / (n - B)
    End If
    f1 = s1 * (n - B) / (s2 * (B - 1))                              '计算序列方差比 f1

    ZQ(k0, B, 0) = B                                               '存放序列周期数
    ZQ(k0, B, 1) = CSng(s1)                                        '存放序列组间离差平方和
    ZQ(k0, B, 2) = B - 1                                           '存放序列组间自由度
    ZQ(k0, B, 3) = CSng(s2)                                        '存放序列组内离差平方和
    ZQ(k0, B, 4) = n - B                                           '存放序列组内自由度
    ZQ(k0, B, 5) = CSng(f1)                                        '存放序列方差比
    ZQ(k0, B, 6) = f(B)                                            '存放上分位点 F(α)即 f(B)值
    F_Fr(B) = ZQ(k0, B, 5)                                         '再存放序列方差比
    For i = 7 To m + 6
        If (i - 7) > (B - 1) Then
            ZQ(k0, B, i) = CSng(0)
        Else
            ZQ(k0, B, i) = CSng(V(i - 7))                          '存放序列周期波振幅
        End If
    Next i
Next B


ZQS$ = ""
For B = 2 To m                                                    '统计已识别和提取的各周期波长度
    If ZQ(k0, B, 5) > ZQ(k0, B, 6) Then ZQS$ = ZQS$ & B & ","
Next B


For B1 = 2 To m - 1                                               '挑选各周期波最大方差比 F 即 F_Fr(M)
    For B2 = B1 + 1 To m
        If F_Fr(B1) > F_Fr(B2) Then B3=F_Fr(B1): F_Fr(B1)=F_Fr(B2): F_Fr(B2)=B3
    Next B2
Next B1


For B = 2 To m                                                    '储存对应于 F_Fr(M)的显著周期数和信度
    If F_Fr(m) = ZQ(k0, B, 5) Then BB(k0) = B: R1(k0) = r
Next B


' 如果 F <= F(α)且α<> 0.10，说明不存在周期，应重输信度，再识别周期波振幅
If F_Fr(m) <= ZQ(k0, BB(k0), 6) And r <> 0.1 Then
    Do
        r = InputBox("    信度α=" & r & " 时,第 " & k0 _
        & " 周期不存在。需重新识别周期波振幅,请输入信度: _
        0.10、0.05、0.025、0.01、0.005 或 0.001。","信度输入对话框")
    Loop Until r <> Empty And (r = 0.1 Or r = 0.05 Or r = 0.025 _
    Or r = 0.01 Or r = 0.005 Or r = 0.001)
    For B = 2 To m  ' 再次调用函数过程 ShiSuanF(f2, f1, f3, r)，计算上分位点 F(α)
        f1 = B - 1: f2 = n - B: f3 = 1.17
```

```
                    RR = ShiSuanF(f2, f1, f3, r): f(B) = Int((f3 + 0.00555) * 100) / 100
            Next B: GoTo 1
        End If

        ' 如果 F<= F(α)且α= 0.10，说明不存在周期，应结束程序运行
        If F_Fr(m) <= ZQ(k0, BB(k0), 6) And r = 0.1 Then
            If k0 = 1 Then
                MsgBox "在信度允许取值范围内，不存在周期。"
                ZhouQiJunZhiDieJiaFenXiYuYuBao.Enabled = False
                Exit Sub
            Else
                MsgBox "在信度允许取值范围内，第 " & k0 & " 周期不存在。"
            End If
            Exit For
        End If

        ' 如果 F>F(α)，说明存在周期，提示用户可输入物理成因显著的其它周期
        If F_Fr(m) > ZQ(k0, BB(k0), 6) Then
2
            Do
                n2 = InputBox("    信度α=" & r & "时,存在第" & k0 & "周期波 _
                (周期长度为:" & Left(ZQS$, Len(ZQS$) - 1) & ")。 _
                请输入或确认物理成因明确的周期长度 T:", "周期长度输入对话框", BB(k0))
            Loop Until n2 <> Empty And n2 >= 2 And n2 <= CInt(m)
            BB(k0) = n2                                 ' 将本周期波存的周期数存放于 BB(k0)
            If ZQ(k0, BB(k0), 5) <= ZQ(k0, BB(k0), 6) Then
                MsgBox "信度  α=" & r & " 时,第 " & k0 & " 周期不存在。 _
                请重新输入物理成因明确的其它显著周期长度 _
                (周期长度为:" & Left(ZQS$, Len(ZQS$) - 1) & ")。"
                GoTo 2
            End If
            For i1 = 0 To n + 9
                If i1 < BB(k0) Then i2 = i1
                For i3 = 1 To Int((n + 5) / BB(k0) + 1)
                    If i1 >= i3 * BB(k0) And i1 < (i3 + 1) * BB(k0) Then i2 = i1 - i3 * BB(k0)
                Next i3
                ' 将原始序列值存放于 YY1(i1, 0)
                If i1 <= n - 1 And k0 = 1 Then YY1(i1, 0) = Y1(i1)
                ' 形成余差新序列
                If i1 <= n - 1 Then Y1(i1) = Y1(i1) - ZQ(k0, BB(k0), i2 + 7)
                ' 将包括 5 年外延值的各显著周期波振幅序列值存放于 YY1(i1, k0)
                YY1(i1, k0) = ZQ(k0, BB(k0), i2 + 7)
            Next i1
            k2 = k0                                     ' 将已经识别的周期波数储存在 k2 中
        End If
    Next k0
```

3

```
' 计算包括未来 10 年在内的时间序列周期函数的估计值及其相对拟合误差
If k2 >= 1 Then
    WUCHA = 0
    For i = 0 To n + 9
        c = 0
        For j = 1 To k2: c = c + YY1(i, j): Next j
        GJZ(i) = c: ZQHSZ(i) = GJZ(i)
        If i < n Then WUCHA = WUCHA + _
        Abs(CSng(Int((((GJZ(i) - YY1(i, 0)) / YY1(i, 0) + 0.00005) * 10000) / 100))
    Next i
End If


Ch$ = Chr(13) + Chr(10)


' 保存标题
JieGuo$ = Ch$ & Space(4) & MC(1) & "周期波外延叠加预报过程与结果" & Ch$ & Ch$
JieGuo$ = JieGuo$ & Space(8) & "(一)、资料统计年限: " & Ch$          ' 保存资料统计年限
JieGuo$ = JieGuo$ & Space(8) & MC(0) & "～" & MC(0) + n - 1 & "年。" & Ch$
JieGuo$ = JieGuo$ & Space(8) & MC(0) + n & "～" & MC(0) + n + 9 _
& "这 10 年是预报期。" & Ch$ & Ch$


' 保存周期长度识别过程
JieGuo$ = JieGuo$ & Space(8) & "(二)、周期长度识别过程: " & Ch$
Dim JieGuo1$(): ReDim JieGuo1$(k2)
For i = 1 To k2
    JieGuo1$(i) = Space(8) & "(" & i & ") " & "第" & i & "周期识别过程: " & Ch$
    JieGuo1$(i) = JieGuo1$(i) & Space(8) & "周期" _
    & Space(3) & "组间离差平方和 s1" & Space(3) & "组间自由度 f1" _
    & Space(3) & "组内离差平方和 s2" & Space(3) & "组内自由度 f2" _
    & Space(3) & "F" & Space(14) & "F(" & R1(i) & ")" & Ch$
    For B = 2 To m
        JieGuo1$(i) = JieGuo1$(i) & Space(8) & ZQ(i, B, 0) _
        & Space(7 - Len(CStr(ZQ(i, B, 0)))) & ZQ(i, B, 1) _
        & Space(19 - Len(CStr(ZQ(i, B, 1)))) & ZQ(i, B, 2) _
        & Space(15 - Len(CStr(ZQ(i, B, 2)))) & ZQ(i, B, 3) _
        & Space(19 - Len(CStr(ZQ(i, B, 3)))) & ZQ(i, B, 4) _
        & Space(15 - Len(CStr(ZQ(i, B, 4)))) & ZQ(i, B, 5) _
        & Space(15 - Len(CStr(ZQ(i, B, 5)))) & ZQ(i, B, 6) & Ch$
    Next B
Next i
JieGuo2$ = ""
For i = 1 To k2: JieGuo2$ = JieGuo2$ & JieGuo1$(i) & Ch$: Next i
JieGuo$ = JieGuo$ & JieGuo2$
```

```
        ' 保存周期长度识别结果
        JieGuo$ = JieGuo$ & Space(8) & "(三)、周期长度识别结果：" & Ch$
        For i = 1 To k2
            JieGuo$ = JieGuo$ & Space(8) & "当信度α = " & R1(i) & "时，方差比 F = " _
            & ZQ(i, BB(i), 5) & " > F(α) = " & ZQ(i, BB(i), 6) & "，此时存在第" & i _
            & "周期，周期长度 T=" & BB(i) & "。" & Ch$
        Next i


        ' 保存相对拟合误差与未来 10 年预报结果
        JieGuo$ = JieGuo$ & Ch$ & Space(8) & "(四)、相对拟合误差与未来 10 年预报结果:" & Ch$
        JieGuo2$ = ""
        For i = 0 To n + 9
            If k2 = 1 And i <= n - 1 Then
                If i = 0 Then
                    JieGuo2$ = JieGuo2$ & Space(8) & "年份" & Space(3) & "原始序列值" _
                    & Space(4) & "第一周期波" & Space(5) & "周期波叠加" _
                    & Space(5) & "相对误差(%)" & Ch$
                    JieGuo2$=JieGuo2$ & Space(28) & "(T=" & BB(1) & ",α=" & R1(1) & ")" & Ch$
                End If
                JieGuo2$ = JieGuo2$ & Space(8) & MC(0) + i _
                & Space(7 - Len(CStr(MC(0) + i))) & YY1(i, 0) _
                & Space(14 - Len(CStr(YY1(i, 0)))) & YY1(i, 1) _
                & Space(15 - Len(CStr(YY1(i, 1)))) & GJZ(i) _
                & Space(15 - Len(CStr(GJZ(i)))) _
                & CSng(Int(((GJZ(i) - YY1(i, 0)) / YY1(i, 0) + 0.00005) * 10000) / 100) & Ch$
            End If
            If k2 = 1 And i > n - 1 Then
                JieGuo2$ = JieGuo2$ & Space(8) & MC(0) + i & Space(21 - Len(CStr(MC(0) + i))) _
                & YY1(i, 1) & Space(15 - Len(CStr(YY1(i, 1)))) & GJZ(i) & Ch$
            End If
        Next i


        For i = 0 To n + 9
            If k2 = 2 And i <= n - 1 Then
                If i = 0 Then
                    JieGuo2$ = JieGuo2$ & Space(8) & "年份" & Space(3) & "原始序列值" _
                    & Space(4) & "第一周期波" & Space(5) & "第二周期波" & Space(5) _
                    & "周期波叠加" & Space(5) & "相对误差(%)" & Ch$
                    JieGuo2$ = JieGuo2$ & Space(28) & "(T=" & BB(1) & ",α=" & R1(1) & ")" _
                    & Space(14 - Len("(T=" & BB(1) & ",α=" & R1(1) & ")")) _
                    & "(T=" & BB(2) & ",α=" & R1(2) & ")" & Ch$
                End If
                JieGuo2$ = JieGuo2$ & Space(8) & MC(0) + i & Space(7 - Len(CStr(MC(0) + i))) _
                & YY1(i, 0) & Space(14 - Len(CStr(YY1(i, 0)))) & YY1(i, 1) _
                & Space(15 - Len(CStr(YY1(i, 1)))) & YY1(i, 2) _
                & Space(15 - Len(CStr(YY1(i, 2)))) & GJZ(i) & Space(15 - Len(CStr(GJZ(i)))) _
```

```
                & CSng(Int((((GJZ(i) - YY1(i, 0)) / YY1(i, 0) + 0.00005) * 10000) / 100) & Ch$
        End If
        If k2 = 2 And i > n - 1 Then
            JieGuo2$ = JieGuo2$ & Space(8) & MC(0) + i & Space(21 - Len(CStr(MC(0) + i))) _
                & YY1(i, 1) & Space(15 - Len(CStr(YY1(i, 1)))) & YY1(i, 2) _
                & Space(15 - Len(CStr(YY1(i, 2)))) & GJZ(i) & Ch$
        End If
    Next i

    For i = 0 To n + 9
        If k2 = 3 And i <= n - 1 Then
            If i = 0 Then
                JieGuo2$ = JieGuo2$ & Space(8) & "年份" & Space(3) & "原始序列值" _
                    & Space(4) & "第一周期波" & Space(5) & "第二周期波" & Space(5) & _
                    "第三周期波" & Space(5) & "周期波叠加" & Space(5) & "相对误差(%)" & Ch$
                JieGuo2$ = JieGuo2$ & Space(28) & "(T=" & BB(1) & ",α=" & R1(1) & ")" _
                    & Space(14 - Len("(T=" & BB(1) & ",α=" & R1(1) & ")")) _
                    & "(T=" & BB(2) & ",α=" & R1(2) & ")" _
                    & Space(14 - Len("(T=" & BB(2) & ",α=" & R1(2) & ")")) _
                    & "(T=" & BB(3) & ",α=" & R1(3) & ")" & Ch$
            End If
            JieGuo2$ = JieGuo2$ & Space(8) & MC(0) + i & Space(7 - Len(CStr(MC(0) + i))) _
                & YY1(i, 0) & Space(14 - Len(CStr(YY1(i, 0)))) & YY1(i, 1) _
                & Space(15 - Len(CStr(YY1(i, 1)))) & YY1(i, 2) & Space(15 - Len(CStr(YY1(i, 2)))) _
                & YY1(i, 3) & Space(15 - Len(CStr(YY1(i, 3)))) & GJZ(i) _
                & Space(15 - Len(CStr(GJZ(i)))) _
                & CSng(Int((((GJZ(i) - YY1(i, 0)) / YY1(i, 0) + 0.00005) * 10000) / 100) & Ch$
        End If
        If k2 = 3 And i > n - 1 Then
            JieGuo2$ = JieGuo2$ & Space(8) & MC(0) + i & Space(21 - Len(CStr(MC(0) + i))) _
                & YY1(i, 1) & Space(15 - Len(CStr(YY1(i, 1)))) & YY1(i, 2) _
                & Space(15 - Len(CStr(YY1(i, 2)))) & YY1(i, 3) _
                & Space(15 - Len(CStr(YY1(i, 3)))) & GJZ(i) & Ch$
        End If
    Next i

    For i = 0 To n + 9
        If k2 = 4 And i <= n - 1 Then
            If i = 0 Then
                JieGuo2$ = JieGuo2$ & Space(8) & "年份" & Space(3) & "原始序列值" _
                    & Space(4) & "第一周期波" & Space(5) & "第二周期波" _
                    & Space(5) & "第三周期波" & Space(5) & "第四周期波" _
                    & Space(5) & "周期波叠加" & Space(5) & "相对误差(%)" & Ch$
                JieGuo2$ = JieGuo2$ & Space(28) & "(T=" & BB(1) & ",α=" & R1(1) & ")" _
                    & Space(14 - Len("(T=" & BB(1) & ",α=" & R1(1) & ")")) _
                    & "(T=" & BB(2) & ",α=" & R1(2) & ")" _
```

```vb
                & Space(14 - Len("(T=" & BB(2) & ",α=" & R1(2) & ")")) _
                & "(T=" & BB(3) & ",α=" & R1(3) & ")" _
                & Space(14 - Len("(T=" & BB(3) & ",α=" & R1(3) & ")")) _
                & "(T=" & BB(4) & ",α=" & R1(4) & ")" & Ch$
        End If
        JieGuo2$ = JieGuo2$ & Space(8) & MC(0) + i & Space(7 - Len(CStr(MC(0) + i))) _
            & YY1(i, 0) & Space(14 - Len(CStr(YY1(i, 0)))) & YY1(i, 1) _
            & Space(15 - Len(CStr(YY1(i, 1)))) & YY1(i, 2) & Space(15 - Len(CStr(YY1(i, 2)))) _
            & YY1(i, 3) & Space(15 - Len(CStr(YY1(i, 3)))) & YY1(i, 4) _
            & Space(15 - Len(CStr(YY1(i, 4)))) & GJZ(i) & Space(15 - Len(CStr(GJZ(i)))) _
            & CSng(Int(((GJZ(i) - YY1(i, 0)) / YY1(i, 0) + 0.00005) * 10000) / 100) & Ch$
    End If
    If k2 = 4 And i > n - 1 Then
        JieGuo2$ = JieGuo2$ & Space(8) & MC(0) + i & Space(21 - Len(CStr(MC(0) + i))) _
            & YY1(i, 1) & Space(15 - Len(CStr(YY1(i, 1)))) & YY1(i, 2) _
            & Space(15 - Len(CStr(YY1(i, 2)))) & YY1(i, 3) & Space(15 - Len(CStr(YY1(i, 3)))) _
            & YY1(i, 4) & Space(15 - Len(CStr(YY1(i, 4)))) & GJZ(i) & Ch$
    End If
Next i


For i = 0 To n + 9
    If k2 = 5 And i <= n - 1 Then
        If i = 0 Then
            JieGuo2$ = JieGuo2$ & Space(8) & "年份" & Space(3) & "原始序列值" _
                & Space(4) & "第一周期波" & Space(5) & "第二周期波" _
                & Space(5) & "第三周期波" & Space(5) & "第四周期波" _
                & Space(5) & "第五周期波" & Space(5) & "周期波叠加" _
                & Space(5) & "相对误差(%)" & Ch$
            JieGuo2$ = JieGuo2$ & Space(28) & "(T=" & BB(1) & ",α=" & R1(1) & ")" _
                & Space(14 - Len("(T=" & BB(1) & ",α=" & R1(1) & ")")) _
                & "(T=" & BB(2) & ",α=" & R1(2) & ")" _
                & Space(14 - Len("(T=" & BB(2) & ",α=" & R1(2) & ")")) _
                & "(T=" & BB(3) & ",α=" & R1(3) & ")" _
                & Space(14 - Len("(T=" & BB(3) & ",α=" & R1(3) & ")")) _
                & "(T=" & BB(4) & ",α=" & R1(4) & ")" _
                & Space(14 - Len("(T=" & BB(4) & ",α=" & R1(4) & ")")) _
                & "(T=" & BB(5) & ",α=" & R1(5) & ")" & Ch$
        End If
        JieGuo2$ = JieGuo2$ & Space(8) & MC(0) + i & Space(7 - Len(CStr(MC(0) + i))) _
            & YY1(i, 0) & Space(14 - Len(CStr(YY1(i, 0)))) & YY1(i, 1) _
            & Space(15 - Len(CStr(YY1(i, 1)))) & YY1(i, 2) & Space(15 - Len(CStr(YY1(i, 2)))) _
            & YY1(i, 3) & Space(15 - Len(CStr(YY1(i, 3)))) & YY1(i, 4) _
            & Space(15 - Len(CStr(YY1(i, 4)))) & YY1(i, 5) & Space(15 - Len(CStr(YY1(i, 5)))) _
            & GJZ(i) & Space(15 - Len(CStr(GJZ(i)))) _
            & CSng(Int(((GJZ(i) - YY1(i, 0)) / YY1(i, 0) + 0.00005) * 10000) / 100) & Ch$
    End If
```

```
            If k2 = 5 And i > n - 1 Then
                JieGuo2$ = JieGuo2$ & Space(8) & MC(0) + i & Space(21 - Len(CStr(MC(0) + i))) _
                & YY1(i, 1) & Space(15 - Len(CStr(YY1(i, 1)))) & YY1(i, 2) _
                & Space(15 - Len(CStr(YY1(i, 2)))) & YY1(i, 3) & Space(15 - Len(CStr(YY1(i, 3)))) _
                & YY1(i, 4) & Space(15 - Len(CStr(YY1(i, 4)))) & YY1(i, 5) _
                & Space(15 - Len(CStr(YY1(i, 5)))) & GJZ(i) & Ch$
            End If
        Next i

        JieGuo$ = JieGuo$ & JieGuo2$
        JieGuo$ = JieGuo$ & Space(8) & "备注：" & Ch$
        JieGuo$ = JieGuo$ & Space(8) & "原始序列多年平均值：" & CSng(AVEX) & Ch$
        JieGuo$ = JieGuo$ & Space(8) & "相对拟合误差绝对值的多年平均值：" _
        & WUCHA / n & " %" & Ch$

        ' 保存完成预报时间
        JieGuo$ = JieGuo$ & Ch$ & Space(8) & "(五)、完成预报时间：" & Ch$ & Space(8) & Now

        ' 将识别和提取的周期函数项形式储存在 ZQHSX__MXXS$ 中
        ZQHSX_MXXS$ = ""
        ZQHSX_MXXS$ = Space(4) & "周期均值叠加分析结果：" & Ch$
        ZQHSX_MXXS$ = ZQHSX_MXXS$ & Space(4) & "ZQ 是" & k2 _
        & "个周期波叠加值，叠加与外延值为： " & Ch$
        For i = 0 To n + 9
            If i = 0 Then ZQHSX_MXXS1$ = ZQHSX_MXXS1$ & Space(8) & "年份" _
            & Space(4) & "周期波叠加" & Ch$
            ZQHSX_MXXS1$ = ZQHSX_MXXS1$ & Space(8) & MC(0) + i _
            & Space(4) & GJZ(i) & Ch$
        Next i
        ZQHSX_MXXS1$ = ZQHSX_MXXS1$ & Space(8) & "备注： " & Ch$
        ZQHSX_MXXS1$ = ZQHSX_MXXS1$ _
        & Space(8) & MC(0) + n & "~" & MC(0) + n + 9 & "这 10 年是预报期。" & Ch$
        ZQHSX_MXXS$ = ZQHSX_MXXS$ & ZQHSX_MXXS1$

        ZhouQiJunZhiDieJiaFenXiYuYuBao.Enabled = False
        XianShiFenXiYuBaoJieGuo.Enabled = True              ' 使主菜单项【显示分析预报结果】可用
        LiShiNiHeQuXian.Enabled = False
        QueRenZuiZhongJieGuo.Enabled = False
        Label1(4).Visible = True                            ' 使标签框 Label1(4)可见
        Shape1.Visible = True                               ' 使形状控件 Shape1 可见
        Text1.Visible = True                                ' 使文本框 Text1 可见
End Sub
```

(3)单击主菜单项【显示分析预报结果】所触发的事件过程 XianShiFenXiYuBao-JieGuo _Click()。

事件过程 XianShiFenXiYuBaoJieGuo_Click()将周期均值叠加分析与预报结果显示在文本框 Text1 的 Text 属性中。事件过程代码如下：

```
Private Sub XianShiFenXiYuBaoJieGuo_Click()
    Text1.Text = JieGuo$
    XianShiFenXiYuBaoJieGuo.Enabled = False
    LiShiNiHeQuXian.Enabled = True: QueRenZuiZhongJieGuo.Enabled = True
End Sub
```

（4）单击主菜单项【历史拟合曲线图】所触发的事件过程 LiShiNiHeQuXian_Click()。

事件过程 LiShiNiHeQuXian_Click()清空并显示图片框控件 Picture2。事件过程代码如下：

```
Private Sub LiShiNiHeQuXian_Click()
    Picture2.Cls: Picture2.Visible = True
End Sub
```

（5）单击一级子菜单项【显示】所触发的事件过程 XianShi_Click()。

事件过程 XianShi_Click()用来给标签框 Label1(4)的 Caption 属性赋值，并显示非平稳时间序列实测值及其周期函数估计值的历史拟合放大曲线图。在图片框 Picture2 的自定义坐标系统中，用绘图语句绘制了非平稳时间序列实测值及其周期估计值两条过程线图，并配有标题、纵横坐标和图例。事件过程代码与第 3 章 3.5.3 节中的 XianShi2_Click()基本相同，只需删除代码中的 "Picture2.AutoRedraw = True" 语句，并将下列一段语句：

```
For i = 0 To n - 1
    ZZ(i, 0) = X_Y(m + 1, i)                      '将非平稳时间序列值赋予变量 ZZ(i, 0)
    ZZ1(i, 0) = ZZ(i, 0)
    ZZ0 = 0
    For j = 1 To Myinzishu
        If HanShuXingShi = "ZhiXian" Then
            ZZ0 = ZZ0 + B(j) * X_Y(1, i)
        Else
            ZZ0 = ZZ0 + B(j) * X_Y(V(j), i)
        End If
    Next j
    ZZ(i, 1) = b0 + ZZ0                           '将非平稳时间序列趋势估计值赋予变量 ZZ(i, 1)
    ZZ1(i, 1) = ZZ(i, 1)
Next i
```

改为如下一段语句即可：

```
For i = 0 To n - 1
    ZZ(i, 0) = XLZ(i)                             '将非平稳时间序列值赋予变量 ZZ(i, 0)
    ZZ1(i, 0) = ZZ(i, 0)
    ZZ(i, 1) = GJZ(i)                             '将非平稳时间序列周期估计值赋予变量 ZZ(i, 1)
    ZZ1(i, 1) = ZZ(i, 1)
Next i
```

```
    Label1(4).Caption = "历 史 拟 合 曲 线 图"        '给标签框 Label1(4) 的 Caption 属性赋值
```

(6) 单击一级子菜单项【关闭】所触发的事件过程 GuanBi_Click()。

事件过程 GuanBi_Click()用来隐藏图片框控件 Picture2，并给标签框 Label1(4) 的 Caption 属性重新赋值。事件过程代码如下：

```
Private Sub GuanBi_Click()
    Picture2.Visible = False: Label1(4).Caption = "周期波外延叠加预报过程与结果"
End Sub
```

(7) 单击主菜单项【确认最终结果】所触发的事件过程 QueRenZuiZhongJieGuo_Click()。

事件过程 QueRenZuiZhongJieGuo_Click()用于确认周期均值叠加分析的最终结果。如果用户确认结果，则将结果保存在一个全局变量中，并给识别和提取时间序列周期项的判别系数字符串变量赋予"YES"；否则给判别系数字符串变量赋予"NO"。事件过程代码如下：

```
Private Sub QueRenZuiZhongJieGuo_Click()
    Answer = MsgBox("您确认前述结果吗?", 36, "确认最终结果对话框")
    If Answer = 6 Then JieGuo_ZQ_FC$ = JieGuo: PBXS_ZQ_FC$ = "YES"
    If Answer = 7 Then PBXS_ZQ_FC$ = "NO"
End Sub
```

(8) 单击主菜单项【上一步】所触发的事件过程 ShangYiBu_Click()。

事件过程 ShangYiBu_Click()用于隐藏窗体 3、显示窗体 2。事件过程代码如下：

```
Private Sub ShangYiBu_Click()
    Form3.Hide: Form2.Show                              '隐藏窗体 3，显示窗体 2
End Sub
```

(9) 单击一级子菜单项【平稳时间序列分析计算】所触发的事件过程 PingWenShiJian-XuLieFenXiJiSuan_Click()。

事件过程 PingWenShiJianXuLieFenXiJiSuan_Click()显示窗体 6 并将窗体 6【递推求解模型参数】、【上一步】、【下一步】、【退出】之外的主菜单项均设为不可用，将 Label1(0)之外的其它控件均不显示，为显示平稳时间序列分析计算的初始画面做准备。事件过程代码如下：

```
Private Sub PingWenShiJianXuLieFenXiJiSuan_Click()
    ' 为进行平稳时间序列分析计算做准备
    Form3.Hide: Form6.Show                              '隐藏窗体 3，显示窗体 6

    ' 将进行平稳时间序列分析计算的判别系数字符串变量赋予"NO"
    PBXS_PWXL$ = "NO"

    ' 把返回识别和提取时间序列周期项画面的判别系数字符串变量赋予"YES"
    FHPBXS_ZQ_FC$ = "YES"
```

```
    ' 将窗体 6【递推求解模型参数】、【上一步】、【下一步】、【退出】之外的主菜单项 _
均设为不可用
        Form6.DiTuiQiuJieMoXingCanShu.Enabled = True
        Form6.XianShiCanShuGuJiJieGuo.Enabled = False
        Form6.QueRenGuJiJieGuo.Enabled = False: Form6.LiShiNiHeQuXianTu.Enabled = False
        Form6.YuBao.Enabled = False: Form6.QueRenZuiZhongJieGuo.Enabled = False

    ' 将窗体 6 内的 Label1(0) 之外的其它控件均不显示，即仅显示初始画面中的标题
        For i = 0 To 10
            If i > 0 Then Form6.Label1(i).Visible = False
            If i < 3 Then Form6.Label2(i).Visible = False
            If i < 3 Then Form6.Text1(i).Visible = False
            If i < 3 Then Form6.Shape1(i).Visible = False
        Next i
        Form6.Picture1.Visible = False: Form6.Picture2.Visible = False
        Form6.Combo1.Visible = False: Form6.Label1(0).Visible = True
        Form6.Label1(0).Caption = "欢迎使用平稳时间序列分析应用程序"
End Sub
```

(10)单击主菜单项【退出】所触发的事件过程 TuiChu_Click()（请参阅第 2 章 2.4.3 节的相应内容）。

以上给出了周期均值叠加分析计算应用程序的用户界面设计、属性设置、事件过程代码编写等详细步骤，下面举一个实例，进一步说明应用程序的具体操作过程。

# 4.3　应用程序实例

本例选用新疆喀什地区叶尔羌河卡群水文站 1955~2003 年年最大流量时间序列，用周期均值叠加分析法对时间序列所隐含的周期函数项进行了识别和提取，并对未来 10 年周期函数值进行了预报。下面选用第 2 章 2.1 节中图 2-1 所示的"叶尔羌河卡群水文站年最大流量" Microsoft "记事本"来加以说明如下：

(1)时间序列值的输入与时间序列类型的确定与第 2 章 2.5 节中的操作过程基本相同，不同的是数据输入选用的是图 2-1 所示的 Microsoft "记事本"，时间序列类型选用的是均值(即数学期望)时变型。

(2)选择第 2 章 2.5 节图 2-14 中的主菜单项【下一步】、一级子菜单项【识别与提取趋势函数】，则显示第 3 章图 3-1 所示的趋势分析初始画面。在图 3-1 中，依次选择主菜单项【下一步】、一级子菜单项【识别与提取周期函数】和二级子菜单项【周期均值叠加分析】，则显示图 4-1 所示的周期均值叠加分析初始画面。

(3)在图 4-1 中，选择主菜单项【周期均值叠加分析与预报】，则弹出图 4-2 所示的信度输入对话框，从所显示的诸信度中选择一项并输入对话框。这里补充说明一点，如果用户所选定的信度标准过高，有可能一个周期都无法识别和提取，如果选定的信度标准过低，有可能识别和提取一些伪周期，所以信度标准最高不要超过 0.001，最低不要低于 0.10，本次选定信度为 0.025，见图 4-2。按下对话框中的【确定】按钮，则弹出

图 4-3 所示的计算识别第 1 周期波的提示框。按下提示框中的【确定】按钮，弹出图 4-4 所示的信度输入对话框，可见信度为 0.025 时不能识别和提取第 1 周期，降低信度标准，选定信度为 0.05，见图 4-4。按下对话框中的【确定】按钮，则弹出图 4-5 所示的周期长度输入对话框，可见仅存在周期长度为 19 的第 1 周期波，故只能选定它。

图 4-1　周期均值叠加分析初始画面

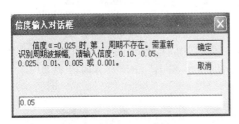

图 4-2　信度输入对话框

图 4-3　计算识别第 1 周期波提示框

图 4-4　信度输入对话框

图 4-5　周期长度输入对话框

（4）按下图 4-5 中的【确定】按钮，弹出图 4-6 所示的计算识别第 2 周期波的对话框。按下对话框中的【是】按钮，则弹出图 4-7 所示的信度输入对话框，可见信度为 0.05 时不能识别和提取第 2 周期，降低信度标准，选定信度为 0.10，见图 4-7。按下对话框中的【确定】按钮，则又弹出图 4-8 所示的计算识别第 2 周期波的提示框。按下提示框中的【确定】按钮，弹出图 4-9 所示的周期长度输入对话框，可见存在周期长度分别为 5 和 23 的第 2 周期波，由于周期长度为 5 时方差分析差异最为显著(对方差分析差异最为显著的周期长度，本应用程序会自动识别并显示在对话框中，用户只需按下【确定】按钮即可；如果其中存在物理成因明确的周期长度，也可选定它，下同)，故本次选定周期长度为 5。

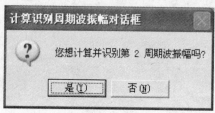

图 4-6　计算识别第 2 周期波对话框

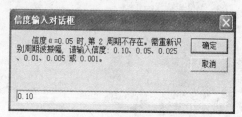

图 4-7　信度输入对话框

图 4-8　计算识别第 2 周期波提示框

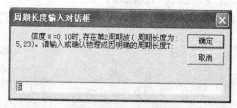

4-9　周期长度输入对话框

(5)按下图 4-9 中的【确定】按钮，弹出图 4-10 所示的计算识别第 3 周期波的对话框。按下对话框中的【是】按钮，则弹出图 4-11 所示的周期长度输入对话框，可见仅存在周期长度为 24 的第 3 周期波，故只能选定它。

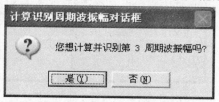

图 4-10　计算识别第 3 周期波对话框

图 4-11　周期长度输入对话框

(6)按下图 4-11 中的【确定】按钮，弹出图 4-12 所示的计算识别第 4 周期波的对话框。按下对话框中的【是】按钮，则弹出图 4-13 所示的周期长度输入对话框，可见存在周期长度分别为 11 和 16 的第 4 周期波，由于周期长度为 16 时方差分析差异最为显著，故本次选定周期长度为 16。

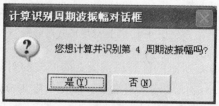

图 4-12　计算识别第 4 周期波的对话框

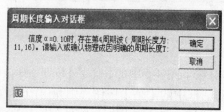

图 4-13　周期长度输入对话框

　　(7)按下图 4-13 中的【确定】按钮，弹出图 4-14 所示的计算识别第 5 周期波的对话框。按下对话框中的【是】按钮，则弹出图 4-15 所示的周期长度输入对话框，可见存在周期长度分别为 13 和 18 的第 5 周期波，由于周期长度为 13 时方差分析差异最为显著，故本次选定周期长度为 13。

　　(8)至此，周期波的识别和提取工作结束(因为本应用程序最多能识别和提取 5 个周期波，当然用户也可以在前述计算识别周期波的对话框中，按下【否】按钮来随时终止周期波的识别和提取)。按下图 4-15 中的【确定】按钮，则显示图 4-16 所示的显示分析预报结果的初始画面。

　　(9)在图 4-16 中，选择主菜单项【显示分析预报结果】，则显示图 4-17 所示的分析预报结果显示图。

图 4-14　计算识别第 5 周期波对话框

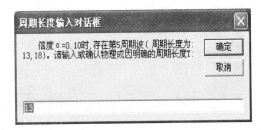

图 4-15　周期长度输入对话框

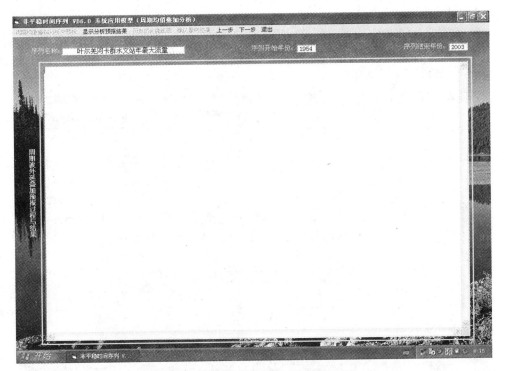

图 4-16　显示分析预报结果的初始画面

图 4-17　分析预报结果显示图

(10)在图 4-17 中，选择主菜单项【历史拟合曲线图】、一级子菜单项【显示】，则显示图 4-18 所示的历史拟合曲线图。

(11)在图 4-18 中，选择主菜单项【确认最终结果】，则弹出图 4-19 所示的确认最终结果对话框，如果要确认并保存周期均值叠加分析与预报结果，则按下对话框中的【是】按钮，否则按下【否】按钮。

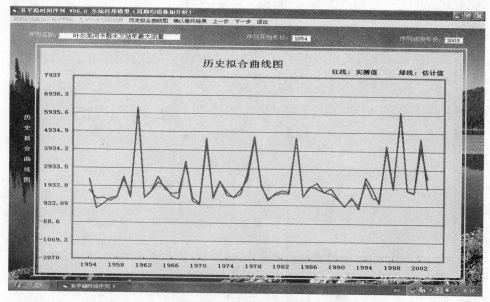

图 4-18　历史拟合曲线图

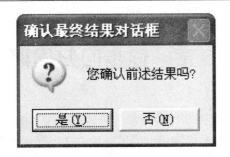

图 4-19　确认最终结果对话框

（12）在图 4-18 中，选择主菜单项【上一步】，则返回到第 3 章图 3-1 所示的趋势分析初始画面。

（13）在图 4-18 中，选择主菜单项【下一步】、一级子菜单项【平稳时间序列分析计算】，则会显示图 7-1 所示的平稳时间序列分析计算的初始画面。

应用程序适用条件：本应用程序最多可识别 5 个周期波。

# 第 5 章　逐步回归周期分析

上一章介绍了如何用周期均值叠加分析法从非平稳时间序列中识别和提取周期函数。本章再介绍识别和提取周期函数的另一种方法即逐步回归周期分析法。

## 5.1　基本思路、计算公式、统计检验与分析计算流程

### 5.1.1　基本思路

首先按第 4 章表 4-1 的形式，将非平稳时间序列按观测次数 $n$ 分成 $K$ 组（$K = 2$，$3$，$\cdots$，$\mathrm{Int}(n/2)$），分别计算 $K = 2$，$3$，$\cdots$，$\mathrm{Int}(n/2)$ 时的各组组平均值；然后将各组组平均值按试验周期 $K$ 外延成长度为 $n$ 的序列，若取 $m = \mathrm{Int}(n/2) - 1$，则可得到 $m$ 个长度为 $n$ 的序列，这 $m$ 个序列就构成了 $m$ 个因子。将这 $m$ 个因子与所分析的非平稳时间序列（即预报对象）建立多元回归方程，用逐步回归分析法来估计其回归系数 $b_i (i = 0, 1, 2, \cdots, m)$。若经逐步回归计算和统计检验后，所有的回归系数均为零，则可认为该非平稳时间序列无周期项函数存在；否则可认为有周期项函数存在，回归方程的具体形式就是非平稳时间序列与其所隐含的周期项函数之间的线性关系式,回归方程的因变量实际上就是非平稳时间序列所隐含的周期项函数 $ZQ(t)$ 的估计值，其中，从 $m$ 个因子中被选中的因子，就是被识别和提取的隐含周期，第一个因子就是非平稳时间序列隐含的第一周期，余类推，这些因子相应的 $K$ 值就是其周期长度。这就是非平稳时间序列逐步回归周期分析的基本思路。逐步回归分析法的基本思路请参阅第 3 章 3.2.1 节的内容。

### 5.1.2　计算公式

（1）增广矩阵及变换公式（参阅第 3 章 3.2.2 节的内容）。

（2）方差贡献（参阅第 3 章 3.2.2 节的内容）。

（3）$F$ 检验（参阅第 3 章 3.2.2 节的内容）。

（4）将逐步回归方程转换为标准化前的原值（参阅第 3 章 3.2.2 节的内容）。

### 5.1.3　回归效果的统计检验

有关非平稳时间序列样本观测值的总离差平方和 $S_{yy}$、残差平方和 $Q$、回归平方和 $U$ 的计算公式，复相关系数 $R$、方差比 $F$、剩余标准差 $S_y$ 等样本统计量的概念，以及有关回归效果的统计检验，请参阅第 3 章 3.3 节相应内容。

### 5.1.4　分析计算流程

（1）选定信度 $\alpha$。

（2）进行非平稳时间序列逐步回归周期分析。包括显示周期函数回归方程和回归效果、进行某一信度的 $t$ 检验和 $F$ 检验、显示历史拟合曲线图、预报、确认最终结果等。

（3）如果对周期分析结果满意，则准备对提取确定函数项后的非平稳时间序列的余差序列进行平稳时间序列分析计算；否则可以返回到第 3 章图 3-6 或图 3-9 所示的界面，重新进行非平稳时间序列趋势分析。

## 5.2　应用程序步骤

### 5.2.1　设计用户界面

用户界面分别由 1 个窗体和添加在窗体上的若干控件或控件数组组成。

在第 2 章 2.4.1 节曾经介绍过，本系统应用模型中的窗体 4 用于从时间序列中识别和提取周期函数（用逐步回归周期分析法），并显示分析计算与预报结果，用户界面见本章 5.3 节中的图 5-4。在窗体 4 的菜单编辑器中，创建了【逐步回归周期分析】、【显示回归分析结果】、【t 检验与 F 检验】、【历史拟合曲线图】、【预报】、【确认最终结果】、【上一步】、【下一步】和【退出】等 9 个主菜单控件。在【历史拟合曲线图】主菜单项内创建了一级子菜单项【正常图形】和【放大图形】，在【正常图形】子菜单项内创建了二级子菜单项【显示】，在【放大图形】子菜单项内创建了二级子菜单项【显示】和【关闭】。在【下一步】主菜单项内创建了一级子菜单项【平稳时间序列分析计算】。

窗体 4 内还添加了 1 个图像框控件、1 个具有 4 个元素的矩形形状控件数组、1 个具有 15 个元素的无边框标签框控件数组、1 个具有 11 个元素的有边框标签框控件数组、1 个具有 4 个元素的文本框控件数组、1 个下拉式列表框控件和 2 个图片框控件。

### 5.2.2　属性设置

窗体 4 菜单对象的属性设置见表 5-1；窗体 4 以及窗体 4 内各控件对象的属性设置请参阅第 3 章 3.5.2 节中的表 3-2，只需将表 3-2 中窗体的 Caption 属性由"非平稳时间序列 VB6.0 系统应用模型（趋势函数的识别与提取）"改为"非平稳时间序列 VB6.0 系统应用模型（逐步回归周期分析）"、将窗体的名称属性由 Form2 改为 Form4、将标签框 Label1（12）的 Caption 属性由"趋势估计值与非平稳序列历史拟合曲线图"改为"周期估计值与非平稳序列历史拟合曲线图"即可。

各控件的字体属性如字体、字形、大小、效果、颜色等，用户在属性窗口中可以根据自己的爱好来确定。

### 5.2.3　编写通用过程与事件过程代码

非平稳时间序列逐步回归周期分析应用程序界面共有 1 个通用过程（即 1 个窗体级 Sub 子程序）和 14 个事件过程。

表 5-1　窗体 4 菜单对象的属性设置

| 菜单等级 | 标题 | 名称 | 内缩符号 |
|---|---|---|---|
| 主菜单 | 逐步回归周期分析 | ZhuBuHuiGuiZhouQiFenXi | 无 |
| 主菜单 | 显示回归分析结果 | XianShiHuiGuiFenXiJieGuo | 无 |
| 主菜单 | t 检验与 F 检验 | TF_JianYan | 无 |
| 主菜单 | 历史拟合曲线图 | LiShiNiHeQuXian | 无 |
| 一级子菜单 | 正常图形 | ZhengChangTuXing | ···· |
| 二级子菜单 | 显示 | XianShi1 | ········ |
| 一级子菜单 | 放大图形 | FangDaTuXing | ···· |
| 二级子菜单 | 显示 | XianShi2 | ········ |
| 二级子菜单 | 关闭 | GuanBi | ········ |
| 主菜单 | 预报 | YuBao | 无 |
| 主菜单 | 确认最终结果 | QueRenZuiZhongJieGuo | 无 |
| 主菜单 | 上一步 | ShangYiBu | 无 |
| 主菜单 | 下一步 | XiaYiBu | 无 |
| 一级子菜单 | 平稳时间序列分析计算 | PingWenShiJianXuLieFenXiJiSuan | ···· |
| 主菜单 | 退出 | TuiChu | 无 |

1 个通用过程：窗体级子程序 Sub ZhouQiJunZhi()。

14 个事件过程包括：单击【逐步回归周期分析】主菜单项的 ZhuBuHuiGuiZhouQiFenXi _Click()、单击【显示回归分析结果】主菜单项的 XianShiHuiGuiFenXiJieGuo_Click()、单击标签框"请选择信度α："右侧组合框的 Combo1_Click()、单击【t 检验与 F 检验】主菜单项的 TF_JianYan_Click()、单击【正常图形】一级子菜单项的 ZhengChangTuXing_Click()、单击【显示】二级子菜单项的 XianShi1_Click()、单击【放大图形】一级子菜单项的 FangDaTuXing_Click()、单击【显示】二级子菜单项的 XianShi2_Click()、单击【关闭】二级子菜单项的 GuanBi_Click()、单击【预报】主菜单项的 YuBao_Click()、单击【确认最终结果】主菜单项的 QueRenZuiZhongJieGuo_Click()、单击【上一步】主菜单项的 ShangYiBu_Click()、单击【平稳时间序列分析计算】一级子菜单项的 PingWenShiJianXuLieFenXiJiSuan_Click() 和单击【退出】主菜单项的 TuiChu_Click()。

14 个事件过程中有一部分计算功能、程序代码与前面章节相应内容相同或基本相同，这里主要介绍不同之处。

各过程计算功能与程序代码如下：

(1)首先在窗体的代码窗口声明部分，用 Dim 关键词声明了如下窗体级变量：

```
Dim m As Integer                        ' 存放预报因子总数
Dim X1()                                ' 存放试验周期分组数据
Dim XX()                                ' 存放非平稳时间序列、预报因子名等
Dim YY()                                ' 存放非平稳时间序列样本观测值
Dim X_Y() As Single        ' 存放非平稳时间序列样本观测值、预报因子序列值
Dim S(),B()                             ' 动态数组变量
' 存放回归系数 b0、预报因子值和预报值
Dim b0, YuBaoYinZiZhi(), YuBaoZh i(10)
```

```
Dim r () As Single                                      ' 存放各步增广矩阵元素
Dim V0 ()                           ' 存放可能存在的各序列周期波振幅 (即各组组平均值)
Dim V (), V1 ()                                         ' 存放所选中的预报因子序号
Dim V2 () As Single                                     ' 存放方差贡献计算值
Dim V3 ()           ' 输入时存放方差贡献 V2 () 值, 输出时存放方差贡献从小到大的排序结果
Dim V4 ()                                               ' 存放所剔除的预报因子序号
Dim r_0                                                 ' 存放 F 分布信度 α
Dim Myinzishu As Integer                                ' 存放所选中的预报因子总数
Dim ii As Integer                                       ' 存放逐步回归结束时的总步数
Dim F11 (), F1r (), F22 (), F2r ()       ' 存放方差比和给定信度 α 下的 F 分布上分位点值
Dim Syy As Single, U As Single                          ' 存放总离差平方和、回归平方和值
```

(2) 窗体级子程序 Sub ZhouQiJunZhi ()。

子程序 Sub ZhouQiJunZhi () 用于计算各预报因子序列不同周期长度的周期波振幅 (即各组组平均值), 并将计算结果存放在变量 V0 () 中。子程序代码如下:

```
Sub ZhouQiJunZhi ()
    ReDim X1 (n, n)                         ' 重定义存放试验周期分组数据的动态数组变量
    ReDim V0 (m + 1, m)                     ' 重定义存放各序列周期波振幅的动态数组变量
    For B1 = 2 To m + 1
        If Int (n / B1) = n / B1 Then                  ' 计算试验周期分组中每组数据个数 A1
            A1 = n / B1
        Else
            A1 = Int (n / B1) + 1
        End If
        For i = 0 To A1 - 1                  ' 将存放非平稳序列值的变量由一维转为二维
            For j = 0 To B1 - 1
                If i = 0 Then k = j
                If j = 0 Then K1 = k
                If i <> 0 Then k = K1 + j + 1
                If k > (n - 1) Then YY (k) = 0: X1 (i, j) = YY (k)
            Next j
        Next i
        For j = 0 To n - (A1 - 1) * B1 - 1              ' 计算序列周期波振幅 v0 ()
            u1 = 0
            For i = 0 To A1 - 1: w1 = X1 (i, j): u1 = w1 + u1: Next I: V0 (B1, j) = u1 / A1
        Next j
        For j = n - (A1 - 1) * B1 To B1 - 1
            u2 = 0
            For i = 0 To A1 - 2: w2 = X1 (i, j): u2 = w2 + u2: Next I: V0 (B1, j) = u2 / (A1 - 1)
        Next j
    Next B1
End Sub
```

(3) 单击主菜单项【逐步回归周期分析】所触发的事件过程 ZhuBuHuiGuiZhouQi-FenXi_Click ()。

　　事件过程 ZhuBuHuiGuiZhouQiFenXi_Click()首先为进行逐步回归周期分析与计算做初始化准备，如除显示时间序列、因子名称以及序列开始、结束年份的控件外均不可见，将显示周期分析结果的标签框、文本框均置空，将组合框、图片框内容清空并使图片框不可见，命名 $m$ 个预报因子，将 $m$ 个预报因子逐年序列值在序列长度 $n$ 基础上外延 10 年，显示非平稳时间序列、预报因子序列等名称，计算所有可供挑选的预报因子序列与非平稳时间序列的平均值、离差平方和以及原始增广矩阵元素值，并要求用户输入引进或剔除 $F$ 检验所需的信度 $\alpha$ 值等；接着，进行逐步回归分析与计算，并计算回归系数、非平稳时间序列的总离差平方和 $S_{yy}$、回归平方和 $U$；最后使主菜单项【显示回归分析结果】和【t 检验与 F 检验】可用，使显示周期分析结果的标签框、文本框、形状控件均可见，并将用于 $t$ 检验的信度 $\alpha$ 置入组合框 Combo1 的 List()属性内。事件过程代码如下：

```
Private Sub ZhuBuHuiGuiZhouQiFenXi_Click()
    ' 重定义可能存在的预报因子序列总数 m；m +1 即为可能存在的周期长度的上限值
    If Int(n / 2) = n / 2 Then
        m = n / 2 - 1
    Else
        m = (n - 1) / 2 - 1
    End If
    Dim AVEX_Y()                                    ' 存放非平稳时间序列、预报因子平均值
    Dim s2: ReDim S(1 To m + 1, 1 To m + 1): ReDim AVEX_Y(1 To m + 1)
    ReDim r(m, m + 1, m + 1), V(m), V1(m), V2(m), V3(m), V4(m), F11(m), F1r(m), F22(m), F2r(m)

    ' 除显示时间序列、因子名称以及序列开始、结束年份的控件外均不可见
    Label1(0).Visible = False
    For i = 0 To 4
        If i > 0 Then Label1(i).Visible = True
        If i >= 0 And i < 4 Then Label2(i).Visible = True
    Next i

    ' 将显示周期分析结果的标签框、文本框均置空
    For i = 0 To 10: Label2(i).Caption = "": If i < 4 Then Text1(i).Text = "": Next i

    ' 将组合框、图片框内容清空并使图片框不可见
    Combo1.Clear: Picture1.Cls: Picture2.Cls: Picture1.Visible = False: Picture2.Visible = False

    ReDim YY(n)                                     ' 重定义存放非平稳时间序列值的动态数组变量
    XXX1 = MC(0): XXX2 = MC(1)                      ' XXX1 即序列开始年份 ,XXX2 即时间序列名称
    For i = 0 To n - 1: YY(i) = XLZ(i): Next i      ' 将非平稳时间序列样本观测值储存在 YY(i)中

    ReDim Preserve YY(n + Int(n / 2 + 1))          ' 重定义存放非平稳时间序列值的动态数组变量
    ReDim XX(m + 1)                 ' 重定义存放非平稳时间序列、预报因子名等的动态数组变量
    XX(0) = XXX1: XX(m + 1) = XXX2
    Call ZhouQiJunZhi                               ' 调用子过程 ZhouQiJunZhi
    For i = 1 To m: XX(i) = "试验周期" & i + 1: Next i              ' 命名预报因子
```

```
' 将 m 个预报因子逐年序列值在序列长度 n 基础上外延 10 年
ReDim X_Y(m + 1, n + 9)
For B1 = 2 To m + 1
    For i1 = 0 To n + 9
        If i1 < B1 Then i2 = i1
        For i3 = 1 To Int((n + 5) / B1 + 1)
            If i1 >= i3 * B1 And i1 < (i3 + 1) * B1 Then i2 = i1 - i3 * B1
        Next i3
        X_Y(B1 - 1, i1) = V0(B1, i2)            ' 将外延后的周期波数据序列逐项储存在 X_Y() 中
    Next i1
Next B1
For i = 0 To n - 1
    X_Y(m + 1, i) = YY(i)                    ' 将非平稳时间序列样本观测值储存在 X_Y(M + 1, i) 中
Next i


Label2(0).Caption = MC(1)                                    ' 显示非平稳时间序列名
Label2(1).Caption = "试验周期 2 等" & m & "个周期序列因子"              ' 显示预报因子名
Label2(2).Caption = MC(0): Label2(3).Caption = MC(0) + n - 1    ' 显示序列开始、结束年份


For i = 1 To m + 1            ' 计算并储存所有可供挑选的预报因子与非平稳时间序列平均值
    C1 = 0
    For k = 0 To n - 1: C1 = C1 + X_Y(i, k): Next k: AVEX_Y(i) = C1 / n
Next i
For i = 1 To m + 1            ' 计算并储存所有可供挑选的预报因子与非平稳时间序列的离差平方和
    For j = 1 To m + 1
        C1 = 0
        For k = 0 To n - 1
            s1 = (X_Y(i, k) - AVEX_Y(i)) * (X_Y(j, k) - AVEX_Y(j)): C1 = C1 + s1
        Next k
        S(i, j) = C1
    Next j
Next i


For i = 1 To m + 1                              ' 计算并储存原始增广矩阵元素值
    For j = 1 To m + 1: r(1, i, j) = S(i, j) / Sqr(S(i, i) * S(j, j)): Next j
Next i


Do                                  ' 输入引进或剔除 F 检验所需的信度 α 值
    r0 = InputBox(Space(4) & "引入或者剔除因子需要进行 F 检验, 请输入信度 α: _
    0.10、0.05、0.025、0.01 或 0.001。", "信度输入对话框")
Loop Until r0 <> Empty And (r0 = 0.1 Or r0 = 0.05 Or r0 = 0.025 Or r0 = 0.01 Or r0 = 0.001)
r_0 = r0


kk = 0: Myinzishu = 0
For i = 1 To m                                    ' 进行逐步回归分析与计算
```

```
For j = 1 To m + 1                          ' 通过矩阵转换公式来计算并储存各步增广矩阵元素值
    For k = 1 To m + 1
        If i = 1 Then r(i, j, k) = r(1, j, k)
        If i > 1 Then
            If j = kk And k <> kk Then r(i, j, k) = r(i - 1, j, k) / r(i - 1, kk, kk)
            If j <> kk And k <> kk Then r(i, j, k) = r(i - 1, j, k) - r(i - 1, j, kk) _
            * r(i - 1, kk, k) / r(i - 1, kk, kk)
            If j <> kk And k = kk Then r(i, j, k) = -r(i - 1, j, kk) / r(i - 1, kk, kk)
            If j = kk And k = kk Then r(i, j, k) = 1 / r(i - 1, kk, kk)
        End If
    Next k
Next j
' 计算并储存各步方差贡献值
For j = 1 To m: V2(j) = r(i, j, m + 1) * r(i, j, m + 1) / r(i, j, j): Next j


If Myinzishu >= 3 Then
    For j = 1 To Myinzishu: V3(j) = V2(V(j)): Next j         ' 储存所选中因子的方差贡献值
    Myinzishu1 = Myinzishu
    ' 调用子程序，输出时存放选中因子的方差贡献从小到大的排序结果
    Call PAIXU(V3(), Myinzishu1)
    ' 从选中的因子中挑选最小的方差贡献值，并将其序号存放在 V4(i) 中
    For j = 1 To Myinzishu: If V3(1) = V2(V(j)) Then V4(i) = V(j): Next j
    ' 计算剔除因子的方差比 F22(i) 和 F 分布上分位点 F2r(i) 值
    F22(i) = V2(V4(i)) * (n - Myinzishu - 1) / r(i, m + 1, m + 1)
    f1 = 1: f2 = n - Myinzishu - 1: f3 = 1.17
    RR = ShiSuanF(f2, f1, f3, r0): F2r(i) = Int((f3 + 0.00555) * 100) / 100


    ' 若通过剔除因子 F 检验，则将剔除因子序号存放在 kk 中，并剔除该因子
    If F22(i) <= F2r(i) Then
        kk = V4(i): t = 0
        For j = 1 To Myinzishu: If V(j) <> kk Then t = t + 1: V(t) = V(j): Next j
        Myinzishu = Myinzishu - 1
    End If
End If


' 第 1 步将 m 个因子的方差贡献值存放在 V3(j) 中
If i = 1 Then For j = 1 To m: V3(j) = V2(j): Next j


If i > 1 Then                          ' 从第 2 步开始将未选中因子的方差贡献值存放在 V3(j) 中
    t = 0
    For j = 1 To m
        If Myinzishu = 1 Then s2 = j <> V(1)
        If Myinzishu > 1 Then
            s2 = j <> V(1)
            For k = 2 To Myinzishu: s2 = s2 And j <> V(k): Next k
        End If
```

```
            If s2 Then t = t + 1: V3 (t) = V2 (j)
        Next j
    End If


    Myinzishu1 = m - Myinzishu
    ' 调用子程序，输出时存放未选中因子的方差贡献从小到大的排序结果
    Call PAIXU (V3 (), Myinzishu1)
    ' 从未选中的因子中挑选最大的方差贡献值，并将其序号存放在 V1 (i) 中
    For j = 1 To m: If V3 (m - Myinzishu) = V2 (j) Then V1 (i) = j: Next j
    ' 计算引进因子的方差比 F11 (i) 和 F 分布上分位点 F1r (i) 值
    F11 (i) = V2 (V1 (i)) * (n - Myinzishu - 2) / (r (i, m + 1, m + 1) - V2 (V1 (i)))
    f1 = 1: f2 = n - Myinzishu - 2: f3 = 1.17
    RR = ShiSuanF (f2, f1, f3, r0): F1r (i) = Int ((f3 + 0.00555) * 100) / 100


    ' 若第 1 步引进因子时，不能通过 F 检验，则终止逐步回归分析
    If i = 1 And F11 (i) <= F1r (i) Then
            MsgBox ("在给定信度 α = " & r0 & " 时,无法引进任何预报因子!"): GoTo 1
    End If
    ' 若通过引进因子 F 检验，则将选中因子序号存放在 kk 中，并引进该因子
    If F11 (i) > F1r (i) Then kk = V1 (i): Myinzishu = Myinzishu + 1: V (Myinzishu) = V1 (i)
    ' 若可供挑选的因子全被引进，或前 3 步不能引进因子，_
        或既无因子可引进又无因子可剔除时，则终止逐步回归分析
    If i = m Or (F11 (i) <= F1r (i) And Myinzishu < 3) _
    Or (F11 (i) <= F1r (i) And F22 (i) > F2r (i)) Then ii = i: Exit For
Next i


' 计算回归系数、非平稳时间序列的总离差平方和 Syy、回归平方和 U
ReDim B (1 To Myinzishu)
For i = 1 To Myinzishu: B (i) = Sqr (S (m + 1, m + 1) / S (V (i), V (i))) * r (ii, V (i), m + 1): Next i


b0 = 0
For i = 1 To Myinzishu: b0 = b0 + B (i) * AVEX_Y (V (i)): Next i
b0 = AVEX_Y (m + 1) - b0: Syy = S (m + 1, m + 1)
U = Sqr (1 - r (ii, m + 1, m + 1)) * Sqr (1 - r (ii, m + 1, m + 1)) * S (m + 1, m + 1)


' 使主菜单项【显示回归分析结果】和【t 检验与 F 检验】可用
XianShiHuiGuiFenXiJieGuo.Enabled = True: TF_JianYan.Enabled = True
LiShiNiHeQuXian.Enabled = False: YuBao.Enabled = False
QueRenZuiZhongJieGuo.Enabled = False


' 使显示周期分析结果的标签框、文本框、形状控件均可见
For i = 0 To 14
    If i > 0 Then Label1 (i).Visible = True
    If i < 11 Then Label2 (i).Visible = True
    If i < 4 Then Text1 (i).Visible = True: Shape1 (i).Visible = True
Next I
```

```
    ' 将用于 t 检验的信度 α 置入组合框 Combo1 的 List() 属性内
    Combo1.Visible = True: Combo1.List(0) = 0.1: Combo1.List(1) = 0.05
    Combo1.List(2) = 0.025: Combo1.List(3) = 0.01: Combo1.List(4) = 0.001
1
End Sub
```

(4) 单击主菜单项【显示回归分析结果】所触发的事件过程 XianShiHuiGuiFenXi-JieGuo_Click()。

事件过程 XianShiHuiGuiFenXiJieGuo_Click() 首先显示所识别和提取的非平稳时间序列逐步回归周期分析方程(包括回归系数值);接着显示周期分析回归效果,包括统计年限长度 $n$、离差平方和 $S_{yy}$、残差平方和 $Q$、回归平方和 $U$、复相关系数 $R$ 和剩余标准差 $S_y$。事件过程代码如下:

```
Private Sub XianShiHuiGuiFenXiJieGuo_Click()
    ' 显示回归方程
    Label2(4).Caption = Space(4) & "Y = b0 " & "+" & " ∑ bi* Xi" _
    & " ( i = 1 ~ " & Myinzishu & " )"
    Ch$ = Chr(13) + Chr(10)
    JieGuo1$ = Space(4) & "式中: Y  -- 预报对象" & Ch$ & Space(10) & "Xi -- 预报因子" _
    & Ch$ & Space(10) & "bi -- 回归系数, 取值为: " & Ch$ & Space(10) & "b0 = " & CSng(b0)
    JieGuo2$ = ""
    For i = 1 To Myinzishu
        JieGuo2$ = JieGuo2$ & Ch$ & Space(10) & "b" & i & " = " & CSng(B(i))
    Next i
    Text1(0).Text = JieGuo1$ & JieGuo2$

    ' 显示回归效果
    Label2(5).Caption = Space(4) & "统计年限长度 n = " & n
    Label2(6).Caption = Space(4) & "离差平方和 Syy = " & Syy
    Label2(7).Caption = Space(4) & "残差平方和 Q = " & Syy - U
    Label2(8).Caption = Space(4) & "回归平方和 U = " & U
    Label2(9).Caption = Space(4) & "复相关系数 R = " & CSng(Sqr(U / Syy))
    Label2(10).Caption = Space(4) _
    & "剩余标准差 Sy = " & CSng(Sqr((Syy - U) / (n - Myinzishu - 1)))
End Sub
```

(5) 单击标签框"请选择信度α:"右侧组合框的 Combo1_Click()。

事件过程 Combo1_Click(),将显示 $t$ 检验和 $F$ 检验结果的文本框内容置空。事件过程代码与第 3 章 3.5.3 节中的 Combo1_Click() 相同。

(6) 单击主菜单项【t 检验与 F 检验】所触发的事件过程 TF_JianYan_Click()。

事件过程 TF_JianYan_Click() 首先由用户选择信度 $\alpha$ 值;接着,应用程序调用函数过程 ShiSuanT(n0, t, r0) 和 ShiSuanF(f2, f1, f3, r0),计算得到较为精确的 $T$ 分布表中的双侧 $t(\alpha/2)$ 值(即代码中的 t)和 $F$ 分布表中的上分位点 $F(\alpha)$ 值(即代码中的 f3)(注意:

对于 $t$ 检验，序列长度不要超过 1000；对于 $F$ 检验，不要超过 500）；最后进行给定信度 $\alpha$ 下的 $t$ 检验和 $F$ 检验，将检验结果分别显示在文本框 Text1(1)、Text1(2)的 Text 属性中，并使主菜单项【历史拟合曲线图】、【预报】和【确认最终结果】可用。事件过程代码与第 3 章 3.5.3 节中的 TF_JianYan_Click() 相同。

（7）单击一级子菜单项【正常图形】所触发的事件过程 ZhengChangTuXing_Click()。

事件过程 ZhengChangTuXing_Click() 为显示历史拟合正常曲线图形做准备，即把图片框 Picture1 的 Visible 属性设置为 True。事件过程代码与第 3 章 3.5.3 节中的 ZhengChangTuXing_Click() 相同。

（8）单击二级子菜单项【显示】所触发的事件过程 XianShi1_Click()。

事件过程 XianShi1_Click() 用来显示非平稳时间序列实测值及其周期估计值的历史拟合正常曲线图。在图片框 Picture1 的自定义坐标系统中，用绘图语句绘制了非平稳时间序列实测值及其周期估计值两条过程线图，并配有纵、横坐标和图例。事件过程代码与第 3 章 3.5.3 节中的 XianShi1_Click() 基本相同，只需将下列一段语句：

```
For j = 1 To Myinzishu
    If HanShuXingShi = "ZhiXian" Then
        ZZ0 = ZZ0 + B(j) * X_Y(1, i)
    Else
        ZZ0 = ZZ0 + B(j) * X_Y(V(j), i)
    End If
Next j
```

改为如下一段语句即可：

```
For j = 1 To Myinzishu: ZZ0 = ZZ0 + B(j) * X_Y(V(j), i): Next j
```

（9）单击一级子菜单项【放大图形】所触发的事件过程 FangDaTuXing_Click()。

事件过程 FangDaTuXing_Click() 为显示历史拟合放大曲线图形做准备：首先把【历史拟合曲线图】、【上一步】、【下一步】和【退出】之外的主菜单项的 Enabled 属性均设置为 False；接着显示图片框 Picture2 并用 Cls 方法来清除 Picture2 中的内容；最后把显示回归分析结果和历史拟合正常图形的其它控件的 Visible 属性设置为 False。事件过程代码如下：

```
Private Sub FangDaTuXing_Click()
    ZhuBuHuiGuiZhouQiFenXi.Enabled = False: XianShiHuiGuiFenXiJieGuo.Enabled = False
    TF_JianYan.Enabled = False: YuBao.Enabled = False
    QueRenZuiZhongJieGuo.Enabled = False: ZhengChangTuXing.Enabled = False
    Picture2.Visible = True: Picture2.Cls
    For i = 0 To 14
        If i > 4 Then Label1(i).Visible = False
        If i > 3 And i < 11 Then Label2(i).Visible = False
        If i < 4 Then Text1(i).Visible = False: Shape1(i).Visible = False
    Next i
```

```
        Picture1.Visible = False: Combo1.Visible = False
End Sub
```

（10）单击二级子菜单项【显示】所触发的事件过程 XianShi2_Click()。

事件过程 XianShi2_Click()用来显示非平稳时间序列实测值及其周期估计值的历史拟合放大曲线图。在图片框 Picture2 的自定义坐标系统中，用绘图语句绘制了非平稳时间序列实测值及其周期估计值两条过程线图，并配有标题、纵横坐标和图例。事件过程代码与第 3 章 3.5.3 节中的 XianShi2_Click()基本相同，只需将下列一段语句：

```
For j = 1 To Myinzishu
    If HanShuXingShi = "ZhiXian" Then
        ZZ0 = ZZ0 + B(j) * X_Y(1, i)
    Else
        ZZ0 = ZZ0 + B(j) * X_Y(V(j), i)
    End If
Next j
```

改为如下一段语句即可：

```
For j = 1 To Myinzishu: ZZ0 = ZZ0 + B(j) * X_Y(V(j), i): Next j
```

（11）单击二级子菜单项【关闭】所触发的事件过程 GuanBi_Click()。

事件过程 GuanBi_Click()使用户界面恢复到显示回归分析结果和历史拟合正常图形时的状态。事件过程代码如下：

```
Private Sub GuanBi_Click()
    ZhuBuHuiGuiZhouQiFenXi.Enabled = True: XianShiHuiGuiFenXiJieGuo.Enabled = True
    TF_JianYan.Enabled = True: YuBao.Enabled = True
    QueRenZuiZhongJieGuo.Enabled = True: ZhengChangTuXing.Enabled = True
    Picture2.Visible = False
    For i = 0 To 14
        If i > 0 Then Label1(i).Visible = True
        If i < 11 Then Label2(i).Visible = True
        If i < 4 Then Text1(i).Visible = True: Shape1(i).Visible = True
    Next i
    Picture1.Visible = True: Combo1.Visible = True
End Sub
```

（12）单击主菜单项【预报】所触发的事件过程 YuBao_Click()。

事件过程 YuBao_Click()首先由应用程序读取未来 10 年预报因子值；接着计算非平稳时间序列未来 10 年的周期函数预报值；最后在文本框 Text1(3)的 Text 属性中显示预报因子值和预报结果（区间概率预报）。事件过程代码如下：

```
Private Sub YuBao_Click()
    ReDim YuBaoYinZiZhi(Myinzishu)          ' 重定义存放预报因子值的数组变量
    Text1(3).Text = ""                       ' 将显示预报结果的文本框 Text 属性置空
```

```
        Ch$ = Chr(13) + Chr(10)

        For YuJianQi = 1 To 10                                      ' 读取未来 10 年预报因子值
            For i = 1 To Myinzishu: YuBaoYinZiZhi(i) = X_Y(V(i), n - 1 + YuJianQi): Next i
            YBZ = 0
            For i = 1 To Myinzishu                                  ' 预报未来 10 年周期函数值
                On Error GoTo ErrorHandler
                YBZ = YBZ + B(i) * YuBaoYinZiZhi(i)
            Next i
            YuBaoZhi(YuJianQi) = b0 + YBZ                           ' 计算周期函数的估计值

            ' 显示未来 10 年预报因子值和预报结果(区间概率预报)
            JieGuo$ = JieGuo$ & Ch$ & Space(4) & YuJianQi & "、" & _
            CInt(Label2(3).Caption) + YuJianQi & "年对应的预报因子值: "
            JieGuo1$ = ""
            For i = 1 To Myinzishu
                JieGuo1$ = JieGuo1$ & Ch$ & Space(4) & XX(V(i)) & ": " _
                & CSng(YuBaoYinZiZhi(i))
            Next i
            JieGuo$ = JieGuo$ & JieGuo1$
            JieGuo$ = JieGuo$ & Ch$ & Space(4) & "此时，预报对象" & XX(m + 1) & "为: " _
            & CSng(YuBaoZhi(YuJianQi))
            Sy = CSng(Sqr((Syy - U) / (n - Myinzishu - 1)))
            JieGuo$ = JieGuo$ & Ch$ & Space(4) & "预报结果取值在" _
            & "[" & CSng(YuBaoZhi(YuJianQi)) - Sy & "," & CSng(YuBaoZhi(YuJianQi)) + Sy & "]" _
            & "之间的可能性是 68%。"
            JieGuo$ = JieGuo$ & Ch$ & Space(4) & "预报结果取值在" & _
            "[" & CSng(YuBaoZhi(YuJianQi)) - 2 * Sy & "," & CSng(YuBaoZhi(YuJianQi)) + 2 * Sy _
            & "]" & "之间的可能性是 95%。" & Ch$
        Next YuJianQi
        Text1(3).Text = JieGuo$

        Exit Sub
ErrorHandler:
        MsgBox (Err.Description)
End Sub
```

(13) 单击主菜单项【确认最终结果】所触发的事件过程 QueRenZuiZhongJieGuo_Click()。

事件过程 QueRenZuiZhongJieGuo_Click() 首先将逐步回归周期分析结果标题、资料统计年限、逐步回归分析计算过程、逐年相对拟合误差、逐步回归方程、逐步回归效果、$t$ 检验与 $F$ 检验结果、预报结果(区间概率预报)以及完成预报时间等内容依次保存在一个全局变量中；接着要求用户确认保存结果(用于确定是否识别和提取时间序列周期项的判别系数字符串变量的内容)；最后将识别和提取的周期函数模型形式保存在另一个全局变量中(不管确认保存结果与否)。事件过程代码如下：

```vb
Private Sub QueRenZuiZhongJieGuo_Click()
    Dim ZZ()                                          ' 声明过程级动态数组变量
    ReDim ZZ(n - 1), ZQHSZ(n + 9): ReDim Preserve YuBaoYinZiZhi(m)
    On Error GoTo ErrorHandler
    Ch$ = Chr(13) + Chr(10)

    ' 保存标题
    JieGuo$ = Ch$ & Space(4) & MC(1) & "非平稳序列逐步回归周期分析结果" & Ch$ & Ch$

    ' 保存资料统计年限
    JieGuo$ = JieGuo$ & Space(8) & "(一)、资料统计年限：" & Ch$
    JieGuo$ = JieGuo$ & Space(8) & Label2(2).Caption & "~" & Label2(3).Caption & "年" _
        & Ch$ & Ch$

    ' 保存逐步回归分析计算过程
    JieGuo$ = JieGuo$ & Space(8) & "(二)、非平稳序列逐步回归周期分析过程：" & Ch$
    JieGuo1$ = ""
    For i = 1 To ii
        If i = 1 Then JieGuo1$ = JieGuo1$ _
            & Space(8) & "原始增广矩阵(" & m + 1 & "*" & m + 1 & ")为：" & Ch$
        If i > 1 Then JieGuo1$ = JieGuo1$ & Space(8) & "由矩阵变换公式计得第" & i - 1 _
            & "步增广矩阵(" & m + 1 & "*" & m + 1 & ")为：" & Ch$
        For j = 1 To m + 1
            For k = 1 To m + 1
                If k = 1 Then JieGuo1$ = JieGuo1$ & Space(8) & r(i, j, k)
                If k > 1 And k < m + 1 Then JieGuo1$ = JieGuo1$ _
                    & Space(15 - Len(CStr(r(i, j, k - 1)))) & r(i, j, k)
                If k = m + 1 Then JieGuo1$ = JieGuo1$ _
                    & Space(15 - Len(CStr(r(i, j, k - 1)))) & r(i, j, k) & Ch$
            Next k
        Next j
        If i > 1 Then JieGuo1$ = JieGuo1$ & Ch$
        JieGuo1$ = JieGuo1$ & Space(8) & "第 " & i & " 步：" & Ch$
        JieGuo1$ = JieGuo1$ & Space(8) & "方差贡献顺次为：" & Ch$
        For j = 1 To m
            JieGuo1$ = JieGuo1$ & Space(8) & "V(" & j & ")=" _
                & r(i, j, m + 1) * r(i, j, m + 1) / r(i, j, j) & Ch$
        Next j
        If i > 3 Then
            JieGuo1$ = JieGuo1$ & Space(8) & "在已选中的因子中，方差贡献最小的是第" _
                & V4(i) & "因子对应的值，即：" _
                & r(i, V4(i), m + 1) * r(i, V4(i), m + 1) / r(i, V4(i), V4(i)) & "。" & Ch$
            If F22(i) <= F2r(i) Then
                JieGuo1$ = JieGuo1$ & Space(8) & "由于 F22=" & Int(F22(i) * 100 + 0.5) / 100 _
                    & "<=" & "F2(" & r_0 & ")=" & F2r(i) & "，通过 F 检验，所以应剔除第" _
                    & V4(i) & "因子。" & Ch$
```

```
                End If
                If F22(i) > F2r(i) Then
                        JieGuo1$ = JieGuo1$ & Space(8) & "由于 F22=" & Int(F22(i) * 100 + 0.5) / 100_
                        & ">" & "F2(" & r_0 & ")=" & F2r(i) & ",不能通过 F 检验,所以不能剔除第"_
                        & V4(i) & "因子。" & Ch$
                End If
            End If
        End If
        JieGuo1$ = JieGuo1$ & Space(8) & "在未选中的因子中，方差贡献最大的是第"_
        & V1(i) & "因子对应的值，即: "_
        & r(i, V1(i), m + 1) * r(i, V1(i), m + 1) / r(i, V1(i), V1(i)) & "。" & Ch$
        If F11(i) > F1r(i) Then
                JieGuo1$ = JieGuo1$ & Space(8) & "由于 F11=" & Int(F11(i) * 100 + 0.5) / 100_
                & ">" & "F1(" & r_0 & ")=" & F1r(i) & ",通过 F 检验，所以应引进第"_
                & V1(i) & "因子。" & Ch$
        End If
        If F11(i) <= F1r(i) Then
                JieGuo1$ = JieGuo1$ & Space(8) & "由于 F11=" & Int(F11(i) * 100 + 0.5) / 100_
                & "<=" & "F1(" & r_0 & ")=" & F1r(i) & ",不能通过 F 检验,所以不能引进第"_
                & V1(i) & "因子。" & Ch$
        End If
        If i = ii Then
                yj = ""
                For j = 1 To Myinzishu: yj = yj & V(j) & ", ": Next j
                If Myinzishu < 3 And F11(i) <= F1r(i) And Myinzishu < m Then JieGuo1$=JieGuo1$ _
                & Space(8) & "至此，可以引进的因子不足 3 个。最后共引进"_
                & Myinzishu & "个因子: " & yj & "逐步回归到此结束。" & Ch$
                If Myinzishu >= 3 And F11(i) <= F1r(i) And F22(i) > F2r(i) And Myinzishu<m Then_
                JieGuo1$ = JieGuo1$ & Space(8) _
                & "至此，既无因子可以剔除，又无因子可以引进。最后共引进"_
                & Myinzishu & "个因子: " & yj & "逐步回归到此结束。" & Ch$
                If Myinzishu = m Then JieGuo1$ = JieGuo1$ _
                & Space(8) & "至此，可供挑选的因子都被引进。最后共引进"_
                & Myinzishu & "个因子: " & yj & "逐步回归到此结束。" & Ch$
        End If
Next i
JieGuo$ = JieGuo$ & JieGuo1$ & Ch$


' 保存逐年相对拟合误差
JieGuo$ = JieGuo$ & Space(8) & "(三)、相对拟合误差表: " & Ch$
JieGuo$ = JieGuo$ & Space(8) & "年份"
For i = 1 To Myinzishu: JieGuo$ = JieGuo$ & Space(4) & "预报因子 X" & i & "值": Next i
JieGuo$ = JieGuo$ & Space(4) & "预报对象 Y 值" & Space(5) & "估计值"_
& Space(10) & "相对拟合误差(%)" & Ch$
WUCHA = 0
For i = 0 To n - 1
        JieGuo$ = JieGuo$ & Space(8) & CInt(Label2(2).Caption) + i
```

```
        ZZ0 = 0
        For j = 1 To Myinzishu
            ZZ0 = ZZ0 + B(j) * X_Y(V(j), i)
            If j = 1 Then
                JieGuo$ = JieGuo$ & Space(4) & X_Y(V(j), i)
            Else
                JieGuo$ = JieGuo$ & Space(16 - Len(CStr(X_Y(V(j - 1), i)))) & X_Y(V(j), i)
            End If
        Next j
        ZZ(i) = b0 + ZZ0: ZQHSZ(i) = ZZ(i)
        JieGuo$ = JieGuo$ & Space(16 - Len(CStr(X_Y(V(Myinzishu), i)))) & X_Y(m + 1, i)
        JieGuo$ = JieGuo$ & Space(16 - Len(CStr(X_Y(m + 1, i)))) & CSng(ZZ(i))
        JieGuo$ = JieGuo$ & Space(16 - Len(CStr(CSng(ZZ(i))))) _
        & CSng(Int(((ZZ(i) - X_Y(m + 1, i)) / X_Y(m + 1, i) + 0.00005) * 10000) / 100) & Ch$
        WUCHA = WUCHA _
        + Abs(CSng(Int(((ZZ(i) - X_Y(m + 1, i)) / X_Y(m + 1, i) + 0.00005) * 10000) / 100))
    Next i
    JieGuo$ = JieGuo$ & Space(8) & "备注: " & Ch$
    For i = 1 To Myinzishu
        JieGuo$ = JieGuo$ & Space(8) & "预报因子 X" & i & ": " & XX(V(i)) & Ch$
    Next i
    JieGuo$ = JieGuo$ & Space(8) & "预报对象 Y " & ": " & XX(m + 1) & Ch$
    JieGuo$ = JieGuo$ & Space(8) & "预报对象序列多年平均值: " & CSng(AVEX) & Ch$
    JieGuo$ = JieGuo$ & Space(8) & "相对拟合误差绝对值的多年平均值: " _
    & WUCHA / n & " %" & Ch$ & Ch$


    ' 保存逐步回归方程
    JieGuo$ = JieGuo$ & Space(8) & "(四)、回归方程: " & Ch$
    JieGuo$ = JieGuo$ & Space(8) & "Y = b0 " & "+" & " ∑bi* Xi" _
    & " (i = 1 ～ " & Myinzishu & ")" & Ch$
    JieGuo1$ = Space(4) & "式中: Y  -- 预报对象" & Ch$ _
    & Space(14) & "Xi -- 预报因子" & Ch$ & Space(14) & "bi -- 回归系数, 取值为: " _
    & Ch$ & Space(14) & "b0 = " & CSng(b0)
    JieGuo2$ = ""
    For i = 1 To Myinzishu
        JieGuo2$ = JieGuo2$ & Ch$ & Space(14) & "b" & i & " = " & CSng(B(i))
    Next i
    JieGuo$ = JieGuo$ & Space(4) & JieGuo1$ & JieGuo2$ & Ch$ & Ch$


    ' 保存逐步回归效果
    JieGuo$ = JieGuo$ & Space(8) & "(五)、回归效果: " & Ch$
    JieGuo$ = JieGuo$ & Space(8) & "统计年限长度 n = " & n & Ch$
    JieGuo$ = JieGuo$ & Space(8) & "离差平方和 Syy = " & Syy & Ch$
    JieGuo$ = JieGuo$ & Space(8) & "残差平方和 Q = " & Syy - U & Ch$
    JieGuo$ = JieGuo$ & Space(8) & "回归平方和 U = " & U & Ch$
    JieGuo$ = JieGuo$ & Space(8) & "复相关系数 R = " & CSng(Sqr(U / Syy)) & Ch$
```

```
JieGuo$ = JieGuo$ & Space(8) _
    & "剩余标准差  Sy = " & CSng(Sqr((Syy - U) / (n - Myinzishu - 1))) & Ch$ & Ch$

' 保存 t 检验与 F 检验结果
JieGuo$ = JieGuo$ & Space(8) & "(六)、t 检验与 F 检验: " & Ch$
If Text1(1).Text <> "" Then JieGuo$ = JieGuo$ & Space(4) & Text1(1).Text & Ch$
If Text1(2).Text <> "" Then JieGuo$ = JieGuo$ & Space(4) & Text1(2).Text & Ch$ & Ch$

' 保存预报结果(区间概率预报)
JieGuo$ = JieGuo$ & Space(8) & "(七)、预报结果: " & Ch$
For YuJianQi = 1 To 10
    For i = 1 To Myinzishu: YuBaoYinZiZhi(i) = X_Y(V(i), n - 1 + YuJianQi): Next i
    YBZ = 0
    For i = 1 To Myinzishu: YBZ = YBZ + B(i) * YuBaoYinZiZhi(i): Next i
    YuBaoZhi(YuJianQi) = b0 + YBZ: ZQHSZ(n - 1 + YuJianQi) = YuBaoZhi(YuJianQi)
    JieGuo$ = JieGuo$ & Space(8) & YuJianQi & "、" _
        & CInt(Label2(3).Caption) + YuJianQi & "年对应的预报因子值: "
    JieGuo1$ = ""
    For i = 1 To Myinzishu
        JieGuo1$=JieGuo1$ & Ch$ & Space(8) & XX(V(i)) & ":" & CSng(YuBaoYinZi Zhi(i))
    Next i
    JieGuo$ = JieGuo$ & JieGuo1$
    JieGuo$ = JieGuo$ & Ch$ & Space(8) & "此时，预报对象" & MC(1) _
        & ": Y = " & CSng(YuBaoZhi(YuJianQi))
    Sy = CSng(Sqr((Syy - U) / (n - Myinzishu - 1)))
    JieGuo$ = JieGuo$ & Ch$ & Space(8) & "预报结果取值在" _
        & "[" & CSng(YuBaoZhi(YuJianQi)) - Sy & "," & CSng(YuBaoZhi(YuJianQi))+Sy & "]" _
        & "之间的可能性是 68%。"
    JieGuo$ = JieGuo$ & Ch$ & Space(8) & "预报结果取值在" _
        & "[" & CSng(YuBaoZhi(YuJianQi)) - 2 * Sy & ",  " _
        & CSng(YuBaoZhi(YuJianQi)) + 2 * Sy & "]" & "之间的可能性是 95%。" & Ch$ & Ch$
Next YuJianQi

' 保存完成预报时间
JieGuo$ = JieGuo$ & Space(8) & "(八)、完成预报时间: " & Ch$ & Space(8) & Now

' 是否确认前述结果
Answer = MsgBox("您确认前述结果吗?", 36, "确认最终结果对话框")
If Answer = 6 Then JieGuo_ZQ_ZB$ = JieGuo: PBXS_ZQ_ZB$ = "YES"
If Answer = 7 Then PBXS_ZQ_ZB$ = "NO"

' 将识别和提取的周期函数项形式储存在 ZQHSX__MXXS$ 中
ZQHSX_MXXS$ = ""
ZQHSX_MXXS$ = Space(4) & "逐步回归周期分析方程: " & Ch$
ZQHSX_MXXS$ = ZQHSX_MXXS$ _
    & Space(4) & "ZQ = b0 " & "+" & "  ∑bi* Xi" & "（i = 1 ～ " & Myinzishu & "）" & Ch$
```

```
ZQHSX_MXXS1$ = Space(4) & "式中：ZQ -- 非平稳序列周期函数" & Ch$ _
    & Space(10) & "Xi -- 预报因子" & Ch$ _
    & Space(10) & "bi -- 回归系数，取值为：" & Ch$ & Space(10) & "b0 = " & CSng(b0)
ZQHSX_MXXS2$ = ""
For i = 1 To Myinzishu
    ZQHSX_MXXS2$=ZQHSX_MXXS2$ & Ch$ & Space(10) & "b" & i & "=" & CSng(B(i))
Next i
ZQHSX_MXXS$=ZQHSX_MXXS$ & ZQHSX_MXXS1$ & ZQHSX_MXXS2$ & Ch$


    Exit Sub
ErrorHandler:
    MsgBox (Err.Description)
End Sub
```

（14）单击主菜单项【上一步】所触发的事件过程 ShangYiBu_Click()。

事件过程 ShangYiBu_Click()用于隐藏窗体 4、显示窗体 2。事件过程代码如下：

```
Private Sub ShangYiBu_Click()
    Form4.Hide: Form2.Show                                    ' 隐藏窗体 4，显示窗体 2
End Sub
```

（15）单击一级子菜单项【平稳时间序列分析计算】所触发的事件过程
PingWenShiJianXuLieFenXiJiSuan_Click()。

事件过程 PingWenShiJianXuLieFenXiJiSuan_Click()显示窗体 6 并将窗体 6【递推求解模型参数】、【上一步】、【下一步】、【退出】之外的主菜单项均设为不可用，将 Label1(0)之外的其它控件均不显示，为显示平稳时间序列分析计算的初始画面做准备。事件过程代码如下：

```
Private Sub PingWenShiJianXuLieFenXiJiSuan_Click()
    ' 为进行平稳时间序列分析计算做准备
    Form4.Hide: Form6.Show                                    ' 隐藏窗体 4，显示窗体 6

    ' 将进行平稳时间序列分析计算的判别系数字符串变量赋予"NO"
    PBXS_PWXL$ = "NO"

    ' 把返回识别和提取时间序列周期项画面的判别系数字符串变量赋予"YES"
    FHPBXS_ZQ_ZB$ = "YES"

    ' 将窗体 6【递推求解模型参数】、【上一步】、【下一步】、【退出】之外的主菜单项 _
      均设为不可用
    Form6.DiTuiQiuJieMoXingCanShu.Enabled = True
    Form6.XianShiCanShuGuJiJieGuo.Enabled = False
    Form6.QueRenGuJiJieGuo.Enabled = False: Form6.LiShiNiHeQuXianTu.Enabled = False
    Form6.YuBao.Enabled = False: Form6.QueRenZuiZhongJieGuo.Enabled = False

    ' 将窗体 6 内的 Label1(0)之外的其它控件均不显示，即仅显示初始画面中的标题
```

```
For i = 0 To 10
    If i > 0 Then Form6.Label1 (i) .Visible = False
    If i < 3 Then Form6.Label2 (i) .Visible = False
    If i < 3 Then Form6.Text1 (i) .Visible = False: Form6.Shape1 (i) .Visible = False
Next i
Form6.Picture1.Visible = False: Form6.Picture2.Visible = False
Form6.Combo1.Visible = False: Form6.Label1 (0) .Visible = True
Form6.Label1 (0) .Caption = "欢迎使用平稳时间序列分析应用程序"
End Sub
```

(16)单击主菜单项【退出】所触发的事件过程 TuiChu_Click () (请参阅第 2 章 2.4.3 节的相应内容)。

以上给出了非平稳时间序列逐步回归周期分析应用程序的用户界面设计、属性设置、通用过程与事件过程代码编写等详细步骤，下面举一个实例，进一步说明该应用程序的具体操作过程。

# 5.3　应用程序实例

本例继续选用新疆喀什地区叶尔羌河卡群水文站 1955~2003 年年最大流量时间序列，用逐步回归周期分析法对时间序列所隐含的周期函数项进行了识别和提取，并对未来 10 年周期函数值进行了预报。现说明如下：

(1)时间序列值的输入与时间序列类型的确定与第 2 章 2.5 节中的操作过程基本相同，不同的是数据输入选用的是第 2 章图 2-1 所示的 Microsoft "记事本"，时间序列类型选用的是均值(即数学期望)时变型。

(2)选择第 2 章 2.5 节图 2-14 中的主菜单项【下一步】、一级子菜单项【识别与提取趋势函数】，则显示第 3 章图 3-1 所示的趋势分析初始画面。在图 3-1 中，依次选择主菜单项【下一步】、一级子菜单项【识别与提取周期函数】和二级子菜单项【逐步回归周期分析】，则显示图 5-1 所示的逐步回归周期分析初始画面。

(3)在图 5-1 中，选择主菜单项【逐步回归周期分析】，则弹出图 5-2 所示的信度输入对话框，输入 0.001，按【确定】按钮，如果在给定信度下，不能识别非平稳时间序列隐含的周期函数项，则会弹出图 5-3 所示的无法引进因子的提示框；如果可以识别周期函数项，便显示图 5-4 所示的显示回归分析结果的初始画面。

(4)在图 5-4 中，选择主菜单项【显示回归分析结果】，则会显示图 5-6 内标题为"回归方程和回归效果"的矩形形状控件内的数据。

(5)在图 5-4 中，如果直接选择主菜单项【t 检验与 F 检验】，则弹出图 5-5 所示的信度选择提示框。如果在图中的标题为"检验"的矩形形状控件内，单击标签框"请选择信度α："右侧的组合框下拉按钮，选择信度 α 为 0.001，再选择主菜单项【t 检验与 F 检验】，则在组合框下侧的两个文本框内分别显示 t 检验和 F 检验结果，见图 5-6。

图 5-1　逐步回归周期分析初始画面

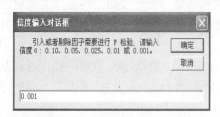

图 5-2　信度输入对话框

图 5-3　无法引进因子的提示框

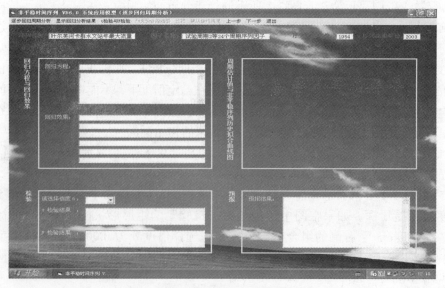

图 5-4　显示周期分析结果的初始画面

图 5-5　信度选择提示框

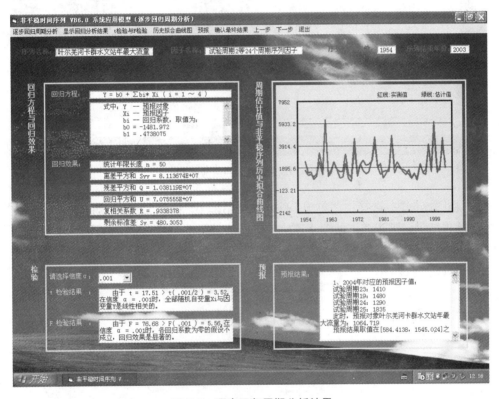

图 5-6　逐步回归周期分析结果

(6)在图 5-4 中，选择主菜单项【历史拟合曲线图】、一级子菜单项【正常图形】、二级子菜单项【显示】，则显示图 5-6 中标题为"历史拟合曲线图"的矩形形状控件内的图形。如果想放大图形，则选择主菜单项【历史拟合曲线图】、一级子菜单项【放大图形】、二级子菜单项【显示】，会显示图 5-7 中的历史拟合曲线放大图；选择主菜单项【历史拟合曲线图】、一级子菜单项【放大图形】、二级子菜单项【关闭】，便返回到图 5-6。

(7)在图 5-4 中，选择主菜单项【预报】，则在标题为"预报"的矩形形状控件中的文本框内显示预报结果(可预报未来 10 年周期函数值；但据经验分析，预见期不要超过 2~3 年，否则周期函数会失真)，见图 5-6。

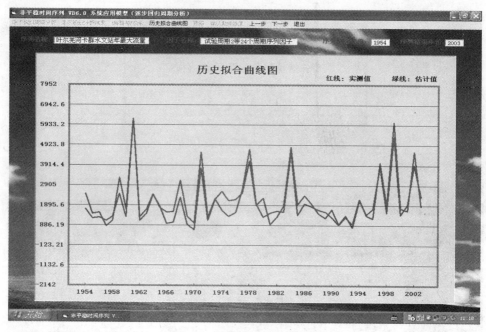

图 5-7　历史拟合曲线放大图

(8) 在图 5-6 中，选择主菜单项【确认最终结果】，如果要确认并保存逐步回归周期分析与预报结果，则在弹出的图 5-8 所示的确认最终结果对话框中，按下【是】按钮；否则按下【否】按钮。

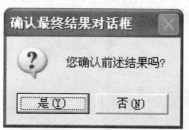

图 5-8　确认最终结果对话框

(9) 在图 5-6 中，选择主菜单项【上一步】，则返回到第 3 章图 3-1 所示的趋势分析初始画面。

(10) 在图 5-6 中，选择主菜单项【下一步】、一级子菜单项【平稳时间序列分析计算】，则会显示第 7 章图 7-1 所示的平稳时间序列分析计算的初始画面。

应用程序适用条件：本应用程序对预报因子总数无明确限定，但必须满足两个条件：一是程序运行时不出现数据运算溢出现象；二是程序运行时要防止因子之间因相关性强而使正规方程组产生病态或退化。

# 第 6 章　谐波分析

上一章介绍了如何用逐步回归周期分析法从非平稳时间序列中识别和提取周期函数。本章再介绍识别和提取周期函数的另一种方法即谐波分析法。

## 6.1　基本思路与计算流程

### 6.1.1　基本思路与计算公式

谐波分析法认为任一时间序列都可以分解为一系列的正弦波，例如，一个非平稳水文时间序列可以看成是由若干个正弦波叠加而成。通常正弦波有各种周期波动，这些波动是互相正交的，最长的周期等于序列的长度，这个正弦波称为基波，对应的周期称为基本周期；其余各正弦波称为谐波，其周期分别是基本周期的 1/2、1/3、1/4、…，其中最短的周期是序列相邻时间间隔的 2 倍。假如样本容量为 $n$ 的某水文时间序列 $X(t)$ 由 $m$ 个谐波叠加而成，则可得到对各个正弦波经过三角换算后的实际谐波计算公式：

$$X(t) = a(0) + \sum (a(k) * \cos(\omega(k),t) + b(k) * \sin(\omega(k),t)) \tag{6-1}$$

式中：$X(t)$ $(t = 1, 2, \cdots, n)$ 为周期函数，其拟合值(即估计值)为周期函数 $ZQ(t)$；$k = 1, 2, \cdots, m$，为谐波数；$\omega(k) = 2\pi k/n$，为角频率；$a(0)$、$a(k)$、$b(k)$ 是谐波系数，计算公式为：

$$a(0) = (1/n) \sum X(t) \tag{6-2}$$

$$a(k) = (2/n) \sum (X(t) * (\cos(2\pi kt)/n)) \tag{6-3}$$

$$b(k) = (2/n) \sum (X(t) * (\sin(2\pi kt)/n)) \tag{6-4}$$

由上式计算每个谐波的谐波系数，并在假设水文时间序列变量服从正态分布的条件下进行 $F$ 检验，其统计量为：

$$F(k) = ((a^2(k) + b^2(k))/2)/((2S^2 - a^2(k) - b^2(k))/(n-3)) \tag{6-5}$$

式中：$S^2$ 是非平稳时间序列的方差，$S^2 = (1/n) \sum (X(t) - a(0))^2$。对于不同的谐波数 $k$ 和选定的信度 $\alpha$，本应用程序会自动计算生成所对应的上分位点 $F(\alpha,k)$ 值，如果 $F(k) > F(\alpha,k)$，则表明在这一信度水平上，所对应的谐波通过检验(即存在周期)，否则不通过检验。

最后将通过检验的谐波叠加起来可得到水文时间序列 $X(t)$ 的拟合序列即周期函数 $ZQ(t)$。

### 6.1.2　计算流程

分析计算流程可概括为：

(1)选定信度 $\alpha$。

(2)进行谐波分析。包括给定信度 $\alpha$ 下的谐波分析与预报、显示分析预报结果、显示历史拟合曲线图、确认最终结果等。

(3) 如果对谐波分析结果满意，则准备对提取确定函数项后的非平稳时间序列的余差序列进行平稳时间序列分析计算；否则可以返回到第 3 章图 3-6 或图 3-9 所示的界面，重新进行非平稳时间序列趋势分析。

# 6.2 应用程序步骤

## 6.2.1 设计用户界面

用户界面分别由 1 个窗体和添加在窗体上的若干控件或控件数组组成。

在第 2 章 2.4.1 节曾经介绍过，本系统应用模型中的窗体 5 用于从时间序列中识别和提取周期函数(用谐波分析法)，并显示分析计算与预报结果，用户界面见本章 6.3 节中的图 6-4。在窗体 5 的菜单编辑器中，创建了【谐波分析并预报】、【显示分析预报结果】、【历史拟合曲线图】、【确认最终结果】、【上一步】、【下一步】和【退出】等 7 个主菜单控件。在【历史拟合曲线图】主菜单项内创建了一级子菜单项【显示】和【关闭】。在【下一步】主菜单项内创建了一级子菜单项【平稳时间序列分析计算】。

窗体 5 内还添加了 1 个图像框控件、1 个矩形形状控件、1 个具有 5 个元素的无边框标签框控件数组、1 个具有 3 个元素的有边框标签框控件数组、1 个文本框控件和 1 个图片框控件。

## 6.2.2 属性设置

窗体 5 菜单对象的属性设置见表 6-1；窗体 5 以及窗体 5 内各控件对象的属性设置请参阅第 4 章 4.2.2 节中的表 4-3，只需将表 4-3 中窗体的 Caption 属性由"非平稳时间序列 VB6.0 系统应用模型(周期均值叠加分析)"改为"非平稳时间序列 VB6.0 系统应用模型 (谐波分析)"、将窗体的名称属性由 Form3 改为 Form5、将标签框 Label1(4) 的 Caption 属性由"周期波外延叠加预报过程与结果"改为"谐波外延叠加预报过程与结果"即可。

各控件的字体属性如字体、字形、大小、效果、颜色等，用户在属性窗口中可以根据自己的爱好来确定。

表 6-1 窗体 5 菜单对象的属性设置

| 菜单等级 | 标题 | 名称 | 内缩符号 |
|---|---|---|---|
| 主菜单 | 谐波分析并预报 | FenXiYuBao | 无 |
| 主菜单 | 显示分析预报结果 | XianShiFenXiYuBaoJieGuo | 无 |
| 主菜单 | 历史拟合曲线图 | LiShiNiHeQuXian | 无 |
| 一级子菜单 | 显示 | XianShi | ········ |
| 一级子菜单 | 关闭 | GuanBi | ········ |
| 主菜单 | 确认最终结果 | QueRenZuiZhongJieGuo | 无 |
| 主菜单 | 上一步 | ShangYiBu | 无 |
| 主菜单 | 下一步 | XiaYiBu | 无 |
| 一级子菜单 | 平稳时间序列分析计算 | PingWenShiJianXuLieFenXiJiSuan | ···· |
| 主菜单 | 退出 | TuiChu | 无 |

### 6.2.3　编写事件过程代码

谐波分析应用程序界面共有 9 个事件过程。

9 个事件过程包括：单击【谐波分析并预报】主菜单项的 FenXiYuBao_Click()、单击【显示分析预报结果】主菜单项的 XianShiFenXiYuBaoJieGuo_Click()、单击【历史拟合曲线图】主菜单项的 LiShiNiHeQuXian_Click()、单击【显示】一级子菜单项的 XianShi_Click()、单击【关闭】一级子菜单项的 GuanBi_Click()、单击【确认最终结果】主菜单项的 QueRenZuiZhongJieGuo_Click()、单击【上一步】主菜单项的 ShangYiBu_Click()、单击【平稳时间序列分析计算】一级子菜单项的 PingWenShiJianXuLieFenXiJiSuan_Click()和单击【退出】主菜单项的 TuiChu_Click()。

9 个事件过程中有一部分计算功能、程序代码与前面章节相应内容相同或基本相同，这里主要介绍不同之处：

(1)首先在窗体的代码窗口声明部分，用关键词 Dim 声明了如下窗体级变量：

```
Dim Y1() As Single                          ' 存放非平稳时间序列样本观测值
Dim GJZ()As Single                          ' 存放非平稳时间序列周期函数的估计值
Dim JieGuo$                                 ' 存放谐波分析与预报结果
Dim A() As Single, B() As Single            ' 存放谐波系数计算结果
Dim r                                       ' 存放 F 分布信度α
Dim f() As Single                           ' 存放对应不同谐波系数的进行 F 检验的统计量
Dim XuHao()                                 ' 存放通过 F 检验的谐波数
```

(2)单击主菜单项【谐波分析并预报】所触发的事件过程 FenXiYuBao_Click()。

事件过程 FenXiYuBao_Click()首先确定可能存在的谐波数，重定义存放谐波系数计算结果等的数组变量，将显示时间序列名称以及序列开始、结束年份之外的控件均设为不可见，并显示非平稳时间序列名称等；再根据用户选定的信度α(代码中用 r 表示)，调用 Function ShiSuanF(f2, f1, f3, r)，计算对应于不同自由度 $f1$ 和 $f2$ 的 $F(\alpha)$ 值(即代码中数组变量 f(0))。

其次，计算非平稳时间序列的方差、不同谐波所对应的谐波系数以及进行 $F$ 检验所需的统计量 $F$(代码中用 f(k) 表示)，从中挑选满足 $F > F(\alpha)$ 的谐波，作为用于外延预报的显著正弦波。

接着，将通过 $F$ 检验的各谐波叠加外延，来预报包括未来 10 年在内的时间序列周期函数估计值及其相对拟合误差。

最后，将与谐波分析和预报有关的分析结果标题、资料统计年限、谐波系数计算过程、谐波周期识别结果、谐波叠加时间函数(对通过 $F$ 检验的正弦波重新排序叠加)、相对拟合误差、未来 10 年预报结果以及完成预报时间等内容依次保存在一个全局变量中；将识别和提取的谐波叠加时间函数项形式保存在另一个全局变量中，并使主菜单项【显示分析预报结果】可用，标签框 Label1(4)、形状控件 Shape1 和文本框 Text1 可见(为显示谐波分析与预报结果做准备)。事件过程代码如下：

```
Private Sub FenXiYuBao_Click()
    For i = 2 To n                                                      ' 确定谐波数 p
        If n / i < 2 Then p = i - 2: Exit For
    Next i

    ' 重定义存放谐波系数计算结果等的数组变量
    ReDim A(p), B(p), f(p), XuHao(p), GJZ(n + 10), ZQHSZ(n + 9)

    ' 除显示时间序列名称以及序列开始、结束年份的控件外均不可见
    Label1(0).Visible = False
    For i = 0 To 3
        If i > 0 Then Label1(i).Visible = True
        If i < 3 Then Label2(i).Visible = True
    Next i
    Label1(4).Visible = False: Shape1.Visible = False: Text1.Visible = False: Text1.Text = ""
    Label2(0).Caption = MC(1)                                           ' 显示非平稳时间序列名
    Label2(1).Caption = MC(0): Label2(2).Caption = MC(0) + n - 1        ' 显示序列开始、结束年份

    ReDim Y1(n)                          ' 重定义存放非平稳时间序列样本观测值的数组变量
    For i = 1 To n: Y1(i) = XLZ(i - 1): Next i

    Do                                                        ' 将输入的信度 α 赋予变量 r
        r = InputBox(Space(4) & "识别周期波振幅需要进行 F 检验, 请输入信度 α: _
        0.10、0.05、0.025、0.01、0.005  或  0.001。", "信度输入对话框")
    Loop Until r <> Empty And (r = 0.1 Or r = 0.05 Or r = 0.025 Or r = 0.01 Or r = 0.005 Or r = 0.001)

    f1 = 2: f2 = n - 3: f3 = 1.17: RR = ShiSuanF(f2, f1, f3, r)
    f(0) = Int((f3 + 0.00555) * 100) / 100        ' 将上分位点 F(α) 值即 f3 赋予数组变量 f(0)

    ' 计算谐波系数 A(0) 和非平稳时间序列的方差 S
    A(0) = AVEX: S = 0
    For t = 1 To n: S = S + (Y1(t) - A(0)) * (Y1(t) - A(0)): Next t: S = S / n
    XH = 0
    For k = 1 To p
        A1 = 0: B1 = 0
        For t = 1 To n
            A1 = A1 + Y1(t) * Cos(2 * 180 * k * t / n): B1 = B1 + Y1(t) * Sin(2 * 180 * k * t / n)
        Next t
        A(k) = 2 * A1 / n: B(k) = 2 * B1 / n                          ' 计算谐波系数 A(k)、B(k)
        ' 计算对应不同谐波系数的进行 F 检验的统计量 f(k)
        f(k) = (A(k) * A(k) + B(k) * B(k)) * (n - 3) / (4 * S - 2 * A(k) * A(k) - 2 * B(k) * B(k))
        ' 将通过 F 检验的谐波数 k 赋予数组变量 XuHao(XH)
        If f(k) > f(0) Then: XH = XH + 1: XuHao(XH) = k: End If
    Next k

    If XH = 0 Then
```

```
        MsgBox ("信度 α =" & r & " 时,用谐波分析法不能识别和提取正弦周期波。")
        Exit Sub
Else
        ' 计算包括未来 10 年在内的时间序列周期函数的估计值及其相对拟合误差
        WUCHA = 0
        For t = 1 To n + 10
            AB = 0
            For k = 1 To XH
                AB = AB + (A (XuHao (k)) * Cos (2 * 180 * XuHao (k) * t / n) + _
                B (XuHao (k)) * Sin (2 * 180 * XuHao (k) * t / n))
            Next k
            GJZ (t) = A (0) + AB: ZQHSZ (t - 1) = GJZ (t)
            If t <= n Then WUCHA = WUCHA + _
            Abs (CSng (Int ((( GJZ (t) - Y1 (t)) / Y1 (t) + 0.00005) * 10000) / 100))
        Next t
End If


Ch$ = Chr (13) + Chr (10)
' 保存标题
JieGuo$ = Ch$ & Space (4) & MC (1) & "谐波外延叠加预报过程与结果" & Ch$ & Ch$
JieGuo$ = JieGuo$ & Space (8) & "(一)、资料统计年限: " & Ch$          ' 保存资料统计年限
JieGuo$ = JieGuo$ & _
Space (8) & MC (0) & "~" & MC (0) + n - 1 & "年( 序列长度 n =" & n & " )。" & Ch$
JieGuo$ = JieGuo$ & _
Space (8) & MC (0) + n & "~" & MC (0) + n + 9 & "这 10 年是预报期。" & Ch$ & Ch$


' 保存谐波系数计算过程
JieGuo$ = JieGuo$ & Space (8) & "(二)、谐波系数计算过程: " & Ch$
JieGuo$ = JieGuo$ & Space (8) & "序号 k" & Space (3) & "谐波周期" & _
Space (3) & "谐波系数 A (k)" & Space (5) & "谐波系数 B (k)" & _
Space (5) & "方差比 F (k)" & Space (5) & "F (" & r & ")" & Ch$
JieGuo1$ = ""
For k = 1 To p
    JieGuo1$ = JieGuo1$ & Space (8) & k & _
    Space (8 - Len (CStr (k))) & Int (CLng (10000) * n / (k + 1) + 0.5) / 10000 & _
    Space (11 - Len (CStr (Int (CLng (10000) * n / (k + 1) + 0.5) / 10000))) & A (k) & _
    Space (16 - Len (CStr (A (k)))) & B (k) & Space (18 - Len (CStr (B (k)))) & f (k) & _
    Space (15 - Len (CStr (f (k)))) & f (0) & Ch$
Next k
JieGuo1$ = JieGuo1$ & Space (8) & "备注: " & Ch$
JieGuo1$ = JieGuo1$ & Space (8) & "谐波系数: A (0) =" & A (0) & Ch$ & Ch$
JieGuo$ = JieGuo$ & JieGuo1$


' 保存谐波周期识别结果
JieGuo$ = JieGuo$ & Space (8) & "(三)、谐波周期识别结果: " & Ch$
For k = 1 To XH
```

```
            JieGuo$ = JieGuo$ & Space(8) & "当信度 α = " & r & "、序号 k 为 " & XuHao(k) & _
            " 时，方差比  F(k) = " & f(XuHao(k)) & ">F(α) = " & f(0) _
            & "，此时存在谐波周期长度为 " & Int(CLng(10000) * n / (XuHao(k) + 1) + 0.5) / 10000 _
            & " 的正弦波。" & Ch$
        Next k


        ' 保存谐波叠加时间函数（ 对通过 F 检验的正弦波重新排序叠加 ）
        JieGuo$ = JieGuo$ & Ch$ & Space(8) _
            & "(四)、谐波叠加时间函数（ 对通过 F 检验的正弦波重新排序叠加 ）: " & Ch$
        JieGuo$ = JieGuo$ & Space(8) & "Y(t) = A(0) " & "+" _
            & " ∑ ( A(i) * Cos ( 2 * 180 * i * t / n ) + B(i) * Sin ( 2 * 180 * i * t / n ))" & _
        Space(5) & " ( i = 1  ∼  " & XH & " )" & Ch$
        JieGuo1$ = Space(4) & "式中：Y(t)  --  预报对象" & Ch$ & _
        Space(14) & "A(i) -- 谐波系数，取值为: " & Ch$ & Space(14) & "A(" & 0 & ") = " & A(0)
        JieGuo2$ = ""
        For i = 1 To XH
            JieGuo2$ = JieGuo2$ & Ch$ & Space(14) & "A(" & i & ") = " & A(XuHao(i))
        Next i
        JieGuo3$ = Space(14) & "B(i) -- 谐波系数，取值为: ": JieGuo4$ = ""
        For i = 1 To XH
            JieGuo4$ = JieGuo4$ & Ch$ & Space(14) & "B(" & i & ") = " & B(XuHao(i))
        Next i
        JieGuo$ = JieGuo$ & Space(4) & JieGuo1$ & JieGuo2$ & Ch$ & JieGuo3$ & JieGuo4$ & Ch$


        ' 保存相对拟合误差与未来 10 年预报结果
        JieGuo$ = JieGuo$ & Ch$ & Space(8) & "(五)、相对拟合误差与未来 10 年预报结果:" & Ch$
        JieGuo1$ = ""
        For i = 1 To n + 10
            If XH <> 0 And i <= n Then
                If i = 1 Then
                    JieGuo1$ = JieGuo1$ & Space(8) & "年份" & Space(3) & "原始序列值" & _
                    Space(5) & "周期波叠加估计值" & Space(5) & "相对误差(%)" & Ch$
                End If
                JieGuo1$ = JieGuo1$ & Space(8) & MC(0) + i - 1 & _
                Space(7 - Len(CStr(MC(0) + i - 1))) & Y1(i) & Space(15 - Len(CStr(Y1(i)))) & _
                GJZ(i) & Space(21 - Len(CStr(GJZ(i)))) & _
                CSng(Int((((GJZ(i) - Y1(i)) / Y1(i) + 0.00005) * 10000) / 100) & Ch$
            End If
            If XH <> 0 And i > n Then
                JieGuo1$ = JieGuo1$ & Space(8) & MC(0) + i - 1 & _
                Space(22 - Len(CStr(MC(0) + i - 1))) & GJZ(i) & Ch$
            End If
        Next i
        JieGuo$= JieGuo$ & JieGuo1$: JieGuo$ = JieGuo$ & Space(8) & "备注：" & Ch$
        JieGuo$= JieGuo$ & Space(8) & "原始序列多年平均值: " & CSng(AVEX) & Ch$
        JieGuo$= JieGuo$ & Space(8) & "相对拟合误差绝对值的多年平均值:" & WUCHA / n & "%"
```

```
' 保存完成预报时间
JieGuo$=JieGuo$ & Ch$ & Ch$ & Space(8) & "(六)、完成预报时间:" & Ch$ & Space(8) & Now


' 将识别和提取的谐波叠加时间函数项形式储存在 ZQHSX__MXXS$ 中
ZQHSX_MXXS$ = ""
ZQHSX_MXXS$ = Space(4) & "谐波叠加时间函数: " & Ch$
ZQHSX_MXXS$ = ZQHSX_MXXS$ & Space(4) & "ZQ(t) = A(0) " & "+" _
& " ∑(A(i) * Cos(2 * 180 * i * t / n) + B(i) * Sin(2 * 180 * i * t / n))" & _
Space(2) & " (i = 1 ～ " & XH & ")" & Ch$
ZQHSX_MXXS1$ = Space(4) & "式中: ZQ(t) -- 非平稳序列周期函数" & Ch$ & _
Space(10) & "A(i) -- 谐波系数, 取值为: " & Ch$ & Space(10) & "A(" & 0 & ") = " & A(0)
ZQHSX_MXXS2$ = ""
For i = 1 To XH
    ZQHSX_MXXS2$ = ZQHSX_MXXS2$ & Ch$ & _
    Space(10) & "A(" & i & ") = " & A(XuHao(i))
Next i
ZQHSX_MXXS3$ = Space(10) & "B(i) -- 谐波系数, 取值为: "
ZQHSX_MXXS4$ = ""
For i = 1 To XH
    ZQHSX_MXXS4$ = ZQHSX_MXXS4$ & Ch$ & _
    Space(10) & "B(" & i & ") = " & B(XuHao(i))
Next i
ZQHSX_MXXS$ = ZQHSX_MXXS$ & ZQHSX_MXXS1$ & ZQHSX_MXXS2$ & _
Ch$ & ZQHSX_MXXS3$ & ZQHSX_MXXS4$ & Ch$


FenXiYuBao.Enabled = False
XianShiFenXiYuBaoJieGuo.Enabled = True            ' 使主菜单项【显示分析预报结果】可用
LiShiNiHeQuXian.Enabled = False: QueRenZuiZhongJieGuo.Enabled = False
Label1(4).Visible = True                          ' 使标签框 Label1(4)可见
Shape1.Visible = True                             ' 使形状控件 Shape1 可见
Text1.Visible = True                              ' 使文本框 Text1 可见
End Sub
```

(3) 单击主菜单项【显示分析预报结果】所触发的事件过程 XianShiFenXiYuBao-JieGuo_Click()。

事件过程 XianShiFenXiYuBaoJieGuo_Click()将谐波分析与预报结果显示在文本框 Text1 的 Text 属性中。事件过程代码如下:

```
Private Sub XianShiFenXiYuBaoJieGuo_Click()
    Text1.Text = JieGuo$
    LiShiNiHeQuXian.Enabled = True: QueRenZuiZhongJieGuo.Enabled = True
End Sub
```

(4) 单击主菜单项【历史拟合曲线图】所触发的事件过程 LiShiNiHeQuXian_Click()。

事件过程 LiShiNiHeQuXian_Click()清空并显示图片框控件 Picture2。事件过程代码与第 4 章 4.2.3 节中的 LiShiNiHeQuXian_Click()相同。

(5) 单击一级子菜单项【显示】所触发的事件过程 XianShi_Click()。

事件过程 XianShi_Click()用来给标签框 Label1(4)的 Caption 属性赋值,并显示非平稳时间序列实测值及其周期函数估计值的历史拟合放大曲线图。在图片框 Picture2 的自定义坐标系统中,用绘图语句绘制了非平稳时间序列实测值及其周期估计值两条过程线图,并配有标题、纵横坐标和图例。事件过程代码与第 4 章 4.2.3 节中的 XianShi_Click()基本相同,只需将代码中的"ZZ(i, 1) = GJZ(i)"语句改为"ZZ(i, 1) = GJZ(i + 1)"即可。

(6) 单击一级子菜单项【关闭】所触发的事件过程 GuanBi_Click()。

事件过程 GuanBi_Click()用来隐藏图片框控件 Picture2,并给标签框 Label1(4) 的 Caption 属性重新赋值。事件过程代码如下:

```
Private Sub GuanBi_Click()
    Picture2.Visible = False: Label1(4).Caption = "谐波外延叠加预报过程与结果"
End Sub
```

(7) 单击主菜单项【确认最终结果】所触发的事件过程 QueRenZuiZhongJieGuo_Click()。

事件过程 QueRenZuiZhongJieGuo_Click()用于确认谐波分析的最终结果。如果用户确认结果,则将结果保存在一个全局变量中,并给识别和提取时间序列周期项的判别系数字符串变量赋予"YES";否则给判别系数字符串变量赋予"NO"。事件过程代码如下:

```
Private Sub QueRenZuiZhongJieGuo_Click()
    Answer = MsgBox("您确认前述结果吗?", 36, "确认最终结果对话框")
    If Answer = 6 Then JieGuo_ZQ_XB$ = JieGuo: PBXS_ZQ_XB$ = "YES"
    If Answer = 7 Then PBXS_ZQ_XB$ = "NO"
End Sub
```

(8) 单击主菜单项【上一步】所触发的事件过程 ShangYiBu_Click()。

事件过程 ShangYiBu_Click()用于隐藏窗体 5、显示窗体 2。事件过程代码如下:

```
Private Sub ShangYiBu_Click()
    Form5.Hide: Form2.Show                                    ' 隐藏窗体 5, 显示窗体 2
End Sub
```

(9) 单击一级子菜单项【平稳时间序列分析计算】所触发的事件过程 PingWenShiJianXuLieFenXiJiSuan_Click()。

事件过程 PingWenShiJianXuLieFenXiJiSuan_Click()显示窗体 6 并将窗体 6【递推求解模型参数】、【上一步】、【下一步】、【退出】之外的主菜单项均设为不可用,将 Label1(0)之外的其它控件均不显示,为显示平稳时间序列分析计算的初始画面做准备。事件过程代码如下:

```
Private Sub PingWenShiJianXuLieFenXiJiSuan_Click()
    ' 为进行平稳时间序列分析计算做准备
    Form5.Hide: Form6.Show                                    ' 隐藏窗体 5, 显示窗体 6
```

```
    ' 将进行平稳时间序列分析计算的判别系数字符串变量赋予"NO"
    PBXS_PWXL$ = "NO"


    ' 把返回识别和提取时间序列周期项画面的判别系数字符串变量设为"YES"
    FHPBXS_ZQ_XB$ = "YES"


    ' 将窗体6【递推求解模型参数】、【上一步】、【下一步】、【退出】之外的主菜单项 _
      均设为不可用
    Form6.DiTuiQiuJieMoXingCanShu.Enabled = True
    Form6.XianShiCanShuGuJiJieGuo.Enabled = False
    Form6.QueRenGuJiJieGuo.Enabled = False: Form6.LiShiNiHeQuXianTu.Enabled = False
    Form6.YuBao.Enabled = False: Form6.QueRenZuiZhongJieGuo.Enabled = False


    ' 将窗体6内的Label1(0)之外的其它控件均不显示，即仅显示初始画面中的标题
    For i = 0 To 10
        If i > 0 Then Form6.Label1 (i).Visible = False
        If i < 3 Then Form6.Label2 (i).Visible = False
        If i < 3 Then Form6.Text1 (i).Visible = False
        If i < 3 Then Form6.Shape1 (i).Visible = False
    Next i
    Form6.Picture1.Visible = False: Form6.Picture2.Visible = False
    Form6.Combo1.Visible = False: Form6.Label1 (0).Visible = True
    Form6.Label1 (0).Caption = "欢迎使用平稳时间序列分析应用程序"
End Sub
```

(10)单击主菜单项【退出】所触发的事件过程 TuiChu_Click() (请参阅第 2 章 2.4.3 节的相应内容)。

以上给出了谐波分析计算应用程序的用户界面设计、属性设置、事件过程代码编写等详细步骤,下面举一个实例,进一步说明应用程序的具体操作过程。

# 6.3　应用程序实例

本例继续选用新疆喀什地区叶尔羌河卡群水文站 1955~2003 年年最大流量时间序列,用谐波分析法对时间序列所隐含的周期函数项进行了识别和提取,并对未来10年周期函数值进行了预报。现说明如下:

(1)时间序列值的输入与时间序列类型的确定与第 2 章 2.5 节中的操作过程基本相同,不同的是数据输入选用的是第 2 章图 2-1 所示的 Microsoft "记事本",时间序列类型选用的是均值(即数学期望)时变型。

(2)选择第 2 章 2.5 节图 2-14 中的主菜单项【下一步】、一级子菜单项【识别与提取趋势函数】,则显示第 3 章图 3-1 所示的趋势分析初始画面。在图 3-1 中,依次选择主菜单项【下一步】、一级子菜单项【识别与提取周期函数】和二级子菜单项【谐波分析】,则显示图 6-1 所示的谐波分析初始画面。

图 6-1　谐波分析初始画面

(3)在图 6-1 中，选择主菜单项【谐波分析并预报】，则弹出图 6-2 所示的信度输入对话框，输入 0.001，按【确定】按钮，由于信度标准过高，不能识别非平稳时间序列隐含的周期函数项，故弹出图 6-3 所示的无法引进因子的提示框；降低信度标准，输入 0.05，便显示图 6-4 所示的显示谐波分析预报结果的初始画面。

图 6-2　信度输入对话框

图 6-3　无法引进因子的提示框

(4)在图 6-4 中，选择主菜单项【显示分析预报结果】，则显示图 6-5 所示的分析预报结果显示图。

(5)在图 6-5 中，选择主菜单项【历史拟合曲线图】、一级子菜单项【显示】，则显示图 6-6 所示的历史拟合曲线图。

(6)在图 6-6 中，选择主菜单项【确认最终结果】，则弹出图 6-7 所示的确认最终结果对话框，如果要确认并保存谐波分析与预报结果，则按下对话框中的【是】按钮，否则按下【否】按钮。

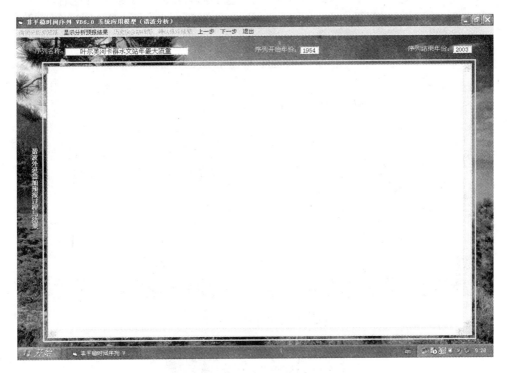

图 6-4　显示谐波分析预报结果的初始画面

图 6-5　分析预报结果显示图

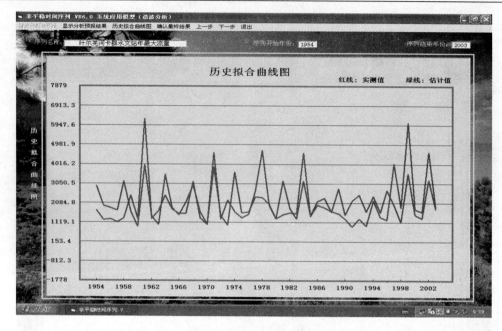

图 6-6　历史拟合曲线图

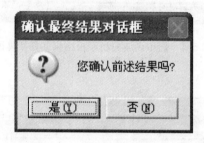

图 6-7　确认最终结果对话框

　　(7)在图 6-6 中，选择主菜单项【上一步】，则返回到第 3 章图 3-1 所示的趋势分析初始画面。

　　(8)在图 6-6 中，选择主菜单项【下一步】、一级子菜单项【平稳时间序列分析计算】，则会显示第 7 章图 7-1 所示的平稳时间序列分析计算的初始画面。

# 第 7 章　平稳时间序列分析

第 4、5、6 章分别介绍了从非平稳时间序列中识别和提取周期函数的三种方法。在这三章应用程序即将结束的画面中，如果用户选择主菜单项【下一步】、一级子菜单项【平稳时间序列分析计算】，则可对提取确定函数项后的非平稳时间序列的余差序列进行平稳时间序列分析计算。同理，在第 2 章图 2-14 中，如果用户选中单选钮【平稳时间序列】，再选择主菜单项【下一步】、一级子菜单项【平稳时间序列分析计算】，也可对时间序列直接进行平稳时间序列分析计算。本章将详细介绍平稳时间序列分析计算的具体过程。

## 7.1　建立自回归方程与分析计算流程

### 7.1.1　建立自回归方程

一个随机过程，如果它的数学期望、方差不随时间变化，且自相关函数仅仅是它们时间间隔的函数而与绝对时间无关，则称之为平稳过程。所谓平稳时间序列分析，就是研究具有平稳性的一个时间序列在不同时间间隔之间自身线性相关关系的方法，所建立的模型称之为自回归方程。假设有一个平稳时间序列 $X(t)$ $(t = 1, 2, \cdots, n, n$ 是序列长度$)$，则可把 $X(t)$ 表示为其前一个时间间隔到前 $k$ 个时间间隔的序列值与相应自回归系数乘积之和：

$$X(t) = \sum (B(k, i) * (X(t - i) - \overline{X})) + \overline{X} + a(t) \qquad (i = 1, 2, \cdots, k) \qquad (7\text{-}1)$$

式中：$a(t)$ 是拟合误差（白色噪声），服从 $N(0, \sigma^2)$ 分布（假设与以往观测值无关）；$\overline{X}$ 是序列样本均值。$X(t)$ 的具体形式就是平稳时间序列自回归方程，$X(t)$ 的计算值即为平稳项 $PW(t)$ 的估计值。$B(k,i)$ 是序列自回归系数，当模型阶数为 $k$ 时，自回归系数可用下面的递推求解法求得：

$$\left. \begin{aligned} &B(k, k) = (r(k) - \sum B(k-1, i) * r(k-i)) / (1 - \sum B(k-1, i) * r(i)) \\ &B(k, i) = B(k-1, i) - B(k, k) * B(k-1, k-i) \\ &i = 1, 2, \cdots, k \end{aligned} \right\} \qquad (7\text{-}2)$$

式中：$r$ 是相关函数，当时间序列间隔之差为 $k$ 时，计算公式是：

$$r(k) = (\sum (X(t) - \overline{X}) * (X(t + k) - \overline{X})) / (n - k) \qquad (t = 1, 2, \cdots, n\text{-}k) \qquad (7\text{-}3)$$

这里的关键问题是如何识别模型阶数 $k$。可用 $FPE$（最终预报误差）准则来识别：

$$FPE(k) = (1 + k/n) * (1 - k/n) * \sigma^2(k) \qquad (7\text{-}4)$$

式中：$\sigma^2(k) = r(0) - \sum B(k, i) * r(i)$，其中 $i = 1, 2, \cdots, k$。

$k$ 分别取 $1, 2, \cdots, n\text{-}1$ 时，可计算得不同的 $FPE(k)$ 值，其中最小 $FPE(k)$ 对应的 $k$ 值即为模型阶数的估计值。另据经验分析，模型阶数 $k$ 可取值于 $n/10$ 与 $n/4$ 之间。如果 $n \geqslant 50$ 时，可取 $k < n/4$，常取 $k$ 在 $n/10$ 左右；如果 $n < 50$ 时，可取 $k$ 在 $n/4$ 左右。

### 7.1.2　分析计算流程

（1）首先根据用户选定的时间序列类型和趋势、周期函数项的识别提取情况，来确定平稳时间序列值的计算方式和拟合误差形式，再递推求解模型参数。注意：在本章应用程序代码中，当应用乘法模型或混合模型来推算提取确定函数项后的平稳时间序列值时，是由模型等式两侧取对数转化为加法模型后推算而得，所以此时平稳时间序列值实际上是其逼近值或常数项 1 与逼近值之和的对数形式。

（2）显示并确认参数估计结果、显示历史拟合曲线图、预报、确认最终结果等。

（3）如果对平稳时间序列分析计算结果满意，则准备进行非平稳时间序列的最终分析计算；否则可以返回到第 4、5、6 章应用程序即将结束的画面之一中，重新识别和提取非平稳时间序列周期函数，或直接返回到第 2 章图 2-14 所示的界面，重新输入时间序列值并确定其类型。

## 7.2　应用程序步骤

### 7.2.1　设计用户界面

用户界面分别由 1 个窗体和添加在窗体上的若干控件或控件数组组成。

在第 2 章 2.4.1 节曾经介绍过，本系统应用模型中的窗体 6 用于平稳时间序列分析计算，并显示分析计算与预报结果，用户界面见本章 7.3 节中的图 7-2。在窗体 6 的菜单编辑器中，创建了【递推求解模型参数】、【显示参数估计结果】、【确认估计结果】、【历史拟合曲线图】、【预报】、【确认最终结果】、【上一步】、【下一步】、【退出】等 9 个主菜单控件。在【历史拟合曲线图】主菜单项内创建了一级子菜单项【正常图形】和【放大图形】，在【正常图形】子菜单项内创建了二级子菜单项【显示】，在【放大图形】子菜单项内创建了二级子菜单项【显示】和【关闭】。在【下一步】主菜单项内创建了一级子菜单项【非平稳时间序列分析】。

窗体 1 内还添加了 1 个图像框控件、1 个具有 3 个元素的矩形形状控件数组、1 个具有 11 个元素的无边框标签框控件数组、1 个具有 3 个元素的有边框标签框控件数组、1 个具有 3 个元素的文本框控件数组、1 个下拉式列表框控件和 2 个图片框控件。

### 7.2.2　属性设置

窗体 6 菜单对象的属性设置见表 7-1；窗体 6 以及窗体 6 内各控件对象的属性设置见表 7-2。各控件的字体属性如字体、字形、大小、效果、颜色等，用户在属性窗口中可以根据自己的爱好来确定。

### 7.2.3　编写事件过程代码

平稳时间序列分析应用程序界面共有 14 个事件过程。

表 7-1　窗体 6 菜单对象的属性设置

| 菜单等级 | 标题 | 名称 | 内缩符号 |
|---|---|---|---|
| 主菜单 | 递推求解模型参数 | DiTuiQiuJieMoXingCanShu | 无 |
| 主菜单 | 显示参数估计结果 | XianShiCanShuGuJiJieGuo | 无 |
| 主菜单 | 确认估计结果 | QueRenGuJiJieGuo | 无 |
| 主菜单 | 历史拟合曲线图 | LiShiNiHeQuXianTu | 无 |
| 一级子菜单 | 正常图形 | ZhengChangTuXing | .... |
| 二级子菜单 | 显示 | XianShi1 | ........ |
| 一级子菜单 | 放大图形 | FangDaTuXing | .... |
| 二级子菜单 | 显示 | XianShi2 | ........ |
| 二级子菜单 | 关闭 | GuanBi | ........ |
| 主菜单 | 预报 | YuBao | 无 |
| 主菜单 | 确认最终结果 | QueRenZuiZhongJieGuo | 无 |
| 主菜单 | 上一步 | ShangYiBu | 无 |
| 主菜单 | 下一步 | XiaYiBu | 无 |
| 一级子菜单 | 非平稳时间序列分析 | FeiPingWenXuLieFenXi | .... |
| 主菜单 | 退出 | TuiChu | 无 |

表 7-2　窗体 6 以及窗体 6 内各控件对象的属性设置

| 对象 | 属性 | 设置 |
|---|---|---|
| 窗体 1 | Caption | 非平稳时间序列　VB6.0　系统应用模型（平稳随机过程分析计算） |
|  | （名称） | Form6 |
|  | WindowState | 2（最大化） |
| 图像框 | （名称） | Image1 |
|  | Picture | （风景图） |
|  | Stretch | True |
| 形状控件 1～形状控件 3 | （名称） | Shape1（0）、Shape1（1）、Shape1（2） |
|  | BorderWidth | 3 |
|  | Shape | 4（圆角矩形） |
| 标签框 1 | Caption | 置空 |
|  | （名称） | Label1（0） |
| 标签框 2 | Caption | 序列名称： |
|  | （名称） | Label1（1） |
| 标签框 3 | Caption | 序列开始年份： |
|  | （名称） | Label1（2） |
| 标签框 4 | Caption | 序列结束年份： |
|  | （名称） | Label1（3） |
| 标签框 5 | Caption | 平稳时间序列模型参数估计结果 |
|  | （名称） | Label1（4） |
| 标签框 6 | Caption | FPE 准则识别模型阶数 K： |
|  | （名称） | Label1（5） |
| 标签框 7 | Caption | 请选择模型阶数 K： |
|  | （名称） | Label1（6） |
| 标签框 8 | Caption | 平稳时间序列模型方程： |
|  | （名称） | Label1（7） |
| 标签框 9 | Caption | 历史拟合曲线图 |
|  | （名称） | Label1（8） |
| 标签框 10 | Caption | 预报 |
|  | （名称） | Label1（9） |
| 标签框 11 | Caption | 预报结果： |
|  | （名称） | Label1（10） |

续表 7-2

| 对象 | 属性 | 设置 |
|---|---|---|
| 标签框 1～标签框 3 | Caption<br>(名称)<br>BorderStyle | 置空<br>Label2(0)、Label2(1)、Label2(2)<br>1(有边框) |
| 文本框 1～文本框 3 | (名称)<br>Text<br>MultiLine<br>ScrollBars | Text1(0)、Text1(1)、Text1(2)<br>置空<br>True<br>2 |
| 组合框 | (名称)<br>Style | Combo1<br>2(下拉式列表框) |
| 图片框控件 1～图片框控件 2 | (名称) | Picture1、　Picture2 |

14 个事件过程包括：单击【递推求解模型参数】主菜单项的 DiTuiQiuJieMoXingCanShu_Click()、单击【显示参数估计结果】主菜单项的 XianShiCanShuGuJiJieGuo_Click()、单击标签框"请选择模型阶数 K："右侧组合框的 Combo1_Click()、单击【确认估计结果】主菜单项的 QueRenGuJiJieGuo_Click()、单击【正常图形】一级子菜单项的 ZhengChangTuXing_Click()、单击【显示】二级子菜单项的 XianShi1_Click()、单击【放大图形】一级子菜单项的 FangDaTuXing_Click()、单击【显示】二级子菜单项的 XianShi2_Click()、单击【关闭】二级子菜单项的 GuanBi_Click()、单击【预报】主菜单项的 YuBao_Click()、单击【确认最终结果】主菜单项的 QueRenZuiZhongJieGuo_Click()、单击【上一步】主菜单项的 ShangYiBu_Click()、单击【非平稳时间序列分析】一级子菜单项的 FeiPingWenXuLieFenXi_Click()和单击【退出】主菜单项的 TuiChu_Click()。

14 个事件过程中有一部分计算功能、程序代码与前面章节相应内容相同或基本相同，这里主要介绍不同之处：

(1)首先在窗体的代码窗口声明部分，用关键词 Dim 声明了如下窗体级变量：

```
Dim X() As Single                              '存放时间序列值
Dim WUCHA_XD_JD$              '存放时间序列值与估计值拟合误差形式(相对或绝对)
Dim PWXL_XS$                             '存放时间序列自回归方程形式
Dim AVEX_PW                                 '存放时间序列均值
Dim B()                                        '存放时间序列自回归系数
Dim YuBaoYinZiZhi(), YuBaoZhi        '存放用作预报的序列值和时间序列的估计值
Dim FPE()                                  '存放最终预报误差准则值
```

(2)单击主菜单项【递推求解模型参数】所触发的事件过程 DiTuiQiuJieMoXing-CanShu_Click()。

事件过程 DiTuiQiuJieMoXingCanShu_Click()首先将显示时间序列名称以及序列开始、结束年份的标签框控件设为可见，将文本框、图片框和组合框内容置空，并显示时间序列名称以及序列开始、结束年份，再根据用户选定的序列类型和趋势、周期函数的识别提取情况，来确定平稳时间序列值的计算方式和拟合误差形式；接着计算时间序列样本均值、协方差函数、相关函数、自回归系数和最终预报误差准则(并进行排序)；最

后将与显示自回归分析结果有关的菜单项的 Enabled 属性、其它控件的 Visible 属性均设为 True。事件过程代码如下：

```
Private Sub DiTuiQiuJieMoXingCanShu_Click()
    Dim R1() As Single                                        ' 存放协方差函数
    Dim R2() As Single                                        ' 存放相关函数
    Dim FPE1()                               ' 存放最终预报误差准则值从小到大的排序结果
    ReDim R1(n), R2(n), B(n, n), FPE(n), FPE1(n)        ' 重定义存放协方差函数等的数组变量

    ' 将显示时间序列名称以及序列开始、结束年份的标签框控件设为可见
    Label1(0).Visible = False
    For i = 0 To 3
        If i > 0 Then Label1(i).Visible = True
        If i < 3 Then Label2(i).Visible = True
    Next i

    ' 将文本框、图片框和组合框内容置空
    For i = 0 To 2: Text1(i).Text = "": Next i
    Picture1.Cls: Picture2.Cls: Combo1.Clear

    Label2(0).Caption = MC(1)                                      ' 显示时间序列名
    Label2(1).Caption = MC(0): Label2(2).Caption = MC(0) + n - 1   ' 显示序列开始、结束年份

    ' 根据用户选定的序列类型和趋势、周期函数的识别提取情况，_
      来确定平稳时间序列值的计算方式和拟合误差形式
    ReDim X(n - 1)                                    ' 重定义存放时间序列值的数组变量
    WUCHA_XD_JD$ = "JD"                          ' 时间序列值与估计值拟合误差形式是绝对值
    For i = 0 To n - 1
        If XuLieLeiXing = "您确定的序列类型是平稳序列!" Then
            X(i) = XLZ(i)
            WUCHA_XD_JD$ = "XD"                  ' 时间序列值与估计值拟合误差形式是相对值
            PWXL_XS$ = MC(1)
        End If

        If XuLieLeiXing = "您确定的序列类型是均值时变非平稳序列!" Then
            WUCHA_XD_JD$ = "XD": PWXL_XS$ = MC(1) & "中的平稳函数项"

            ' 仅识别和提取趋势函数
            If PBXS_QS_ZX$ = "YES" And (PBXS_ZQ_FC$ = "NO" And _
            PBXS_ZQ_ZB$ = "NO" And PBXS_ZQ_XB$ = "NO") Then
                X(i) = XLZ(i) - (QSHSZ(i) - AVEX)
            End If
            If PBXS_QS_ZB$ = "YES" And (PBXS_ZQ_FC$ = "NO" And _
            PBXS_ZQ_ZB$ = "NO" And PBXS_ZQ_XB$ = "NO") Then
                X(i) = XLZ(i) - (QSHSZ(i) - AVEX)
            End If
```

```vb
    ' 仅识别和提取周期函数
    If PBXS_QS_ZX$ = "NO" And PBXS_QS_ZB$ = "NO" And _
    PBXS_ZQ_FC$ = "YES" Then X(i) = XLZ(i) - (ZQHSZ(i) - AVEX)
    If PBXS_QS_ZX$ = "NO" And PBXS_QS_ZB$ = "NO" And _
    PBXS_ZQ_ZB$ = "YES" Then X(i) = XLZ(i) - (ZQHSZ(i) - AVEX)
    If PBXS_QS_ZX$ = "NO" And PBXS_QS_ZB$ = "NO" And _
    PBXS_ZQ_XB$ = "YES" Then X(i) = XLZ(i) - (ZQHSZ(i) - AVEX)

    ' 趋势、周期函数均已识别和提取
    If (PBXS_QS_ZX$ = "YES" And PBXS_ZQ_FC$ = "YES") Or _
    (PBXS_QS_ZX$ = "YES" And PBXS_ZQ_ZB$ = "YES") Or _
    (PBXS_QS_ZX$ = "YES" And PBXS_ZQ_XB$ = "YES") Then
        X(i) = XLZ(i) - (QSHSZ(i) + ZQHSZ(i) - 2 * AVEX)
    End If
    If (PBXS_QS_ZB$ = "YES" And PBXS_ZQ_FC$ = "YES") Or _
    (PBXS_QS_ZB$ = "YES" And PBXS_ZQ_ZB$ = "YES") Or _
    (PBXS_QS_ZB$ = "YES" And PBXS_ZQ_XB$ = "YES") Then
        X(i) = XLZ(i) - (QSHSZ(i) + ZQHSZ(i) - 2 * AVEX)
    End If

    ' 趋势、周期函数均未识别和提取
    If PBXS_QS_ZX$ = "NO" And PBXS_QS_ZB$ = "NO" And _
    PBXS_ZQ_FC$ = "NO" And PBXS_ZQ_ZB$ = "NO" And _
    PBXS_ZQ_XB$ = "NO" Then X(i) = XLZ(i) : PWXL_XS$ = MC(1)
End If

If XuLieLeiXing = "您确定的序列类型是方差时变非平稳序列!" Then
    PWXL_XS$ = "Y = ln(y)，式中 y 为" & MC(1) & "中的平稳函数项"

    ' 仅识别和提取趋势函数
    If PBXS_QS_ZX$ = "YES" And (PBXS_ZQ_FC$ = "NO" And _
    PBXS_ZQ_ZB$ = "NO" And PBXS_ZQ_XB$ = "NO") Then
        X(i) = Log(XLZ(i)) - Log(QSHSZ(i))
    End If
    If PBXS_QS_ZB$ = "YES" And (PBXS_ZQ_FC$ = "NO" And _
    PBXS_ZQ_ZB$ = "NO" And PBXS_ZQ_XB$ = "NO") Then
        X(i) = Log(XLZ(i)) - Log(QSHSZ(i))
    End If

    ' 仅识别和提取周期函数
    If PBXS_QS_ZX$ = "NO" And PBXS_QS_ZB$ = "NO" And _
    PBXS_ZQ_FC$ = "YES" Then X(i) = Log(XLZ(i)) - Log(ZQHSZ(i))
    If PBXS_QS_ZX$ = "NO" And PBXS_QS_ZB$ = "NO" And _
    PBXS_ZQ_ZB$ = "YES" Then X(i) = Log(XLZ(i)) - Log(ZQHSZ(i))
    If PBXS_QS_ZX$ = "NO" And PBXS_QS_ZB$ = "NO" And _
```

```
PBXS_ZQ_XB$ = "YES" Then X(i) = Log(XLZ(i)) - Log(ZQHSZ(i))

    ' 趋势、周期函数均已识别和提取
    If (PBXS_QS_ZX$ = "YES" And PBXS_ZQ_FC$ = "YES") Or _
    (PBXS_QS_ZX$ = "YES" And PBXS_ZQ_ZB$ = "YES") Or _
    (PBXS_QS_ZX$ = "YES" And PBXS_ZQ_XB$ = "YES") Then
        X(i) = Log(XLZ(i)) - Log(QSHSZ(i) + ZQHSZ(i))
    End If
    If (PBXS_QS_ZB$ = "YES" And PBXS_ZQ_FC$ = "YES") Or _
    (PBXS_QS_ZB$ = "YES" And PBXS_ZQ_ZB$ = "YES") Or _
    (PBXS_QS_ZB$ = "YES" And PBXS_ZQ_XB$ = "YES") Then
        X(i) = Log(XLZ(i)) - Log(QSHSZ(i) + ZQHSZ(i))
    End If

    ' 趋势、周期函数均未识别和提取
    If PBXS_QS_ZX$ = "NO" And PBXS_QS_ZB$ = "NO" And _
    PBXS_ZQ_FC$ = "NO" And PBXS_ZQ_ZB$ = "NO" And _
    PBXS_ZQ_XB$ = "NO" Then
        X(i) = XLZ(i): WUCHA_XD_JD$ = "XD": PWXL_XS$ = MC(1)
    End If
End If

If XuLieLeiXing = "您确定的序列类型是均值、方差时变非平稳序列!" Then
    PWXL_XS$ = "Y = ln(1 + y)，式中 y 为" & MC(1) & "中的平稳函数项"

    ' 仅识别和提取趋势函数
    If PBXS_QS_ZX$ = "YES" And (PBXS_ZQ_FC$ = "NO" And _
    PBXS_ZQ_ZB$ = "NO" And PBXS_ZQ_XB$ = "NO") Then
        X(i) = Log(XLZ(i)) - Log(QSHSZ(i))
    End If
    If PBXS_QS_ZB$ = "YES" And (PBXS_ZQ_FC$ = "NO" And _
    PBXS_ZQ_ZB$ = "NO" And PBXS_ZQ_XB$ = "NO") Then
        X(i) = Log(XLZ(i)) - Log(QSHSZ(i))
    End If

    ' 仅识别和提取周期函数
    If PBXS_QS_ZX$ = "NO" And PBXS_QS_ZB$ = "NO" And _
    PBXS_ZQ_FC$ = "YES" Then X(i) = Log(XLZ(i)) - Log(ZQHSZ(i))
    If PBXS_QS_ZX$ = "NO" And PBXS_QS_ZB$ = "NO" And _
    PBXS_ZQ_ZB$ = "YES" Then X(i) = Log(XLZ(i)) - Log(ZQHSZ(i))
    If PBXS_QS_ZX$ = "NO" And PBXS_QS_ZB$ = "NO" And _
    PBXS_ZQ_XB$ = "YES" Then X(i) = Log(XLZ(i)) - Log(ZQHSZ(i))

    ' 趋势、周期函数均已识别和提取
    If (PBXS_QS_ZX$ = "YES" And PBXS_ZQ_FC$ = "YES") Or _
    (PBXS_QS_ZX$ = "YES" And PBXS_ZQ_ZB$ = "YES") Or _
```

```
               (PBXS_QS_ZX$ = "YES" And PBXS_ZQ_XB$ = "YES") Then
                    X(i) = Log(XLZ(i)) - Log(QSHSZ(i) + ZQHSZ(i))
               End If
               If (PBXS_QS_ZB$ = "YES" And PBXS_ZQ_FC$ = "YES") Or _
               (PBXS_QS_ZB$ = "YES" And PBXS_ZQ_ZB$ = "YES") Or _
               (PBXS_QS_ZB$ = "YES" And PBXS_ZQ_XB$ = "YES") Then
                    X(i) = Log(XLZ(i)) - Log(QSHSZ(i) + ZQHSZ(i))
               End If

               ' 趋势、周期函数均未识别和提取
               If PBXS_QS_ZX$ = "NO" And PBXS_QS_ZB$ = "NO" And _
               PBXS_ZQ_FC$ = "NO" And PBXS_ZQ_ZB$ = "NO" And _
               PBXS_ZQ_XB$ = "NO" Then
                    X(i) = XLZ(i): WUCHA_XD_JD$ = "XD": PWXL_XS$ = MC(1)
               End If
          End If
     Next i

   ' 计算时间序列样本均值并储存在 AVEX 中
   c = 0
   For i = 0 To n - 1: c = c + X(i): Next i
   AVEX_PW = c / n

   t = 0
   For k = 0 To n - 1
        ' 计算时间序列放协方差函数和相关函数值并分别储存在 R1(k) 和 R2(k) 中
        c = 0
        For t = 0 To (n - 1) - k: c = c + (X(t) - AVEX_PW) * (X(t + k) - AVEX_PW): Next t
        R1(k) = c / (n - k): R2(k) = R1(k) / R1(0)

        ' 用递推求解法计算自回归系数 B()
        If k = 0 Then GoTo 2
        If k = 1 Then B(1, 1) = R2(1): GoTo 1
        C1 = 0: C2 = 0
        For j = 1 To k - 1: C1 = C1 + B(k - 1, j) * R2(k - j): C2 = C2 + B(k - 1, j) * R2(j): Next j
        B(k, k) = (R2(k) - C1) / (1 - C2)
        For j = 1 To k - 1: B(k, j) = B(k - 1, j) - B(k, k) * B(k - 1, k - j): Next j
1
        ' 计算最终预报误差准则值并分别存放在 FPE(k) 和 FPE1(k) 中
        c = 0
        For j = 1 To k: c = c + B(k, j) * R2(j): Next j
        FPE(k) = (1 + k / n) * (R2(0) - c) / (1 - k / n): FPE1(k) = FPE(k)
2
   Next k

   ' 将最终预报误差准则值从小到大进行排序并存放在 FPE1(j) 中
```

```
For i = Int (n / 10) To Int (n / 4) - 1
    For j = i + 1 To Int (n / 4)
        If FPE1 (i) > FPE1 (j) Then VV = FPE1 (i) : FPE1 (i) = FPE1 (j) : FPE1 (j) = VV
    Next j
Next i
For j = Int (n / 10) To Int (n / 4)                    ' 将最小最终预报误差准则对应的阶数存放在 kk 中
    If FPE1 (Int (n / 10)) = FPE (j) Then kk = j
Next j

' 将有关显示自回归分析结果的菜单项的 Enabled、其它控件的 Visible 属性设为 True
DiTuiQiuJieMoXingCanShu.Enabled = False: XianShiCanShuGuJiJieGuo.Enabled = True
QueRenGuJiJieGuo.Enabled = False: LiShiNiHeQuXianTu.Enabled = False
YuBao.Enabled = False: QueRenZuiZhongJieGuo.Enabled = False
For i = 0 To 10
    If i > 0 Then Label1 (i).Visible = True
    If i < 3 Then Label2 (i).Visible = True
    If i < 3 Then Text1 (i).Visible = True
    If i < 3 Then Shape1 (i).Visible = True
Next i
Combo1.Visible = True
End Sub
```

（3）单击主菜单项【显示参数估计结果】所触发的事件过程 XianShiCanShuGuJi-JieGuo_Click ()。

事件过程 XianShiCanShuGuJiJieGuo_Click ()用于显示最终预报误差准则值和模型阶数，供用户选定最佳模型阶数，最后使主菜单项【确认估计结果】的 Enabled 属性可用。事件过程代码如下：

```
Private Sub XianShiCanShuGuJiJieGuo_Click ()
    Ch$ = Chr (13) + Chr (10)
    If n >= 50 Then
        JieGuo1$ = "选择模型阶数应注意三点：1、经优选，当模型阶数 k = " & kk & _
        "时,最终预报误差 FPE (" & kk & ") = " & CSng (FPE (kk)) & ",在经验取值阶数范围 " _
        & Int (n / 10) & " ～ " & Int (n / 4) & " 内为最小，理论上应取之为最佳模型阶数。_
        2、由于样本容量 n ≥ 50，最佳模型阶数应在 " & Int (n / 10) & " 左右。_
        3、若存在具有物理意义的其它阶数，应重选。各 FPE 计算值为："
    End If
    If n < 50 Then
        JieGuo1$ = "选择模型阶数应注意三点：1、经优选，当模型阶数 k = " & kk & _
        "时,最终预报误差 FPE (" & kk & ") = " & CSng (FPE (kk)) & ",在经验取值阶数范围 " _
        & Int (n / 10) & " ～ " & Int (n / 4) & " 内为最小，理论上应取之为最佳模型阶数。_
        2、由于样本容量 n < 50，最佳模型阶数应在 " & Int (n / 4) & " 左右。_
        3、若存在具有物理意义的其它阶数，应重选。各 FPE 计算值为："
    End If
    JieGuo2$ = Space (4) & "FPE (" & 1 & ") = " & CSng (FPE (1))
```

```
        For k = 2 To n - 1
            JieGuo2$ = JieGuo2$ & Ch$ & Space(4) & "FPE(" & k & ") = " & CSng(FPE(k))
        Next k
        ' 显示可供选择的最终预报误差准则值
        Text1(0).Text = Space(4) & JieGuo1$ & Ch$ & JieGuo2$

        For k = 0 To n – 3                      ' 将可供选择的模型阶数存放在 Combo1 的 List()属性中
            Combo1.List(k) = k + 1
        Next k
        XianShiCanShuGuJiJieGuo.Enabled = False
        QueRenGuJiJieGuo.Enabled = True                          ' 主菜单项【确认估计结果】可用
End Sub
```

(4) 单击标签框"请选择模型阶数 K："右侧组合框所触发的事件过程 Combo1_Click()。

事件过程 Combo1_Click()为重新显示用户选定的模型阶数所对应的自回归方程和自回归系数值做初始化准备并显示。事件过程代码如下：

```
Private Sub Combo1_Click()
        ' 为重新显示用户选定的模型阶数所对应的自回归方程和自回归系数值做初始化准备
        Picture1.Cls: Picture1.Visible = False: Picture2.Visible = False
        LiShiNiHeQuXianTu.Enabled = False: YuBao.Enabled = False
        QueRenZuiZhongJieGuo.Enabled = False
        Text1(2).Text = ""                                      ' 将显示自回归系数值的文本框置空

        ' 显示用户选定的模型阶数所对应的自回归方程和自回归系数值
        kk = Combo1.Text
        Ch$ = Chr(13) + Chr(10)
        JieGuo1$ = Space(4) & "Yn ＝ ∑Bi * X(n-i)" & " ( i = 1 ～ " & kk & " )"
        JieGuo2$ = Space(4) & "式中：Yn  -- 预报对象" & Ch$ & _
        Space(10) & "X(n-i) -- 预报因子" & Ch$ & Space(10) & "bi -- 自回归系数，取值为："
        JieGuo3$ = ""
        For i = 1 To kk
            JieGuo3$ = JieGuo3$ & Ch$ & Space(10) & "B" & i & " = " & CSng(B(kk, i))
        Next i
        Text1(1).Text = JieGuo1$ & Ch$ & JieGuo2$ & JieGuo3$: Text1(2).SetFocus
End Sub
```

(5) 单击主菜单项【确认估计结果】所触发的事件过程 QueRenGuJiJieGuo_Click()。

事件过程 QueRenGuJiJieGuo_Click()用于提示用户选择模型阶数以便确认模型阶数所对应的自回归方程和自回归系数值，并使主菜单项【历史拟合曲线图】、【预报】和【确认最终结果】可用。事件过程代码如下：

```
Private Sub QueRenGuJiJieGuo_Click()
        If Text1(1).Text = "" Then
            MsgBox Space(5) & "您未选择模型阶数 k， 请选择。"
```

```
        Combo1.SetFocus: GoTo 1
    End If
    LiShiNiHeQuXianTu.Enabled = True: YuBao.Enabled = True
    QueRenZuiZhongJieGuo.Enabled = True
1
End Sub
```

(6)单击一级子菜单项【正常图形】所触发的事件过程 ZhengChangTuXing_Click()。

事件过程 ZhengChangTuXing_Click()为显示历史拟合正常曲线图形做准备，即把图片框 Picture1 的 Visible 属性设置为 True。事件过程代码与第 3 章 3.5.3 节中的 ZhengChangTuXing_Click()相同。

(7)单击二级子菜单项【显示】所触发的事件过程 XianShi1_Click()。

事件过程 XianShi1_Click()用来显示平稳时间序列值及其估计值的历史拟合正常曲线图。在图片框 Picture1 的自定义坐标系统中，用绘图语句绘制了平稳时间序列值及其估计值两条过程线图，并配有纵、横坐标和图例。事件过程代码如下：

```
Private Sub XianShi1_Click()
    Dim ZZ(), ZZ1()                                    '声明过程级动态数组变量
    ReDim ZZ(n - 1, 1), ZZ1(n - 1, 1)
    For i = kk To n - 1
        ZZ(i, 0) = X(i)                                '将时间序列值赋予变量 ZZ(i, 0)
        ZZ1(i, 0) = ZZ(i, 0): ZZ0 = 0
        For j = 1 To kk: ZZ0 = ZZ0 + B(kk, j) * (X(i - j) - AVEX_PW): Next j
        ZZ(i, 1) = AVEX_PW + ZZ0                        '将时间序列估计值赋予变量 ZZ(i, 1)
        ZZ1(i, 1) = ZZ(i, 1)
    Next i

    For i = kk To n - 2                              '挑选时间序列值和估计值的最大、最小值
        For j = i + 1 To n - 1
            If ZZ1(i, 0) > ZZ1(j, 0) Then ij = ZZ1(i, 0): ZZ1(i, 0) = ZZ1(j, 0): ZZ1(j, 0) = ij
            If ZZ1(i, 1) > ZZ1(j, 1) Then ij = ZZ1(i, 1): ZZ1(i, 1) = ZZ1(j, 1): ZZ1(j, 1) = ij
        Next j
    Next i
    ZMAX1 = ZZ1(n - 1, 0): ZMIN1 = ZZ1(kk, 0): ZMAX2 = ZZ1(n - 1, 1): ZMIN2 = ZZ1(kk, 1)

    If ZMAX1 >= ZMAX2 Then       '将挑选到的时间序列值和估计值的最大值赋予变量 ZMAX
        ZMAX = ZMAX1
    Else
        ZMAX = ZMAX2
    End If
    If ZMIN1 <= ZMIN2 Then       '将挑选到的时间序列值和估计值的最小值赋予变量 ZMIN
        ZMIN = ZMIN1
    Else
        ZMIN = ZMIN2
    End If
```

```vb
' 限制时间序列值和估计值的显示范围
ZMAX_MIN = ZMAX – ZMIN: ZMIN = ZMIN - ZMAX_MIN * 0.5
ZMAX = ZMAX + ZMAX_MIN * 0.3
If ZMAX >= 10 Then ZMAX = Int(ZMAX)
If ZMAX >= 1 And ZMAX < 10 Then ZMAX = (Int((ZMAX) * 10)) / 10
If ZMAX >= 0.1 And ZMAX < 1 Then ZMAX = (Int((ZMAX) * 100)) / 100
If ZMAX >= 0.01 And ZMAX < 0.1 Then ZMAX = (Int((ZMAX) * 1000)) / 1000
If ZMAX >= 0 And ZMAX < 0.01 Then ZMAX = (Int((ZMAX) * 10000)) / 10000
If ZMIN <= -10 Then ZMIN = Int(ZMIN)
If ZMIN > -10 And ZMIN <= -1 Then ZMIN = (Int((ZMIN) * 10)) / 10
If ZMIN > -1 And ZMIN <= -0.1 Then ZMIN = (Int((ZMIN) * 100)) / 100
If ZMIN > -0.1 And ZMIN <= -0.01 Then ZMIN = (Int((ZMIN) * 1000)) / 1000
If ZMIN > -0.01 And ZMIN <= 0 Then ZMIN = (Int((ZMIN) * 10000)) / 10000


Picture1.Cls                                    ' 选择清除图片框 Picture1 中的内容
Picture1.ScaleMode = 0                          ' 选择自定义坐标系统
Picture1.AutoRedraw = True                      ' 图片框被遮盖后又重显时，会自动画图形
Picture1.ScaleLeft = -(n - 1 - kk) * 0.2        ' 设置自定义坐标系统四属性，使图形显示更美观
Picture1.ScaleTop = ZMAX + (ZMAX - ZMIN) * 0.15
Picture1.ScaleWidth = (n - 1 - kk) * 1.325
Picture1.ScaleHeight = -((ZMAX - ZMIN) * 1.3)


Picture1.DrawWidth = 3                           ' 设置线条宽度
Picture1.PSet (0, ZZ(kk, 0))                     ' 设置绘线起点
For i = 0 To n - 1 - kk
    Picture1.Line -(i, ZZ(i + kk, 0)), QBColor(12)      ' 绘制时间序列值过程线
Next i
Picture1.PSet (0, ZZ(kk, 1))
For i = 0 To n - 1 - kk
    Picture1.Line -(i, ZZ(i + kk, 1)), QBColor(2)       ' 绘制估计值过程线
Next i


Picture1.Line (-(n - 1 - kk) * 0.05, ZMIN)-((n - 1 - kk) * 1.05, ZMAX), , B      ' 绘制边框
Picture1.DrawWidth = 1
For i = 0 To 5                           ' 绘制等间距水平线并在左面标明刻度(即纵坐标)
    Picture1.PSet (-(n - 1 - kk) * 0.2, i * (ZMAX - ZMIN) / 5 + _
    0.1 * (ZMAX - ZMIN) / 5 + ZMIN), QBColor(7)
    ZongZuoBiao = i * (ZMAX - ZMIN) / 5 + ZMIN
    If Abs(ZongZuoBiao) >= 10000 Then Picture1.Print ZongZuoBiao
    If Abs(ZongZuoBiao) >= 1000 And Abs(ZongZuoBiao) < 10000 Then _
    Picture1.Print Int(10 * ZongZuoBiao) / 10
    If Abs(ZongZuoBiao) >= 100 And Abs(ZongZuoBiao) < 1000 Then _
    Picture1.Print Int(100 * ZongZuoBiao) / 100
    If Abs(ZongZuoBiao) >= 10 And Abs(ZongZuoBiao) < 100 Then Picture1._
    Print Int(1000 * ZongZuoBiao) / 1000
```

```
        If Abs(ZongZuoBiao) >= 0 And Abs(ZongZuoBiao) < 10 Then _
        Picture1.Print Int(10000 * ZongZuoBiao) / 10000
        Picture1.Line (-(n - 1 - kk) * 0.05, i * (ZMAX - ZMIN) / 5 + ZMIN)-((n - 1 - kk) _
            * 1.05, i * (ZMAX - ZMIN) / 5 + ZMIN)
    Next i

    If (n - 1 - kk) >= 5 Then
        Nmax = Int((n - 1 - kk) / 5)
    Else
        Nmax = 1
    End If
    For i = 0 To n - 1 - kk Step Nmax      ' 绘制等间距短垂直线并在下面标明刻度(即水平坐标轴)
        Picture1.Line (i, ZMIN + 0.1 * (ZMAX - ZMIN) / 5)-(i, ZMIN)
        Picture1.PSet (i - 0.055 * (n - 1 - kk), ZMIN - 0.2 * (ZMAX - ZMIN) / 5), QBColor(7)
        Picture1.Print MC(0) + i + kk
    Next i
    Picture1.PSet ((n - 1 - kk) * 1.025 / 2, ZMAX + 0.4 * (ZMAX - ZMIN) / 5), QBColor(7)
    Picture1.Print "红线:实测值        绿线:估计值"              ' 设置图例
End Sub
```

(8) 单击一级子菜单项【放大图形】所触发的事件过程 FangDaTuXing_Click()。

事件过程 FangDaTuXing_Click() 为显示历史拟合放大曲线图形做准备:首先把【历史拟合曲线图】、【上一步】、【下一步】和【退出】之外的主菜单项的 Enabled 属性均设置为 False;接着显示图片框 Picture2 并用 Cls 方法来清除 Picture2 中的内容;最后把显示回归分析结果和历史拟合正常图形的其它控件的 Visible 属性设置为 False。事件过程代码如下:

```
Private Sub FangDaTuXing_Click()
    DiTuiQiuJieMoXingCanShu.Enabled = False: XianShiCanShuGuJiJieGuo.Enabled = False
    QueRenGuJiJieGuo.Enabled = False: YuBao.Enabled = False
    QueRenZuiZhongJieGuo.Enabled = False: ZhengChangTuXing.Enabled = False

    Picture2.Visible = True
    Picture2.Cls
    For i = 0 To 10
        If i > 3 Then Label1(i).Visible = False
        If i < 3 Then Text1(i).Visible = False
        If i < 3 Then Shape1(i).Visible = False
    Next i
    Picture1.Visible = False: Combo1.Visible = False
End Sub
```

(9) 单击二级子菜单项【显示】所触发的事件过程 XianShi2_Click()。

事件过程 XianShi2_Click() 用来显示平稳时间序列值及其估计值的历史拟合放大曲线图。在图片框 Picture2 的自定义坐标系统中,用绘图语句绘制了平稳时间序列值及其估计值两条过程线图,并配有标题、纵横坐标和图例。事件过程代码如下:

```
Private Sub XianShi2_Click()
    Dim ZZ(), ZZ1()                                          ' 声明过程级动态数组变量
    ReDim ZZ(n - 1, 1), ZZ1(n - 1, 1)
    For i = kk To n - 1
        ZZ(i, 0) = X(i)                                      ' 将时间序列值赋予变量 ZZ(i, 0)
        ZZ1(i, 0) = ZZ(i, 0): ZZ0 = 0
        For j = 1 To kk: ZZ0 = ZZ0 + B(kk, j) * (X(i - j) - AVEX_PW): Next j
        ZZ(i, 1) = AVEX_PW + ZZ0                             ' 将时间序列估计值赋予变量 ZZ(i, 1)
        ZZ1(i, 1) = ZZ(i, 1)
    Next i

    For i = kk To n - 2                                      ' 挑选时间序列值和估计值的最大、最小值
        For j = i + 1 To n - 1
            If ZZ1(i, 0) > ZZ1(j, 0) Then ij = ZZ1(i, 0): ZZ1(i, 0) = ZZ1(j, 0): ZZ1(j, 0) = ij
            If ZZ1(i, 1) > ZZ1(j, 1) Then ij = ZZ1(i, 1): ZZ1(i, 1) = ZZ1(j, 1): ZZ1(j, 1) = ij
        Next j
    Next i
    ZMAX1 = ZZ1(n - 1, 0): ZMIN1 = ZZ1(kk, 0): ZMAX2 = ZZ1(n - 1, 1): ZMIN2 = ZZ1(kk, 1)

    If ZMAX1 >= ZMAX2 Then       ' 将挑选到的时间序列值和估计值的最大值赋予变量 ZMAX
        ZMAX = ZMAX1
    Else
        ZMAX = ZMAX2
    End If
    If ZMIN1 <= ZMIN2 Then       ' 将挑选到的时间序列值和估计值的最小值赋予变量 ZMIN
        ZMIN = ZMIN1
    Else
        ZMIN = ZMIN2
    End If


    ' 限制时间序列值和估计值序列的显示范围
    ZMAX_MIN = ZMAX - ZMIN: ZMIN = ZMIN - ZMAX_MIN * 0.5
    ZMAX = ZMAX + ZMAX_MIN * 0.3
    If ZMAX >= 10 Then ZMAX = Int(ZMAX)
    If ZMAX >= 1 And ZMAX < 10 Then ZMAX = (Int((ZMAX) * 10)) / 10
    If ZMAX >= 0.1 And ZMAX < 1 Then ZMAX = (Int((ZMAX) * 100)) / 100
    If ZMAX >= 0.01 And ZMAX < 0.1 Then ZMAX = (Int((ZMAX) * 1000)) / 1000
    If ZMAX >= 0 And ZMAX < 0.01 Then ZMAX = (Int((ZMAX) * 10000)) / 10000
    If ZMIN <= -10 Then ZMIN = Int(ZMIN)
    If ZMIN > -10 And ZMIN <= -1 Then ZMIN = (Int((ZMIN) * 10)) / 10
    If ZMIN > -1 And ZMIN <= -0.1 Then ZMIN = (Int((ZMIN) * 100)) / 100
    If ZMIN > -0.1 And ZMIN <= -0.01 Then ZMIN = (Int((ZMIN) * 1000)) / 1000
    If ZMIN > -0.01 And ZMIN <= 0 Then ZMIN = (Int((ZMIN) * 10000)) / 10000


    Picture2.FontSize = 11: Picture2.ForeColor = QBColor(9)
    Picture2.ScaleMode = 0                                   ' 选择自定义坐标系统
```

```
Picture2.AutoRedraw = True                              '图片框被遮盖后又重显时，会自动画图形
Picture2.ScaleLeft = -(n - 1 - kk) * 0.15               '设置自定义坐标系统四属性，使图形显示更美观
Picture2.ScaleTop = ZMAX + (ZMAX - ZMIN) * 0.15
Picture2.ScaleWidth = (n - 1 - kk) * 1.25
Picture2.ScaleHeight = -(ZMAX - ZMIN + (ZMAX - ZMIN) * 0.23)

Picture2.DrawWidth = 3                                   '设置线条宽度
Picture2.PSet (0, ZZ(kk, 0))                             '设置绘线起点
For i = 0 To n - 1 - kk
    Picture2.Line -(i, ZZ(i + kk, 0)), QBColor(12)       '绘制时间序列值过程线
Next i
Picture2.PSet (0, ZZ(kk, 1))
For i = 0 To n - 1 - kk
    Picture2.Line -(i, ZZ(i + kk, 1)), QBColor(2)        '绘制估计值过程线
Next i


Picture2.DrawWidth = 4
Picture2.Line (-(n - 1 - kk) * 0.05, ZMIN)-((n - 1 - kk) * 1.05, ZMAX), QBColor(6), B
Picture2.DrawWidth = 1
For i = 0 To 10                                          '绘制等间距水平线并在左面标明刻度(即纵坐标)
    Picture2.PSet (-(n - 1 - kk) * 0.15, i * (ZMAX - ZMIN) / 10 + 0.15 _
    * (ZMAX - ZMIN) / 10 + ZMIN), QBColor(7)
    ZongZuoBiao = i * (ZMAX - ZMIN) / 10 + ZMIN
    If Abs(ZongZuoBiao) >= 10000 Then Picture2.Print ZongZuoBiao
    If Abs(ZongZuoBiao) >= 1000 And Abs(ZongZuoBiao) < 10000 Then _
    Picture2.Print Int(10 * ZongZuoBiao) / 10
    If Abs(ZongZuoBiao) >= 100 And Abs(ZongZuoBiao) < 1000 Then _
    Picture2.Print Int(100 * ZongZuoBiao) / 100
    If Abs(ZongZuoBiao) >= 10 And Abs(ZongZuoBiao) < 100 Then _
    Picture2.Print Int(1000 * ZongZuoBiao) / 1000
    If Abs(ZongZuoBiao) >= 0 And Abs(ZongZuoBiao) < 10 Then _
    Picture2.Print Int(10000 * ZongZuoBiao) / 10000
    If i > 0 And i < 10 Then
        Picture2.Line (-(n - 1 - kk) * 0.05, i * (ZMAX - ZMIN) / 10 + ZMIN)-((n - 1 - kk) _
        * 1.05, i * (ZMAX - ZMIN) / 10 + ZMIN)
    End If
Next i


If (n - 1 - kk) >= 10 Then
    Nmax = Int((n - 1 - kk) / 10)
Else
    Nmax = 1
End If
For i = 0 To n - 1 - kk Step Nmax      '绘制等间距短垂直线并在下面标明刻度(即水平坐标轴)
    Picture2.Line (i, ZMIN + 0.1 * (ZMAX - ZMIN) / 10)-(i, ZMIN)
    Picture2.PSet (i - 0.0375 * (n - 1 - kk), ZMIN - 0.2 * (ZMAX - ZMIN) / 10), QBColor(7)
```

```
            Picture2.Print MC(0) + i + kk
        Next i
        Picture2.PSet ((n - 1 - kk) - (n - 1 - kk) / 3.5, ZMAX + 0.5 * (ZMAX - ZMIN) / 10), QBColor(7)
        Picture2.Print "红线: 实测值        绿线: 估计值"                          ' 设置图例
        Picture2.FontSize = 18
        Picture2.PSet ((n - 1 - kk) / 3, ZMAX + (ZMAX - ZMIN) / 10), QBColor(7)
        Picture2.Print "历史拟合曲线图"
End Sub
```

(10) 单击二级子菜单项【关闭】所触发的事件过程 GuanBi_Click()。

事件过程 GuanBi_Click() 使用户界面恢复到显示回归分析结果和历史拟合正常图形时的状态。事件过程代码如下:

```
Private Sub GuanBi_Click()
    DiTuiQiuJieMoXingCanShu.Enabled = False: XianShiCanShuGuJiJieGuo.Enabled = False
    QueRenGuJiJieGuo.Enabled = True: YuBao.Enabled = True
    QueRenZuiZhongJieGuo.Enabled = True: ZhengChangTuXing.Enabled = True

    Picture2.Visible = False
    For i = 0 To 10
        If i > 3 Then Label1(i).Visible = True
        If i < 3 Then Text1(i).Visible = True
        If i < 3 Then Shape1(i).Visible = True
    Next i
    Picture1.Visible = True: Combo1.Visible = True
End Sub
```

(11) 单击主菜单项【预报】所触发的事件过程 YuBao_Click()。

事件过程 YuBao_Click() 首先读取用作预报的序列值; 接着计算时间序列值的估计值; 最后在文本框 Text1(2) 的 Text 属性中显示用作预报的序列值及其估计值。事件过程代码如下:

```
Private Sub YuBao_Click()
    ReDim YuBaoYinZiZhi(kk)                        ' 重定义存放用作预报的序列值的数组变量
    Text1(2).Text = ""                            ' 将显示预报结果的文本框 Text 属性置空

    For i = 1 To kk: YuBaoYinZiZhi(i) = X(n - i): Next i        ' 读取用作预报的序列值
    YuBaoZhi = 0
    For i = 1 To kk
        On Error GoTo ErrorHandler
        YuBaoZhi = YuBaoZhi + B(kk, i) * (YuBaoYinZiZhi(i) - AVEX_PW)
    Next i
    YuBaoZhi = YuBaoZhi + AVEX_PW                              ' 计算时间序列值的估计值

    ' 显示用作预报的序列值及其估计值
    Ch$ = Chr(13) + Chr(10)
```

```
        JieGuo1$ = Space(4) & MC(1) & "预报因子值: "
        JieGuo2$ = ""
        For i = 1 To kk
                NF = Label2(2).Caption + 1 - i
                JieGuo2$ = JieGuo2$ & Ch$ & Space(4) & NF & "年" & ": " & CSng(YuBaoYinZiZhi(i))
        Next i
        JieGuo3$ = Ch$ & Space(4) & "此时, " & Label2(2).Caption + 1 & "年" & MC(1) _
        & "预报结果为: " & CSng(YuBaoZhi)
        Text1(2).Text = JieGuo1$ & JieGuo2$ & JieGuo3$

        Exit Sub
ErrorHandler:
        MsgBox(Err.Description)
End Sub
```

（12）单击主菜单项【确认最终结果】所触发的事件过程 QueRenZuiZhongJieGuo
_Click()。

事件过程 QueRenZuiZhongJieGuo_Click()首先将平稳时间序列分析结果标题、资料
统计年限、递推求解模型参数估计结果、逐年相对拟合误差、预报结果以及完成预报时
间等内容依次保存在一个全局变量中；接着要求用户确认保存结果（用于确定是否进行平
稳时间序列分析计算的判别系数字符串变量的内容）；最后将平稳时间序列自回归方程模
型形式保存在另一个全局变量中（不管确认保存结果与否）。事件过程代码如下：

```
Private Sub QueRenZuiZhongJieGuo_Click()
        Dim ZZ()                                            ' 声明过程级动态数组变量
        ReDim ZZ(n - 1), PWXLZ(n): ReDim Preserve YuBaoYinZiZhi(kk)

        On Error GoTo ErrorHandler
        Ch$ = Chr(13) + Chr(10)
        ' 保存标题
        JieGuo$ = Ch$ & Space(4) & MC(1) & "平稳时间序列分析与预报结果" & Ch$ & Ch$
        JieGuo$ = JieGuo$ & Space(8) & "(一)、资料统计年限: " & Ch$          ' 保存资料统计年限
        JieGuo$ = JieGuo$ & Space(8) & Label2(1).Caption & "～" & Label2(2).Caption & "年" _
        & Ch$ & Ch$

        ' 保存递推求解模型参数估计结果
        JieGuo$ = JieGuo$ & Space(8) & "(二)、递推求解模型参数估计结果: " & Ch$
        JieGuo$ = JieGuo$ & Space(8) & "最终预报误差 FPE 计算值分别为: "
        For k = 1 To n - 1
                JieGuo$ = JieGuo$ & Ch$ & Space(12) & "FPE(" & k & ") = " & CSng(FPE(k))
        Next k
        JieGuo$ = JieGuo$ & Ch$ & _
        Space(8) & "当模型阶数 k = " & kk & " 时, 自回归方程为: " & Ch$
        JieGuo$ = JieGuo$ & Space(12) & "Yn = ∑Bi * X(n-i)" & " (i = 1 ～ " & kk & ")" & Ch$
        JieGuo$ = JieGuo$ & Space(12) & "式中: Yn -- 预报对象 Y, Y 即: " & PWXL_XS$ & _
```

```
    Ch$ & Space(18) & "X(n-i) -- 预报因子" & Ch$ & Space(18) & "Bi -- 自回归系数，取值为："
    JieGuo1$ = ""
    For i = 1 To kk
        JieGuo1$ = JieGuo1$ & Ch$ & Space(18) & "B" & i & " = " & CSng(B(kk, i))
    Next i
    JieGuo$ = JieGuo$ & Space(4) & JieGuo1$ & Ch$ & Ch$

    ' 保存逐年相对拟合误差
    JieGuo$ = JieGuo$ & Space(8) & "(三)、相对拟合误差表：" & Ch$
    If WUCHA_XD_JD$ = "XD" Then JieGuo$ = JieGuo$ & Space(8) & "年份" & _
    Space(4) & "预报对象 Y 值" & Space(4) & "估计值" & Space(9) & "相对拟合误差(%)" & Ch$
    If WUCHA_XD_JD$ = "JD" Then JieGuo$ = JieGuo$ & Space(8) & "年份" & _
    Space(4) & "预报对象 Y 值" & Space(4) & "估计值" & Space(9) & "绝对拟合误差" & Ch$
    WUCHA = 0
    For i = kk To n - 1
        JieGuo$ = JieGuo$ & Space(8) & CInt(Label2(1).Caption) + i
        ZZ0 = 0
        For j = 1 To kk: ZZ0 = ZZ0 + B(kk, j) * (X(i - j) - AVEX_PW): Next j
        ZZ(i) = AVEX_PW + ZZ0: PWXLZ(i) = ZZ(i)
        JieGuo$ = JieGuo$ & Space(4) & X(i)
        JieGuo$ = JieGuo$ & Space(15 - Len(CStr(X(i)))) & CSng(ZZ(i))
        If WUCHA_XD_JD$ = "XD" Then JieGuo$ = JieGuo$ & Space(15 - Len(CStr(ZZ(i)))) _
        & CSng(Int(((ZZ(i) - X(i)) / X(i) + 0.00005) * 10000) / 100) & Ch$
        If WUCHA_XD_JD$ = "XD" Then _
        WUCHA = WUCHA + Abs(CSng(Int(((ZZ(i) - X(i)) / X(i) + 0.00005) * 10000) / 100))
        If WUCHA_XD_JD$ = "JD" Then JieGuo$ = JieGuo$ & Space(15 - Len(CStr(ZZ(i)))) _
        & CSng(Int((ZZ(i) - X(i) + 0.00005) * 10000) / 10000) & Ch$
        If WUCHA_XD_JD$ = "JD" Then _
        WUCHA = WUCHA + Abs(CSng(Int((ZZ(i) - X(i) + 0.00005) * 10000) / 10000))
    Next i
    PWXLZ(n) = YuBaoZhi
    JieGuo$ = JieGuo$ & Space(8) & "备注：" & Ch$
    JieGuo$ = JieGuo$ & Space(8) & "Y" & "：" & PWXL_XS$ & Ch$
    JieGuo$ = JieGuo$ & Space(8) & "预报对象序列多年平均值：" & CSng(AVEX_PW) & Ch$
    If WUCHA_XD_JD$ = "XD" Then JieGuo$ = JieGuo$ & _
    Space(8) & "相对拟合误差绝对值的多年平均值：" & WUCHA / n & " %" & Ch$ & Ch$
    If WUCHA_XD_JD$ = "JD" Then JieGuo$ = JieGuo$ & _
    Space(8) & "绝对拟合误差绝对值的多年平均值：" & WUCHA / n & Ch$ & Ch$

    JieGuo$ = JieGuo$ & Space(8) & "(四)、预报结果：" & Ch$          ' 保存预报结果
    For i = 1 To kk: YuBaoYinZiZhi(i) = X(n - i): Next i
    YuBaoZhi = 0
    For i = 1 To kk: YuBaoZhi = YuBaoZhi + B(kk, i) * (YuBaoYinZiZhi(i) - AVEX_PW): Next i
    YuBaoZhi = YuBaoZhi + AVEX_PW                    ' 计算时间序列预报对象的估计值
    PWXLZ(n) = YuBaoZhi
    JieGuo$ = JieGuo$ & Space(8) & MC(1) & "预报因子值："
```

```
    JieGuo1$ = ""
    For i = 1 To kk
        NF = Label2(2).Caption + 1 - i
        JieGuo1$=JieGuo1$ & Ch$ & Space(12) & NF & "年" & "：" & CSng(YuBaoYinZiZhi(i))
    Next i
    JieGuo2$ = Ch$ & Space(8) & "此时，" & Label2(2).Caption + 1 & "年" & MC(1) _
    & "预报结果为：" & CSng(YuBaoZhi)
    JieGuo$ = JieGuo$ & Space(4) & JieGuo1$ & JieGuo2$

    ' 保存完成预报时间
    JieGuo$ = JieGuo$ & Ch$ & Ch$ & Space(8) & "(五)、完成预报时间：" & Ch$ & _
    Space(8) & Now & Ch$

    Answer = MsgBox("您确认前述结果吗?", 36, "确认最终结果对话框")
    If Answer = 6 Then JieGuo_PWXL$ = JieGuo: PBXS_PWXL$ = "YES"
    If Answer = 7 Then PBXS_PWXL$ = "NO"

    ' 将平稳时间序列自回归方程形式储存在 PWXLX_MXXS$ 中
    PWXLX_MXXS$ = ""
    PWXLX_MXXS$ = Space(4) & "平稳时间序列自回归方程：" & Ch$
    PWXLX_MXXS$ = PWXLX_MXXS$ & _
    Space(4) & "当模型阶数 k = " & kk & " 时，自回归方程为：" & Ch$
    PWXLX_MXXS$ = PWXLX_MXXS$ & _
    Space(4) & "PW(n) = ∑Bi * X(n-i)" & "（i = 1 ～ " & kk & "）" & Ch$
    PWXLX_MXXS$ = PWXLX_MXXS$ & Space(4) & "式中：PW(n) -- 预报对象 Y, Y 即：" _
    & PWXL_XS$ & Ch$ & Space(10) & "X(n-i) -- 预报因子" & Ch$ & _
    Space(10) & "Bi -- 自回归系数，取值为："
    PWXLX_MXXS1$ = ""
    For i = 1 To kk
        PWXLX_MXXS1$ = PWXLX_MXXS1$ & Ch$ & _
        Space(10) & "B" & i & " = " & CSng(B(kk, i))
    Next i
    PWXLX_MXXS$ = PWXLX_MXXS$ & Space(4) & PWXLX_MXXS1$ & Ch$

    Exit Sub
ErrorHandler:
    MsgBox (Err.Description)
End Sub
```

(13) 单击主菜单项【上一步】所触发的事件过程 ShangYiBu_Click()。

事件过程 ShangYiBu_Click() 根据识别和提取时间序列趋势、周期项的判别系数字符串变量以及返回识别和提取时间序列周期项画面的判别系数字符串变量的内容来自动确定应用程序将要返回的窗体，或显示窗体 1 即重新输入时间序列值并确定时间序列类型，或显示窗体 2 即重新识别和提取趋势函数并进行趋势预报，或显示窗体 3 即重新用周期均值叠加分析法识别和提取周期函数并进行周期预报，或显示窗体 4 即重新用逐步回归周期分析法识别和提取周期函数并进行周期预报，或显示窗体 5 即重新用谐波分析法识别和提取周期函数并进行周期预报。事件过程代码如下：

```
Private Sub ShangYiBu_Click()
    ' 根据识别和提取时间序列趋势、周期项的判别系数字符串变量以及返回识别和提取时间_
      序列周期项画面的判别系数字符串变量的内容来确定应用程序返回的窗体并返回

    If PBXS_QS_ZX$ = "NO" And PBXS_QS_ZB$ = "NO" And _
    PBXS_ZQ_FC$ = "NO" And PBXS_ZQ_ZB$ = "NO" And _
    PBXS_ZQ_XB$ = "NO" And FHPBXS_ZQ_FC$ = "NO" And _
    FHPBXS_ZQ_ZB$ = "NO" And FHPBXS_ZQ_XB$ = "NO" Then
        Form6.Hide: Form1.Show    ' 显示窗体 1 即重新输入时间序列值并确定时间序列类型
    End If
    If (PBXS_QS_ZX$ = "YES" Or PBXS_QS_ZB$ = "YES") And _
    (PBXS_ZQ_FC$ = "NO" And PBXS_ZQ_ZB$ = "NO" And PBXS_ZQ_XB$ = "NO") Then
        Form6.Hide: Form2.Show    ' 显示窗体 2 即重新识别和提取趋势函数并进行趋势预报
    End If
    If PBXS_ZQ_FC$ = "YES" Or FHPBXS_ZQ_FC$ = "YES" Then
        ' 显示窗体 3 即重新用周期均值叠加分析法识别和提取周期函数并进行周期预报
        Form6.Hide: Form3.Show
    End If
    If PBXS_ZQ_ZB$ = "YES" Or FHPBXS_ZQ_ZB$ = "YES" Then
        ' 显示窗体 4 即重新用逐步回归周期分析法识别和提取周期函数并进行周期预报
        Form6.Hide: Form4.Show
    End If
    If PBXS_ZQ_XB$ = "YES" Or FHPBXS_ZQ_XB$ = "YES" Then
        ' 显示窗体 5 即重新用谐波分析法识别和提取周期函数并进行周期预报
        Form6.Hide: Form5.Show
    End If
End Sub
```

（14）单击一级子菜单项【非平稳时间序列分析】所触发的事件过程 FeiPingWenXuLie-FenXi_Click()。

事件过程 FeiPingWenXuLieFenXi_Click() 显示窗体 7 并将窗体 7【显示模型形式】、【上一步】、【退出】之外的主菜单项均设为不可用，将非平稳时间序列的名称以及序列开始、结束年份分别赋予窗体 7 中的 Label2(0) ～Label2(2) 的 Caption 属性中，将 Label1(0) 之外的其它控件均不显示，为显示非平稳时间序列最终分析计算的初始画面做准备。事件过程代码如下：

```
Private Sub FeiPingWenXuLieFenXi_Click()
    ' 为进行非平稳时间序列的最终分析计算准备
    Form6.Hide: Form7.Show                              ' 隐藏窗体 6, 显示窗体 7

    ' 将窗体 7【显示模型形式】、【上一步】、【退出】之外的主菜单项均设为不可用
    Form7.XianShiMoXingXingShi.Enabled = True: Form7.LiShiNiHeQuXianTu.Enabled = False
```

```
      Form7.YuBao.Enabled = False: Form7.BaoCun.Enabled = False

      Form7.Label2(0).Caption = MC(1)                              ' 显示非平稳时间序列名
      Form7.Label2(1).Caption = MC(0)                              ' 显示序列开始年份
      Form7.Label2(2).Caption = MC(0) + n - 1                      ' 显示序列结束年份

      ' 将窗体 7 内的 Label1(0)之外的其它控件均不显示, 即仅显示初始画面中的标题
      For i = 0 To 9
          If i > 0 Then Form7.Label1(i).Visible = False
          If i < 3 Then Form7.Label2(i).Visible = False
          If i < 3 Then Form7.Text1(i).Visible = False
          If i < 3 Then Form7.Shape1(i).Visible = False
      Next i
      Form7.Picture1.Visible = False: Form7.Picture2.Visible = False: Form7.Label1(0).Visible = True
      Form7.Label1(0).Caption = "欢迎使用非平稳序列系统应用模型结束程序"
  End Sub
```

(15)单击主菜单项【退出】所触发的事件过程 TuiChu_Click()(请参阅第 2 章 2.4.3 节的相应内容)。

以上给出了平稳时间序列分析应用程序的用户界面设计、属性设置、事件过程代码编写等详细步骤,下面举一个实例,进一步说明平稳时间序列分析应用程序的具体操作过程。

# 7.3 应用程序实例

本例继续选用新疆喀什地区叶尔羌河卡群水文站 1955~2003 年年最大流量时间序列,用逐步回归周期分析法对时间序列所隐含的周期函数项进行了识别和提取,并对提取周期函数项之后的非平稳时间序列的余差序列进行了平稳时间序列分析计算。现说明如下:

(1)时间序列值的输入与时间序列类型的确定与第 5 章 5.3 节中的相应内容相同。

(2)用逐步回归周期分析法识别和提取时间序列所隐含的周期函数项的过程也与第 5 章 5.3 节中的相应内容相同。

(3)在第 5 章图 5-6 中,选择主菜单项【下一步】、一级子菜单项【平稳时间序列分析计算】,则显示图 7-1 所示的平稳时间序列分析计算的初始画面。

(4)在图 7-1 中选择主菜单项【递推求解模型参数】,便显示图 7-2 所示的显示平稳时间序列参数估计结果的初始画面。

(5)在图 7-2 中,选择主菜单项【显示参数估计结果】,则会显示图 7-3 标签框"FPE 准则识别模型阶数 K"下侧文本框内的内容。此时,如果用户直接选择主菜单项【确认估计结果】,则会弹出图 7-4 所示的选择模型阶数提示框;如果用户单击图中的标签框 "请选择模型阶数 K"下侧组合框的下拉按钮,再选择模型阶数 $K$ 为 12,则在组合框下侧文本框内显示平稳时间序列模型方程和自回归系数,如果对估计结果满意,则选择主菜单项【确认估计结果】,结果见图 7-3。

图 7-1　平稳时间序列分析初始画面

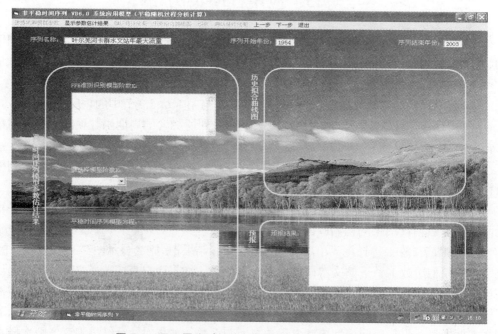

图 7-2　显示平稳时间序列参数估计结果的初始画面

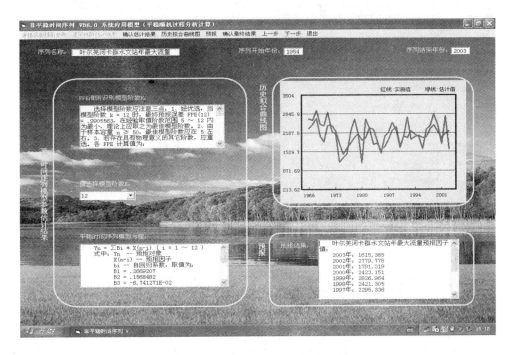

图 7-3  平稳时间序列参数估计结果

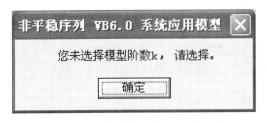

图 7-4  模型阶数选择提示框

(6)接着选择主菜单项【历史拟合曲线图】、一级子菜单项【正常图形】、二级子菜单项【显示】，则显示图 7-3 中标题为"历史拟合曲线图"的矩形形状控件内的图形。如果想放大图形，则选择主菜单项【历史拟合曲线图】、一级子菜单项【放大图形】、二级子菜单项【显示】，会显示图 7-5 中的历史拟合曲线放大图；选择主菜单项【历史拟合曲线图】、一级子菜单项【放大图形】、二级子菜单项【关闭】，便返回到图 7-3。

(7)最后选择图中的主菜单项【预报】，则在标题为"预报"的矩形形状控件中的文本框内显示预报结果，见图 7-3。

(8)在图 7-3 中，选择主菜单项【确认最终结果】，如果要确认并保存平稳时间序列分析与预报结果，则在弹出图 7-6 所示的确认最终结果对话框中，按下【是】按钮；否则按下【否】按钮。

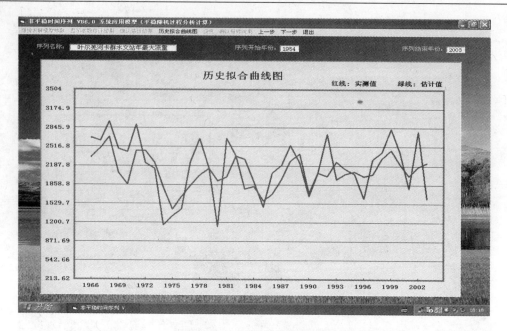

图 7-5　历史拟合曲线放大图

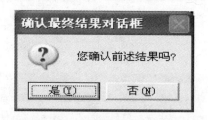

图 7-6　确认最终结果对话框

(9) 在图 7-3 中，选择主菜单项【上一步】，则返回到第 5 章图 5-6 所示的画面，用户可以用逐步回归周期分析法重新识别和提取非平稳时间序列周期函数。

(10) 在图 7-3 中，选择主菜单项【下一步】、一级子菜单项【非平稳时间序列分析】，则会显示第 8 章图 8-1 所示的非平稳时间序列最终分析计算的初始画面。

应用程序适用条件：本应用程序对样本容量数 $n$ 无明确限定，只要程序运行时不出现数据运算溢出现象即可。另外，所选用序列必须是平稳序列。

# 第 8 章 非平稳时间序列分析

第 3 章至第 7 章介绍了如何从非平稳时间序列中识别和提取所隐含的确定函数项（即趋势函数项、周期函数项或两者其一），并介绍了如何对提取确定函数项后的非平稳时间序列的余差序列进行平稳时间序列分析计算，至此从非平稳时间序列中识别与提取趋势函数项 $QS(t)$、周期函数项 $ZQ(t)$、平稳函数项 $PW(t)$ 的内容和方法全部介绍完毕。本章将介绍如何对识别与提取趋势、周期、平稳函数项后的非平稳时间序列进行外延预报。

## 8.1 非平稳时间序列系统应用模型类型及其形式

### 8.1.1 非平稳时间序列系统应用模型类型

在第 1 章曾经介绍过，对完成趋势、周期、平稳函数项的识别与提取后的非平稳时间序列进行外延预报，就是非平稳时间序列系统应用模型的基本思路。还介绍过，非平稳时间序列系统应用模型可分为三种类型：第一类是数学期望随时间变化的序列；第二类是方差随时间变化的序列；第三类是数学期望和方差都随时间变化的序列；而平稳时间序列仅仅是非平稳时间序列系统应用模型的一个特例。

对数学期望随时间变化的非平稳时间序列应采用加法模型进行外延预报，对方差随时间变化的非平稳时间序列要采用乘法模型进行外延预报，对数学期望和方差都随时间变化的非平稳时间序列采用混合模型进行外延预报。值得注意的是，在乘法模型和混合模型等式两侧取对数后，均可转化为加法模型。

### 8.1.2 非平稳时间序列系统应用模型形式

在实际应用中，用户不一定对时间序列都要进行趋势、周期、平稳函数项的识别、提取和分析，有时可能只分析其中的两项或一项，何况大量时间序列的观测样本不一定都表现出显著的趋势性、周期性和随机性，有时只表现出三者中的其二或其一。所以，本系统应用模型在研制开发过程中充分考虑到了用户的这些要求，即根据用户确定的时间序列类型以及对时间序列趋势性、周期性和随机性的选定情况，系统应用模型可分为平稳时间序列、数学期望随时间变化的非平稳时间序列、方差随时间变化的非平稳时间序列、数学期望与方差都随时间变化的非平稳时间序列等四大类，其中后三类每类又分为 23 种模型形式，具体模型形式请参阅第 1 章 1.5 节。

在第 7 章应用程序代码中，当应用乘法模型或混合模型来推算提取确定函数项后的平稳时间序列值时，是由模型等式两侧取对数转化为加法模型后推算而得，此时平稳时间序列值实际上是其逼近值或常数项 1 与逼近值之和的对数形式，所以在本章应用程序代码中确定对应的非平稳时间序列系统应用模型具体形式时，平稳函数项是平稳时间序列值的指数形式,这样做可以将平稳时间序列值转换为取对数前的原值(即转换为逼近值或常数项 1 与逼近值之和的状态)。

值得注意的是，对方差随时间变化或数学期望、方差随时间变化的非平稳时间序列系统应用模型而言，当用户未进行平稳时间序列分析计算或仅识别和提取平稳函数时，其类型会自动转换为数学期望随时间变化型(由第 1 章 1.1.2 节可见，如果不转换类型，乘法模型和混合模型的计算就会失去意义)。

另外，在非平稳时间序列系统应用模型运行过程中，如果用户仅进行确定函数的识别与提取而未进行平稳时间序列分析计算,则系统应用模型会对未来 10 年的序列值进行预测，否则仅预测未来 1 年的序列值(如果用户想同步预测未来 10 年的序列值，则可以将下一年的序列预测值增补到非平稳时间序列中，再采用同样的系统应用模型形式来预测次年序列值，以此类推，可预测未来 10 年的序列值;但据经验分析，预见期不要超过 2~3 年，否则预测结果会失真)。

### 8.1.3  分析计算流程

(1)根据用户选定的时间序列类型以及趋势、周期、平稳函数项的识别提取情况，来确定和显示非平稳时间序列系统应用模型类型和模型形式。

(2)显示非平稳时间序列历史拟合曲线图、进行非平稳时间序列预报、显示并保存非平稳时间序列预报结果(分主要过程与结果、详细过程与结果两种保存形式)等。

(3)如果对非平稳时间序列分析计算结果满意，则单击【退出】主菜单项，终止本系统应用模型的运行;否则可以单击【上一步】主菜单项，返回到第 7 章应用程序即将结束的画面，重新进行平稳时间序列分析计算。

# 8.2  应用程序步骤

## 8.2.1  设计用户界面

用户界面分别由 1 个窗体和添加在窗体上的若干控件或控件数组组成。

在第 2 章 2.4.1 节曾经介绍过，本系统应用模型中的窗体 7 用于系统应用模型时间序列最终分析计算，并显示和保存分析计算与预报结果，用户界面见本章 8.3 节中的图 8-2。在窗体 7 的菜单编辑器中，创建了【显示模型形式】、【历史拟合曲线图】、【预报】、【保存】、【上一步】、【退出】等 6 个主菜单控件。在【历史拟合曲线图】主菜单项内创建了一级子菜单项【正常图形】和【放大图形】，在【正常图形】子菜单项内创建了二级子菜单项【显示】，在【放大图形】子菜单项内创建了二级子菜单项【显示】和【关闭】。在【保存】主菜单项内创建了一级子菜单项【主要过程与结果】和【详细过程与结果】。

窗体 1 内还添加了 1 个图像框控件、1 个具有 3 个元素的矩形形状控件数组、1 个具有 10 个元素的无边框标签框控件数组、1 个具有 3 个元素的有边框标签框控件数组、1 个具有 3 个元素的文本框控件数组、2 个图片框控件和 1 个通用对话框控件。

## 8.2.2　属性设置

窗体 7 菜单对象的属性设置见表 8-1；窗体 7 以及窗体 7 内各控件对象的属性设置见表 8-2。各控件的字体属性如字体、字形、大小、效果、颜色等，用户在属性窗口中可以根据自己的爱好来确定。

表 8-1　窗体 7 菜单对象的属性设置

| 菜单等级 | 标题 | 名称 | 内缩符号 |
|---|---|---|---|
| 主菜单 | 显示模型形式 | XianShiMoXingXingShi | 无 |
| 主菜单 | 历史拟合曲线图 | LiShiNiHeQuXianTu | 无 |
| 一级子菜单 | 正常图形 | ZhengChangTuXing | ···· |
| 二级子菜单 | 显示 | XianShi1 | ········ |
| 一级子菜单 | 放大图形 | FangDaTuXing | ···· |
| 二级子菜单 | 显示 | XianShi2 | ········ |
| 二级子菜单 | 关闭 | GuanBi | ········ |
| 主菜单 | 预报 | YuBao | 无 |
| 主菜单 | 保存 | BaoCun | 无 |
| 一级子菜单 | 主要过程与结果 | ZhuYaoGuoChengYuJieGuo | ···· |
| 一级子菜单 | 详细过程与结果 | XiangXiGuoChengYuJieGuo | ···· |
| 主菜单 | 上一步 | ShangYiBu | 无 |
| 主菜单 | 退出 | TuiChu | 无 |

表 8-2　窗体 7 以及窗体 7 内各控件对象的属性设置

| 对象 | 属性 | 设置 |
|---|---|---|
| 窗体 1 | Caption | 非平稳时间序列 VB6.0 系统应用模型（结束） |
| | （名称） | Form7 |
| | WindowState | 2（最大化） |
| 图像框 | （名称） | Image1 |
| | Picture | （风景图） |
| | Stretch | True |
| 形状控件 1～形状控件 3 | （名称） | Shape1（0）、Shape1（1）、Shape1（2） |
| | BorderWidth | 3 |
| | Shape | 4（圆角矩形） |
| 标签框 1 | Caption | 置空 |
| | （名称） | Label1（0） |
| 标签框 2 | Caption | 序列名称： |
| | （名称） | Label1（1） |
| 标签框 3 | Caption | 序列开始年份： |
| | （名称） | Label1（2） |
| 标签框 4 | Caption | 序列结束年份： |
| | （名称） | Label1（3） |
| 标签框 5 | Caption | 模型类型及具体形式 |
| | （名称） | Label1（4） |

续表 8-2

| 对象 | 属性 | 设置 |
|---|---|---|
| 标签框 6 | Caption<br>(名称) | 模型类型:<br>Label1(5) |
| 标签框 7 | Caption<br>(名称) | 模型形式:<br>Label1(6) |
| 标签框 8 | Caption<br>(名称) | 历史拟合曲线图<br>Label1(7) |
| 标签框 9 | Caption<br>(名称) | 预报<br>Label1(8) |
| 标签框 10 | Caption<br>(名称) | 预报结果:<br>Label1(9) |
| 标签框 1～标签框 3 | Caption<br>(名称)<br>BorderStyle | 置空<br>Label2(0)、Label2(1)、Label2(2)<br>1(有边框) |
| 文本框 1～文本框 3 | (名称)<br>Text<br>MultiLine<br>ScrollBars | Text1(0)、Text1(1)、Text1(2)<br>置空<br>True<br>2 |
| 图片框控件 1～图片框控件 2 | (名称) | Picture1、Picture2 |
| 通用对话框控件 | (名称) | CommonDialog1 |

### 8.2.3　编写事件过程代码

非平稳时间序列分析应用程序界面共有 11 个事件过程。

11 个事件过程包括：单击【显示模型形式】主菜单项的 XianShiMoXingXingShi_Click()、单击【正常图形】一级子菜单项的 ZhengChangTuXing_Click()、单击【显示】二级子菜单项的 XianShi1_Click()、单击【放大图形】一级子菜单项的 FangDaTuXing_Click()、单击【显示】二级子菜单项的 XianShi2_Click()、单击【关闭】二级子菜单项的 GuanBi_Click()、单击【预报】主菜单项的 YuBao_Click()、单击【主要过程与结果】一级子菜单项的 ZhuYaoGuoChengYuJieGuo_Click()、单击【详细过程与结果】一级子菜单项的 XiangXiGuoChengYuJieGuo_Click()、单击【上一步】主菜单项的 ShangYiBu_Click()和单击【退出】主菜单项的 TuiChu_Click()。

11 个事件过程中有一部分计算功能、程序代码与前面章节相应内容相同或基本相同，这里主要介绍不同之处：

(1)首先在窗体的代码窗口声明部分，用关键词 Dim 声明了如下窗体级变量：

```
Dim GJZ() As Single                                    ' 存放非平稳时间序列估计值
```

(2) 单击主菜单项【显示模型形式】所触发的事件过程 XianShiMoXingXingShi_Click()。

事件过程 XianShiMoXingXingShi_Click()首先重新定义了存放非平稳时间序列估计值的动态数组变量，并将标签框设置为不可见，将文本框内容置空；接着根据用户选定的时间序列类型以及趋势、周期、平稳函数项的识别和提取情况，来计算非平稳时间序列估计值(本系统应用模型在分析计算与预报过程中，如果用户未进行平稳时间序列分析计算，则对未来 10 年的序列值进行预测，否则仅预测未来 1 年的序列值)，并确定、显示非平稳时间序列系统应用模型类型和模型形式；最后将显示非平稳时间序列分析预报结果的标签框、文本框、形状控件均设为可见，将图片框内容清空，并将【显示模型形式】之外的主菜单项的 Enabled 属性均设置为 True。事件过程代码如下：

```
Private Sub XianShiMoXingXingShi_Click()
    ReDim GJZ(n + 9)                              ' 重定义存放非平稳时间序列估计值的动态数组变量
    Ch$ = Chr(13) + Chr(10)
    Label1(0).Visible = False                                        ' 将标签框设置为不可见
    For i = 0 To 2: Text1(i).Text = "": Next i                        ' 将文本框内容置空

    ' 根据用户选定的时间序列类型以及趋势、周期、平稳函数项的识别和提取情况，_
        来计算非平稳时间序列估计值(在分析计算与预报过程中，_
        如果用户未进行平稳时间序列分析计算，则对未来 10 年的序列值进行预测，_
        否则仅预测未来 1 年的序列值)，并确定、显示非平稳时间序列系统应用模型类型和 _
        模型形式
    FPWXL_MXSM$ = ""                             ' 将存放非平稳时间序列模型类型的字符串变量置空
    FPWXL_MXXS$ = ""                             ' 将存放非平稳时间序列模型形式的字符串变量置空
    For i = 0 To n + 9
        If XuLieLeiXing = "您确定的序列类型是平稳序列!" Then
            If PBXS_PWXL$ = "YES" Then
                If i <= n Then GJZ(i) = PWXLZ(i)                      ' GJZ(n)即预报值
                FPWXL_MXSM$ = Space(4) & "模型类型：" _
                    & "您确定的序列类型是平稳序列。" & Ch$
                FPWXL_MXXS$ = Space(4) & "模型形式：" & "GJZ = PW" & Ch$
                FPWXL_MXXS$ = FPWXL_MXXS$ & Space(4) & "式中：GJZ -- " & MC(1) _
                    & "估计值" & Ch$ & Space(10) & "PW   -- 平稳函数" & Ch$ _
                    & Space(4) & "以下是有关函数具体形式或结果：" & Ch$ & Ch$
                FPWXL_MXXS$ = FPWXL_MXXS$ & PWXLX_MXXS$
                Text1(0).Text = Ch$ & Ch$ & FPWXL_MXSM$
                Text1(1).Text = Ch$ & FPWXL_MXXS$
            End If
            If PBXS_PWXL$ = "NO" Then
                MsgBox "您未对本系统应用模型进行任何有意义的操作，_
                    或操作后可能未确认最终结果!": LiShiNiHeQuXianTu.Enabled = False
                Exit Sub
            End If
        End If

        If XuLieLeiXing = "您确定的序列类型是均值时变非平稳序列!" Then
            ' 仅识别和提取趋势函数
            If PBXS_QS_ZX$ = "YES" And PBXS_ZQ_FC$ = "NO" And _
                PBXS_ZQ_ZB$="NO" And PBXS_ZQ_XB$="NO" And PBXS_PWXL$="NO" Then
```

```
        GJZ(i) = QSHSZ(i)
        FPWXL_MXSM$ = Space(4) & "模型类型: " _
        & "您确定的序列类型是均值时变非平稳型, 且仅识别提取了趋势函数。" _
        & Ch$
        FPWXL_MXXS$ = Space(4) & "模型形式: " & "GJZ = QS " & Ch$
        FPWXL_MXXS$ = FPWXL_MXXS$ & Space(4) & "式中:GJZ -- " & MC(1) _
        & "估计值" & Ch$ & Space(10) & "QS  -- 趋势函数" & Ch$ _
        & Space(10) & "以下是有关函数具体形式或结果: " & Ch$ & Ch$
        FPWXL_MXXS$ = FPWXL_MXXS$ & QSHSX_MXXS$
        Text1(0).Text = Ch$ & Ch$ & FPWXL_MXSM$
        Text1(1).Text = Ch$ & FPWXL_MXXS$
    End If

    If PBXS_QS_ZB$ = "YES" And PBXS_ZQ_FC$ = "NO" And _
    PBXS_ZQ_ZB$="NO" And PBXS_ZQ_XB$="NO" And PBXS_PWXL$="NO" Then
        GJZ(i) = QSHSZ(i)
        FPWXL_MXSM$ = Space(4) & "模型类型: " _
        & "您确定的序列类型是均值时变非平稳型, 且仅识别提取了趋势函数。" _
        & Ch$
        FPWXL_MXXS$ = Space(4) & "模型形式: " & "GJZ = QS " & Ch$
        FPWXL_MXXS$ = FPWXL_MXXS$ & Space(4) & "式中:GJZ -- " & MC(1) _
        & "估计值" & Ch$ & Space(10) & "QS   -- 趋势函数" & Ch$ _
        & Space(10) & "以下是有关函数具体形式或结果: " & Ch$ & Ch$
        FPWXL_MXXS$ = FPWXL_MXXS$ & QSHSX_MXXS$
        Text1(0).Text = Ch$ & Ch$ & FPWXL_MXSM$
        Text1(1).Text = Ch$ & FPWXL_MXXS$
    End If


    ' 仅识别和提取周期函数
    If PBXS_QS_ZX$ = "NO" And PBXS_QS_ZB$ = "NO" And _
    PBXS_ZQ_FC$ = "YES" And PBXS_PWXL$ = "NO" Then
        GJZ(i) = ZQHSZ(i)
        FPWXL_MXSM$ = Space(4) & "模型类型: " _
        & "您确定的序列类型是均值时变非平稳型, 且仅识别提取了周期函数。" _
        & Ch$
        FPWXL_MXXS$ = Space(4) & "模型形式: " & "GJZ = ZQ " & Ch$
        FPWXL_MXXS$ = FPWXL_MXXS$ & Space(4) & "式中:GJZ -- " & MC(1) _
        & "估计值" & Ch$ & Space(10) & "ZQ  -- 周期函数" & Ch$ _
        & Space(4) & "以下是有关函数具体形式或结果: " & Ch$ & Ch$
        FPWXL_MXXS$ = FPWXL_MXXS$ & ZQHSX_MXXS$
        Text1(0).Text = Ch$ & Ch$ & FPWXL_MXSM$
        Text1(1).Text = Ch$ & FPWXL_MXXS$
    End If
    If PBXS_QS_ZX$ = "NO" And PBXS_QS_ZB$ = "NO" And _
    PBXS_ZQ_ZB$ = "YES" And PBXS_PWXL$ = "NO" Then
        GJZ(i) = ZQHSZ(i)
        FPWXL_MXSM$ = Space(4) & "模型类型: "
```

```
                    & "您确定的序列类型是均值时变非平稳型，且仅识别提取了周期函数。" _
                    & Ch$
            FPWXL_MXXS$ = Space(4) & "模型形式：" & "GJZ = ZQ" & Ch$
            FPWXL_MXXS$ = FPWXL_MXXS$ & Space(4) & "式中:GJZ -- " & MC(1) _
                    & "估计值" & Ch$ & Space(10) & "ZQ  -- 周期函数" & Ch$ _
                    & Space(4) & "以下是有关函数具体形式或结果：" & Ch$ & Ch$
            FPWXL_MXXS$ = FPWXL_MXXS$ & ZQHSX_MXXS$
            Text1(0).Text = Ch$ & Ch$ & FPWXL_MXSM$
            Text1(1).Text = Ch$ & FPWXL_MXXS$
    End If
    If PBXS_QS_ZX$ = "NO" And PBXS_QS_ZB$ = "NO" And _
    PBXS_ZQ_XB$ = "YES" And PBXS_PWXL$ = "NO" Then
            GJZ(i) = ZQHSZ(i)
            FPWXL_MXSM$ = Space(4) & "模型类型：" _
                    & "您确定的序列类型是均值时变非平稳型，且仅识别提取了周期函数。" _
                    & Ch$
            FPWXL_MXXS$ = Space(4) & "模型形式：" & "GJZ = ZQ " & Ch$
            FPWXL_MXXS$ = FPWXL_MXXS$ & Space(4) & "式中:GJZ -- " & MC(1) _
                    & "估计值" & Ch$ & Space(10) & "ZQ  -- 周期函数" & Ch$ _
                    & Space(4) & "以下是有关函数具体形式或结果：" & Ch$ & Ch$
            FPWXL_MXXS$ = FPWXL_MXXS$ & ZQHSX_MXXS$
            Text1(0).Text = Ch$ & Ch$ & FPWXL_MXSM$
            Text1(1).Text = Ch$ & FPWXL_MXXS$
    End If

    ' 仅识别和提取平稳函数
    If PBXS_QS_ZX$ = "NO" And PBXS_QS_ZB$ = "NO" And _
    PBXS_ZQ_FC$ = "NO" And PBXS_ZQ_ZB$ = "NO" And _
    PBXS_ZQ_XB$ = "NO" And PBXS_PWXL$ = "YES" Then
            If i <= n Then GJZ(i) = PWXLZ(i)                     ' GJZ(n)即预报值
            FPWXL_MXSM$ = Space(4) & "模型类型：" _
                    & "您确定的序列类型是均值时变非平稳型，且仅识别提取了平稳函数。" _
                    & Ch$
            FPWXL_MXXS$ = Space(4) & "模型形式：" & "GJZ = PW" & Ch$
            FPWXL_MXXS$ = FPWXL_MXXS$ & Space(4) & "式中:GJZ -- " & MC(1) _
                    & "估计值" & Ch$ & Space(10) & "PW  -- 平稳函数" & Ch$ _
                    & Space(4) & "以下是有关方程具体形式：" & Ch$ & Ch$
            FPWXL_MXXS$ = FPWXL_MXXS$ & PWXLX_MXXS$
            Text1(0).Text = Ch$ & Ch$ & FPWXL_MXSM$
            Text1(1).Text = Ch$ & FPWXL_MXXS$
    End If

    ' 仅识别和提取趋势、周期函数
    If (PBXS_QS_ZX$ = "YES" And PBXS_ZQ_FC$ = "YES" And _
    PBXS_PWXL$ = "NO") Or (PBXS_QS_ZX$ = "YES" And _
    PBXS_ZQ_ZB$ = "YES" And PBXS_PWXL$ = "NO") Or _
```

```
        (PBXS_QS_ZX$ = "YES" And PBXS_ZQ_XB$ = "YES" And _
    PBXS_PWXL$ = "NO") Then
            GJZ(i) = QSHSZ(i) + ZQHSZ(i) - AVEX
            FPWXL_MXSM$ = Space(4) & "模型类型: " _
            & "您确定的序列类型是均值时变非平稳序列, _
            且仅识别和提取了趋势、周期函数。" & Ch$
            FPWXL_MXXS$ = Space(4) & "模型形式: " _
            & "GJZ = QS + ZQ - " & AVEX & Ch$
            FPWXL_MXXS$ = FPWXL_MXXS$ & Space(4) & "式中:GJZ -- " & MC(1) _
            & "估计值" & Ch$ & Space(10) & "QS  -- 趋势函数" & Ch$ _
            & Space(10) & "ZQ  -- 周期函数" & Ch$ _
            & Space(4) & "以下是有关函数具体形式或结果: " & Ch$ & Ch$
            FPWXL_MXXS$ = FPWXL_MXXS$ & QSHSX_MXXS$ & Ch$ _
            & ZQHSX_MXXS$
            Text1(0).Text = Ch$ & Ch$ & FPWXL_MXSM$
            Text1(1).Text = Ch$ & FPWXL_MXXS$
    End If
    If (PBXS_QS_ZB$ = "YES" And PBXS_ZQ_FC$ = "YES" And _
    PBXS_PWXL$ = "NO") Or (PBXS_QS_ZB$ = "YES" And _
    PBXS_ZQ_ZB$ = "YES" And PBXS_PWXL$ = "NO") Or _
    (PBXS_QS_ZB$ = "YES" And PBXS_ZQ_XB$ = "YES" And _
    PBXS_PWXL$ = "NO") Then
            GJZ(i) = QSHSZ(i) + ZQHSZ(i) - AVEX
            FPWXL_MXSM$ = Space(4) & "模型类型: " _
            & "您确定的序列类型是均值时变非平稳序列, _
            且仅识别和提取了趋势、周期函数。" & Ch$
            FPWXL_MXXS$ = Space(4) & "模型形式: " _
            & "GJZ = QS + ZQ - " & AVEX & Ch$
            FPWXL_MXXS$ = FPWXL_MXXS$ & Space(4) & "式中:GJZ -- " & MC(1) _
            & "估计值" & Ch$ & Space(10) & "QS  -- 趋势函数" & Ch$ _
            & Space(10) & "ZQ  -- 周期函数" & Ch$ _
            & Space(4) & "以下是有关函数具体形式或结果: " & Ch$ & Ch$
            FPWXL_MXXS$ = FPWXL_MXXS$ & QSHSX_MXXS$ & Ch$ _
            & ZQHSX_MXXS$
            Text1(0).Text = Ch$ & Ch$ & FPWXL_MXSM$
            Text1(1).Text = Ch$ & FPWXL_MXXS$
    End If

    ' 仅识别和提取周期、平稳函数
    If PBXS_QS_ZX$ = "NO" And PBXS_QS_ZB$ = "NO" And _
    PBXS_ZQ_FC$ = "YES" And PBXS_PWXL$ = "YES" Then
            If i <= n Then GJZ(i) = ZQHSZ(i) + PWXLZ(i) - AVEX
            FPWXL_MXSM$ = Space(4) & "模型类型: " _
            & "您确定的序列类型是均值时变非平稳序列, _
            且仅识别和提取了周期、平稳函数。" & Ch$
            FPWXL_MXXS$ = Space(4) & "模型形式: "
```

```
                & "GJZ = ZQ + PW - " & AVEX & Ch$
                FPWXL_MXXS$ = FPWXL_MXXS$ & Space(4) & "式中:GJZ -- " & MC(1) _
                & "估计值" & Ch$ & Space(10) & "ZQ  -- 周期函数" & Ch$ _
                & Space(10) & "PW  -- 平稳函数" & Ch$ _
                & Space(4) & "以下是有关函数具体形式或结果: " & Ch$ & Ch$
                FPWXL_MXXS$ = FPWXL_MXXS$ & ZQHSX_MXXS$ & Ch$ _
                & PWXLX_MXXS$
                Text1(0).Text = Ch$ & Ch$ & FPWXL_MXSM$
                Text1(1).Text = Ch$ & FPWXL_MXXS$
        End If
        If PBXS_QS_ZX$ = "NO" And PBXS_QS_ZB$ = "NO" And _
        PBXS_ZQ_ZB$ = "YES" And PBXS_PWXL$ = "YES" Then
                If i <= n Then GJZ(i) = ZQHSZ(i) + PWXLZ(i) - AVEX
                FPWXL_MXSM$ = Space(4) & "模型类型: " _
                & "您确定的序列类型是均值时变非平稳序列, _
                且仅识别和提取了周期、平稳函数。" & Ch$
                FPWXL_MXXS$ = Space(4) & "模型形式: " _
                & "GJZ = ZQ + PW - " & AVEX & Ch$
                FPWXL_MXXS$ = FPWXL_MXXS$ & Space(4) & "式中:GJZ -- " & MC(1) _
                & "估计值" & Ch$ & Space(10) & "ZQ  -- 周期函数" & Ch$ _
                & Space(10) & "PW  -- 平稳函数" & Ch$ _
                & Space(4) & "以下是有关函数具体形式或结果: " & Ch$ & Ch$
                FPWXL_MXXS$ = FPWXL_MXXS$ & ZQHSX_MXXS$ & Ch$ _
                & PWXLX_MXXS$
                Text1(0).Text = Ch$ & Ch$ & FPWXL_MXSM$
                Text1(1).Text = Ch$ & FPWXL_MXXS$
        End If
        If PBXS_QS_ZX$ = "NO" And PBXS_QS_ZB$ = "NO" And _
        PBXS_ZQ_XB$ = "YES" And PBXS_PWXL$ = "YES" Then
                If i <= n Then GJZ(i) = ZQHSZ(i) + PWXLZ(i) - AVEX
                FPWXL_MXSM$ = Space(4) & "模型类型: " _
                & "您确定的序列类型是均值时变非平稳序列, _
                且仅识别和提取了周期、平稳函数。" & Ch$
                FPWXL_MXXS$ = Space(4) & "模型形式: " _
                & "GJZ = ZQ + PW - " & AVEX & Ch$
                FPWXL_MXXS$ = FPWXL_MXXS$ & Space(4) & "式中:GJZ -- " & MC(1) _
                & "估计值" & Ch$ & Space(10) & "ZQ  -- 周期函数" & Ch$ _
                & Space(10) & "PW  -- 平稳函数" & Ch$ _
                & Space(4) & "以下是有关函数具体形式或结果: " & Ch$ & Ch$
                FPWXL_MXXS$ = FPWXL_MXXS$ & ZQHSX_MXXS$ & Ch$ _
                & PWXLX_MXXS$
                Text1(0).Text = Ch$ & Ch$ & FPWXL_MXSM$
                Text1(1).Text = Ch$ & FPWXL_MXXS$
        End If

' 仅识别和提取趋势、平稳函数
```

```
If PBXS_QS_ZX$ = "YES" And PBXS_ZQ_FC$ = "NO" And _
PBXS_ZQ_ZB$ = "NO" And PBXS_ZQ_XB$ = "NO" And _
PBXS_PWXL$ = "YES" Then
        If i <= n Then GJZ(i) = QSHSZ(i) + PWXLZ(i) - AVEX
        FPWXL_MXSM$ = Space(4) & "模型类型："  _
        & "您确定的序列类型是均值时变非平稳序列，_
        且仅识别和提取了趋势、平稳函数。" & Ch$
        FPWXL_MXXS$ = Space(4) & "模型形式："  _
        & "GJZ = QS + PW - " & AVEX & Ch$
        FPWXL_MXXS$ = FPWXL_MXXS$ & Space(4) & "式中:GJZ -- " & MC(1) _
        & "估计值" & Ch$ & Space(10) & "QS  -- 趋势函数" & Ch$ _
        & Space(10) & "PW  -- 平稳函数" & Ch$ _
        & Space(4) & "以下是有关函数具体形式或结果:" & Ch$ & Ch$
        FPWXL_MXXS$ = FPWXL_MXXS$ & QSHSX_MXXS$ & Ch$ _
        & PWXLX_MXXS$
        Text1(0).Text = Ch$ & Ch$ & FPWXL_MXSM$
        Text1(1).Text = Ch$ & FPWXL_MXXS$
End If
If PBXS_QS_ZB$ = "YES" And PBXS_ZQ_FC$ = "NO" And _
PBXS_ZQ_ZB$ = "NO" And PBXS_ZQ_XB$ = "NO" And _
PBXS_PWXL$ = "YES" Then
        If i <= n Then GJZ(i) = QSHSZ(i) + PWXLZ(i) - AVEX
        FPWXL_MXSM$ = Space(4) & "模型类型："  _
        & "您确定的序列类型是均值时变非平稳序列，_
        且仅识别和提取了趋势、平稳函数。" & Ch$
        FPWXL_MXXS$ = Space(4) & "模型形式:"  _
        & "GJZ = QS + PW - " & AVEX & Ch$
        FPWXL_MXXS$ = FPWXL_MXXS$ & Space(4) & "式中:GJZ -- " & MC(1) _
        & "估计值" & Ch$ & Space(10) & "QS   -- 趋势函数" & Ch$ _
        & Space(10) & "PW  -- 平稳函数" & Ch$ _
        & Space(4) & "以下是有关函数具体形式或结果:" & Ch$ & Ch$
        FPWXL_MXXS$ = FPWXL_MXXS$ & QSHSX_MXXS$ & Ch$ _
        & PWXLX_MXXS$
        Text1(0).Text = Ch$ & Ch$ & FPWXL_MXSM$
        Text1(1).Text = Ch$ & FPWXL_MXXS$
End If

' 趋势、周期、平稳函数均已识别和提取
If (PBXS_QS_ZX$ = "YES" And PBXS_ZQ_FC$ = "YES" And _
PBXS_PWXL$ = "YES") Or (PBXS_QS_ZX$ = "YES" And _
PBXS_ZQ_ZB$ = "YES" And PBXS_PWXL$ = "YES") Or _
(PBXS_QS_ZX$ = "YES" And PBXS_ZQ_XB$ = "YES" And _
PBXS_PWXL$ = "YES") Then
        If i <= n Then GJZ(i) = QSHSZ(i) + ZQHSZ(i) + PWXLZ(i) - 2 * AVEX
        FPWXL_MXSM$ = Space(4) & "模型类型："  _
        & "您确定的序列类型是均值时变非平稳序列，_
```

```
            且识别和提取了趋势、周期、平稳函数。" & Ch$
            FPWXL_MXXS$ = Space(4) & "模型形式: "_
            & "GJZ = QS + ZQ + PW - " & 2 * AVEX & Ch$
            FPWXL_MXXS$ = FPWXL_MXXS$ & Space(4) & "式中:GJZ--" & MC(1) _
            & "估计值" & Ch$ & Space(10) & "QS  --  趋势函数" & Ch$ _
            & Space(10) & "ZQ  --  周期函数" & Ch$ & Space(10) & "PW --平稳函数" _
            & Ch$ & Space(4) & "以下是有关函数具体形式或结果: " & Ch$ & Ch$
            FPWXL_MXXS$ = FPWXL_MXXS$ & QSHSX_MXXS$ & Ch$ _
            & ZQHSX_MXXS$ & Ch$ & PWXLX_MXXS$
            Text1(0).Text = Ch$ & Ch$ & FPWXL_MXSM$
            Text1(1).Text = Ch$ & FPWXL_MXXS$
        End If
        If (PBXS_QS_ZB$ = "YES" And PBXS_ZQ_FC$ = "YES" And _
        PBXS_PWXL$ = "YES") Or (PBXS_QS_ZB$ = "YES" And _
        PBXS_ZQ_ZB$ = "YES" And PBXS_PWXL$ = "YES") Or _
        (PBXS_QS_ZB$ = "YES" And PBXS_ZQ_XB$ = "YES" And _
        PBXS_PWXL$ = "YES") Then
            If i <= n Then GJZ(i) = QSHSZ(i) + ZQHSZ(i) + PWXLZ(i) - 2 * AVEX
            FPWXL_MXSM$ = Space(4) & "模型类型: "_
            & "您确定的序列类型是均值时变非平稳序列, _
            且识别和提取了趋势、周期、平稳函数。" & Ch$
            FPWXL_MXXS$ = Space(4) & "模型形式: "_
            & "GJZ = QS + ZQ + PW - " & 2 * AVEX & Ch$
            FPWXL_MXXS$ = FPWXL_MXXS$ & Space(4) & "式中:GJZ--" & MC(1) _
            & "估计值" & Ch$ & Space(10) & "QS -- 趋势函数" & Ch$ _
            & Space(10) & "ZQ  -- 周期函数" & Ch$ & Space(10) & "PW --平稳函数" _
            & Ch$ & Space(4) & "以下是有关函数具体形式或结果: " & Ch$ & Ch$
            FPWXL_MXXS$ = FPWXL_MXXS$ & QSHSX_MXXS$ & Ch$ _
            & ZQHSX_MXXS$ & Ch$ & PWXLX_MXXS$
            Text1(0).Text = Ch$ & Ch$ & FPWXL_MXSM$
            Text1(1).Text = Ch$ & FPWXL_MXXS$
        End If


        ' 趋势、周期、平稳函数均未识别和提取
        If PBXS_QS_ZX$ = "NO" And PBXS_QS_ZB$ = "NO" And _
        PBXS_ZQ_FC$ = "NO" And PBXS_ZQ_ZB$ = "NO" And _
        PBXS_ZQ_XB$ = "NO" And PBXS_PWXL$ = "NO" Then
            MsgBox "您未对本系统应用模型进行任何有意义的操作, _
            或操作后可能未确认最终结果!"
            LiShiNiHeQuXianTu.Enabled = False
            Exit Sub
        End If
    End If
End If

If XuLieLeiXing = "您确定的序列类型是方差时变非平稳序列!" Or _
XuLieLeiXing = "您确定的序列类型是均值、方差时变非平稳型!" Then
```

```
' 仅识别和提取趋势函数
If PBXS_QS_ZX$ = "YES" And PBXS_ZQ_FC$ = "NO" And _
PBXS_ZQ_ZB$="NO" And PBXS_ZQ_XB$="NO" And PBXS_PWXL$="NO" Then
    ' 序列类型发生变化
    If XuLieLeiXing = "您确定的序列类型是方差时变非平稳序列!" Then _
    FPWXL_MXSM$ = Space(4) & "模型类型: " _
    & "您确定的序列类型是方差时变非平稳序列, _
    由于您未进行平稳随机过程分析计算, _
    序列类型自动转换为均值时变非平稳型,且仅识别提取了趋势函数。" & Ch$
    If XuLieLeiXing = "您确定的序列类型是均值、方差时变非平稳型!" Then _
    FPWXL_MXSM$ = Space(4) & "模型类型: " _
    & "您确定的序列类型是均值、方差时变非平稳序列, _
    由于您未进行平稳随机过程分析计算, _
    序列类型自动转换为均值时变非平稳型,且仅识别提取了趋势函数。" & Ch$
    GJZ(i) = QSHSZ(i)
    FPWXL_MXXS$ = Space(4) & "模型形式: " & "GJZ = QS " & Ch$
    FPWXL_MXXS$ = FPWXL_MXXS$ & Space(4) & "式中:GJZ--" & MC(1) _
    & "估计值" & Ch$ & Space(10) & "QS --趋势函数" & Ch$ _
    & Space(10) & "以下是有关函数具体形式或结果: " & Ch$ & Ch$
    FPWXL_MXXS$ = FPWXL_MXXS$ & QSHSX_MXXS$
    Text1(0).Text = Ch$ & Ch$ & FPWXL_MXSM$
    Text1(1).Text = Ch$ & FPWXL_MXXS$
End If
If PBXS_QS_ZB$ = "YES" And PBXS_ZQ_FC$ = "NO" And _
PBXS_ZQ_ZB$="NO" And PBXS_ZQ_XB$="NO" And PBXS_PWXL$="NO" Then
    ' 序列类型发生变化
    If XuLieLeiXing = "您确定的序列类型是方差时变非平稳型!" Then _
    FPWXL_MXSM$ = Space(4) & "模型类型: " _
    & "您确定的序列类型是方差时变非平稳序列, _
    由于您未进行平稳随机过程分析计算, _
    序列类型自动转换为均值时变非平稳型,且仅识别提取了趋势函数。" & Ch$
    If XuLieLeiXing = "您确定的序列类型是均值、方差时变非平稳型!" Then _
    FPWXL_MXSM$ = Space(4) & "模型类型: " _
    & "您确定的序列类型是均值、方差时变非平稳序列, _
    由于您未进行平稳随机过程分析计算, _
    序列类型自动转换为均值时变非平稳型,且仅识别提取了趋势函数。" & Ch$
    GJZ(i) = QSHSZ(i)
    FPWXL_MXXS$ = Space(4) & "模型形式: " & "GJZ = QS " & Ch$
    FPWXL_MXXS$ = FPWXL_MXXS$ & Space(4) & "式中:GJZ--" & MC(1) _
    & "估计值" & Ch$ & Space(10) & "QS --趋势函数" & Ch$ _
    & Space(10) & "以下是有关函数具体形式或结果: " & Ch$ & Ch$
    FPWXL_MXXS$ = FPWXL_MXXS$ & QSHSX_MXXS$
    Text1(0).Text = Ch$ & Ch$ & FPWXL_MXSM$
    Text1(1).Text = Ch$ & FPWXL_MXXS$
End If
```

```
' 仅识别和提取周期函数
If PBXS_QS_ZX$ = "NO" And PBXS_QS_ZB$ = "NO" And _
PBXS_ZQ_FC$ = "YES" And PBXS_PWXL$ = "NO" Then
    ' 序列类型发生变化
    If XuLieLeiXing = "您确定的序列类型是方差时变非平稳序列!" Then _
    FPWXL_MXSM$ = Space(4) & "模型类型: " _
    & "您确定的序列类型是方差时变非平稳序列, _
    由于您未进行平稳随机过程分析计算, _
    序列类型自动转换为均值时变非平稳型,且仅识别提取了周期函数。" & Ch$
    If XuLieLeiXing = "您确定的序列类型是均值、方差时变非平稳型!" Then _
    FPWXL_MXSM$ = Space(4) & "模型类型: " _
    & "您确定的序列类型是均值、方差时变非平稳序列, _
    由于您未进行平稳随机过程分析计算, _
    序列类型自动转换为均值时变非平稳型,且仅识别提取了周期函数。" & Ch$
    GJZ(i) = ZQHSZ(i)
    FPWXL_MXXS$ = Space(4) & "模型形式: " & "GJZ = ZQ " & Ch$
    FPWXL_MXXS$ = FPWXL_MXXS$ & Space(4) & "式中: GJZ--" & MC(1) _
    & "估计值" & Ch$ & Space(10) & "ZQ --周期函数" & Ch$ _
    & Space(4) & "以下是有关函数具体形式或结果: " & Ch$ & Ch$
    FPWXL_MXXS$ = FPWXL_MXXS$ & ZQHSX_MXXS$
    Text1(0).Text = Ch$ & Ch$ & FPWXL_MXSM$
    Text1(1).Text = Ch$ & FPWXL_MXXS$
End If
If PBXS_QS_ZX$ = "NO" And PBXS_QS_ZB$ = "NO" And _
PBXS_ZQ_ZB$ = "YES" And PBXS_PWXL$ = "NO" Then
    ' 序列类型发生变化
    If XuLieLeiXing = "您确定的序列类型是方差时变非平稳序列!" Then _
    FPWXL_MXSM$ = Space(4) & "模型类型: " _
    & "您确定的序列类型是方差时变非平稳序列, _
    由于您未进行平稳随机过程分析计算, _
    序列类型自动转换为均值时变非平稳型,且仅识别提取了周期函数。" & Ch$
    If XuLieLeiXing = "您确定的序列类型是均值、方差时变非平稳型!" Then _
    FPWXL_MXSM$ = Space(4) & "模型类型: " _
    & "您确定的序列类型是均值、方差时变非平稳型, _
    由于您未进行平稳随机过程分析计算, _
    序列类型自动转换为均值时变非平稳型,且仅识别提取了周期函数。" & Ch$
    GJZ(i) = ZQHSZ(i)
    FPWXL_MXXS$ = Space(4) & "模型形式: " & "GJZ = ZQ " & Ch$
    FPWXL_MXXS$ = FPWXL_MXXS$ & Space(4) & "式中:GJZ--" & MC(1) _
    & "估计值" & Ch$ & Space(10) & "ZQ -- 周期函数" & Ch$ _
    & Space(4) & "以下是有关函数具体形式或结果: " & Ch$ & Ch$
    FPWXL_MXXS$ = FPWXL_MXXS$ & ZQHSX_MXXS$
    Text1(0).Text = Ch$ & Ch$ & FPWXL_MXSM$
    Text1(1).Text = Ch$ & FPWXL_MXXS$
End If
If PBXS_QS_ZX$ = "NO" And PBXS_QS_ZB$ = "NO" And _
```

```
     PBXS_ZQ_XB$ = "YES" And PBXS_PWXL$ = "NO" Then
          ' 序列类型发生变化
          If XuLieLeiXing = "您确定的序列类型是方差时变非平稳型!" Then _
          FPWXL_MXSM$ = Space(4) & "模型类型: " _
          & "您确定的序列类型是方差时变非平稳型, _
          由于您未进行平稳随机过程分析计算, _
          序列类型自动转换为均值时变非平稳型,且仅识别提取了周期函数。" & Ch$
          If XuLieLeiXing = "您确定的序列类型是均值、方差时变非平稳型!" Then _
          FPWXL_MXSM$ = Space(4) & "模型类型: " _
          & "您确定的序列类型是均值、方差时变非平稳型, _
          由于您未进行平稳随机过程分析计算, _
          序列类型自动转换为均值时变非平稳型,且仅识别提取了周期函数。" & Ch$
          GJZ(i) = ZQHSZ(i)
          FPWXL_MXXS$ = Space(4) & "模型形式: " & "GJZ = ZQ " & Ch$
          FPWXL_MXXS$ = FPWXL_MXXS$ & Space(4) & "式中:GJZ -- " & MC(1) _
          & "估计值" & Ch$ & Space(10) & "ZQ    -- 周期函数" & Ch$ _
          & Space(4) & "以下是有关函数具体形式或结果: " & Ch$ & Ch$
          FPWXL_MXXS$ = FPWXL_MXXS$ & ZQHSX_MXXS$
          Text1(0).Text = Ch$ & Ch$ & FPWXL_MXSM$
          Text1(1).Text = Ch$ & FPWXL_MXXS$
     End If


     ' 仅识别和提取平稳函数
     If PBXS_QS_ZX$ = "NO" And PBXS_QS_ZB$ = "NO" And _
     PBXS_ZQ_FC$ = "NO" And PBXS_ZQ_ZB$ = "NO" And _
     PBXS_ZQ_XB$ = "NO" And PBXS_PWXL$ = "YES" Then
          If i <= n Then GJZ(i) = PWXLZ(i)                        ' GJZ(n)即预报值
          If XuLieLeiXing = "您确定的序列类型是方差时变非平稳型!" Then _
          FPWXL_MXSM$ = Space(4) & "模型类型: " _
          & "您确定的序列类型是方差时变非平稳型, _
          由于您未识别和提取趋势、周期函数, _
          序列类型自动转换为均值时变非平稳型,且仅识别提取了平稳函数。" & Ch$
          If XuLieLeiXing = "您确定的序列类型是均值、方差时变非平稳型!" Then _
          FPWXL_MXSM$ = Space(4) & "模型类型: " _
          & "您确定的序列类型是均值、方差时变非平稳型, _
          由于您未识别和提取趋势、周期函数, _
          序列类型自动转换为均值时变非平稳型,且仅识别提取了平稳函数。" & Ch$
          FPWXL_MXXS$ = Space(4) & "模型形式: " & "GJZ = PW" & Ch$
          FPWXL_MXXS$ = FPWXL_MXXS$ & Space(4) & "式中:GJZ -- " & MC(1) _
          & "估计值" & Ch$ & Space(10) & "PW    -- 平稳函数" & Ch$ _
          & Space(4) & "以下是有关方程具体形式: " & Ch$ & Ch$
          FPWXL_MXXS$ = FPWXL_MXXS$ & PWXLX_MXXS$
          Text1(0).Text = Ch$ & Ch$ & FPWXL_MXSM$
          Text1(1).Text = Ch$ & FPWXL_MXXS$
     End If
```

```
' 仅识别和提取趋势、周期函数
If (PBXS_QS_ZX$ = "YES" And PBXS_ZQ_FC$ = "YES" And _
PBXS_PWXL$ = "NO") Or (PBXS_QS_ZX$ = "YES" And _
PBXS_ZQ_ZB$ = "YES" And PBXS_PWXL$ = "NO") Or _
(PBXS_QS_ZX$ = "YES" And PBXS_ZQ_XB$ = "YES" And _
PBXS_PWXL$ = "NO") Then
    ' 序列类型发生变化
    If XuLieLeiXing = "您确定的序列类型是方差时变非平稳型!" Then _
    FPWXL_MXSM$ = Space(4) & "模型类型: " _
    & "您确定的序列类型是方差时变非平稳型, _
    由于您未进行平稳随机过程分析计算, _
    序列类型自动转换为均值时变非平稳序列, _
    且仅识别和提取了趋势、周期函数。" & Ch$
    If XuLieLeiXing = "您确定的序列类型是均值、方差时变非平稳型!" Then _
    FPWXL_MXSM$ = Space(4) & "模型类型: " _
    & "您确定的序列类型是均值、方差时变非平稳型, _
    由于您未进行平稳随机过程分析计算, _
    序列类型自动转换为均值时变非平稳序列, _
    且仅识别和提取了趋势、周期函数。" & Ch$
    GJZ(i) = QSHSZ(i) + ZQHSZ(i) - AVEX
    FPWXL_MXXS$ = Space(4) & "模型形式: " _
    & "GJZ = QS + ZQ - " & AVEX & Ch$
    FPWXL_MXXS$=FPWXL_MXXS$ & Space(4) & "式中: GJZ -- " & MC(1) _
    & "估计值" & Ch$ & Space(10) & "QS  -- 趋势函数" & Ch$ _
    & Space(10) & "ZQ -- 周期函数" & Ch$ _
    & Space(4) & "以下是有关函数具体形式或结果: " & Ch$ & Ch$
    FPWXL_MXXS$ = FPWXL_MXXS$ & QSHSX_MXXS$ & Ch$ _
    & ZQHSX_MXXS$
    Text1(0).Text = Ch$ & Ch$ & FPWXL_MXSM$
    Text1(1).Text = Ch$ & FPWXL_MXXS$
End If
If (PBXS_QS_ZB$ = "YES" And PBXS_ZQ_FC$ = "YES" And _
PBXS_PWXL$ = "NO") Or (PBXS_QS_ZB$ = "YES" And _
PBXS_ZQ_ZB$ = "YES" And PBXS_PWXL$ = "NO") Or _
(PBXS_QS_ZB$ = "YES" And PBXS_ZQ_XB$ = "YES" And _
PBXS_PWXL$ = "NO") Then
    ' 序列类型发生变化
    If XuLieLeiXing = "您确定的序列类型是方差时变非平稳型!" Then _
    FPWXL_MXSM$ = Space(4) & "模型类型: " _
    & "您确定的序列类型是方差时变非平稳序列, _
    由于您未进行平稳随机过程分析计算, _
    序列类型自动转换为均值时变非平稳序列, _
    且仅识别和提取了趋势、周期函数。" & Ch$
    If XuLieLeiXing = "您确定的序列类型是均值、方差时变非平稳型!" Then _
    FPWXL_MXSM$ = Space(4) & "模型类型: " _
    & "您确定的序列类型是均值、方差时变非平稳型, _
```

```
        由于您未进行平稳随机过程分析计算，_
        序列类型自动转换为均值时变非平稳序列，_
        且仅识别和提取了趋势、周期函数。" & Ch$
        GJZ(i) = QSHSZ(i) + ZQHSZ(i) - AVEX
        FPWXL_MXXS$ = Space(4) & "模型形式：" _
        & "GJZ = QS + ZQ - " & AVEX & Ch$
        FPWXL_MXXS$=FPWXL_MXXS$ & Space(4) & "式中:GJZ -- " & MC(1) _
        & "估计值" & Ch$ & Space(10) & "QS -- 趋势函数" & Ch$ _
        & Space(10) & "ZQ  -- 周期函数" & Ch$ _
        & Space(4) & "以下是有关函数具体形式或结果：" & Ch$ & Ch$
        FPWXL_MXXS$ = FPWXL_MXXS$ & QSHSX_MXXS$ & Ch$ _
        & ZQHSX_MXXS$
        Text1(0).Text = Ch$ & Ch$ & FPWXL_MXSM$
        Text1(1).Text = Ch$ & FPWXL_MXXS$
End If

' 仅识别和提取周期、平稳函数
If PBXS_QS_ZX$ = "NO" And PBXS_QS_ZB$ = "NO" And _
PBXS_ZQ_FC$ = "YES" And PBXS_PWXL$ = "YES" Then
        If i <= n Then GJZ(i) = ZQHSZ(i) * Exp(PWXLZ(i))
        If XuLieLeiXing = "您确定的序列类型是方差时变非平稳型!" Then _
        FPWXL_MXSM$ = Space(4) & "模型类型：" _
        & "您确定的序列类型是方差时变非平稳序列，_
        且仅识别和提取了周期、平稳函数。" & Ch$
        If XuLieLeiXing = "您确定的序列类型是均值、方差时变非平稳型!" Then _
        FPWXL_MXSM$ = Space(4) & "模型类型：" _
        & "您确定的序列类型是均值、方差时变非平稳序列，_
        且仅识别和平稳了周期、平稳函数。" & Ch$
        FPWXL_MXXS$=Space(4) & "模型形式:" & "GJZ=ZQ * Exp(PW)" & Ch$
        FPWXL_MXXS$=FPWXL_MXXS$ & Space(4) & "式中:GJZ -- " & MC(1) _
        & "估计值" & Ch$ & Space(10) & "ZQ -- 周期函数" & Ch$ _
        & Space(10) & "PW  -- 平稳函数" & Ch$ _
        & Space(4) & "以下是有关函数具体形式或结果：" & Ch$ & Ch$
        FPWXL_MXXS$ = FPWXL_MXXS$ & ZQHSX_MXXS$ & Ch$ _
        & PWXLX_MXXS$
        Text1(0).Text = Ch$ & Ch$ & FPWXL_MXSM$
        Text1(1).Text = Ch$ & FPWXL_MXXS$
End If
If PBXS_QS_ZX$ = "NO" And PBXS_QS_ZB$ = "NO" And _
PBXS_ZQ_ZB$ = "YES" And PBXS_PWXL$ = "YES" Then
        If i <= n Then GJZ(i) = ZQHSZ(i) * Exp(PWXLZ(i))
        If XuLieLeiXing = "您确定的序列类型是方差时变非平稳型!" Then _
        FPWXL_MXSM$ = Space(4) & "模型类型：" _
        & "您确定的序列类型是方差时变非平稳序列，_
        且仅识别和提取了周期、平稳函数。" & Ch$
        If XuLieLeiXing = "您确定的序列类型是均值、方差时变非平稳型!" Then _
```

```
          FPWXL_MXSM$ = Space(4) & "模型类型：" _
          & "您确定的序列类型是均值、方差时变非平稳序列，_
          且仅识别和平稳了周期、平稳函数。" & Ch$
          FPWXL_MXXS$=Space(4) & "模型形式:" & "GJZ=ZQ * Exp(PW)" & Ch$
          FPWXL_MXXS$=FPWXL_MXXS$ & Space(4) & "式中:GJZ -- " & MC(1) _
          & "估计值" & Ch$ & Space(10) & "ZQ -- 周期函数" & Ch$ _
          & Space(10) & "PW  -- 平稳函数" & Ch$ _
          & Space(4) & "以下是有关函数具体形式或结果:" & Ch$ & Ch$
          FPWXL_MXXS$ = FPWXL_MXXS$ & ZQHSX_MXXS$ & Ch$ _
          & PWXLX_MXXS$
          Text1(0).Text = Ch$ & Ch$ & FPWXL_MXSM$
          Text1(1).Text = Ch$ & FPWXL_MXXS$
    End If
    If PBXS_QS_ZX$ = "NO" And PBXS_QS_ZB$ = "NO" And _
    PBXS_ZQ_XB$ = "YES" And PBXS_PWXL$ = "YES" Then
          If i <= n Then GJZ(i) = ZQHSZ(i) * Exp(PWXLZ(i))
          If XuLieLeiXing = "您确定的序列类型是方差时变非平稳型!" Then _
          FPWXL_MXSM$ = Space(4) & "模型类型：" _
          & "您确定的序列类型是方差时变非平稳序列，_
          且仅识别和提取了周期、平稳函数。" & Ch$
          If XuLieLeiXing = "您确定的序列类型是均值、方差时变非平稳型!" Then _
          FPWXL_MXSM$ = Space(4) & "模型类型：" _
          & "您确定的序列类型是均值、方差时变非平稳序列，_
          且仅识别和平稳了周期、平稳函数。" & Ch$
          FPWXL_MXXS$=Space(4) & "模型形式:" & "GJZ=ZQ * Exp(PW)" & Ch$
          FPWXL_MXXS$=FPWXL_MXXS$ & Space(4) & "式中:GJZ -- " & MC(1) _
          & "估计值" & Ch$ & Space(10) & "ZQ   -- 周期函数" & Ch$ _
          & Space(10) & "PW  -- 平稳函数" & Ch$ _
          & Space(4) & "以下是有关函数具体形式或结果：" & Ch$ & Ch$
          FPWXL_MXXS$ = FPWXL_MXXS$ & ZQHSX_MXXS$ & Ch$ _
          & PWXLX_MXXS$
          Text1(0).Text = Ch$ & Ch$ & FPWXL_MXSM$
          Text1(1).Text = Ch$ & FPWXL_MXXS$
    End If

    ' 仅识别和提取趋势、平稳函数
    If PBXS_QS_ZX$ = "YES" And PBXS_ZQ_FC$ = "NO" And _
    PBXS_ZQ_ZB$ = "NO" And PBXS_ZQ_XB$ = "NO" And _
    PBXS_PWXL$ = "YES" Then
          If i <= n Then GJZ(i) = QSHSZ(i) * Exp(PWXLZ(i))
          If XuLieLeiXing = "您确定的序列类型是方差时变非平稳型!" Then _
          FPWXL_MXSM$ = Space(4) & "模型类型：" _
          & "您确定的序列类型是方差时变非平稳序列，_
          且仅识别和提取了趋势、平稳函数。" & Ch$
          If XuLieLeiXing = "您确定的序列类型是均值、方差时变非平稳型!" Then _
          FPWXL_MXSM$ = Space(4) & "模型类型：" _
```

```
                    & "您确定的序列类型是均值、方差时变非平稳型， _
                    且仅识别和平稳了趋势、平稳函数。" & Ch$
                    FPWXL_MXXS$=Space(4) & "模型形式:" & "GJZ=QS * Exp(PW) " & Ch$
                    FPWXL_MXXS$=FPWXL_MXXS$ & Space(4) & "式中:GJZ -- " & MC(1) _
                    & "估计值" & Ch$ & Space(10) & "QS -- 趋势函数" & Ch$ _
                    & Space(10) & "PW  -- 平稳函数" & Ch$ _
                    & Space(4) & "以下是有关函数具体形式或结果: " & Ch$ & Ch$
                    FPWXL_MXXS$ = FPWXL_MXXS$ & QSHSX_MXXS$ & Ch$ _
                    & PWXLX_MXXS$
                    Text1(0).Text = Ch$ & Ch$ & FPWXL_MXSM$
                    Text1(1).Text = Ch$ & FPWXL_MXXS$
          End If

          If PBXS_QS_ZB$ = "YES" And PBXS_ZQ_FC$ = "NO" And _
          PBXS_ZQ_ZB$ = "NO" And PBXS_ZQ_XB$ = "NO" And _
          PBXS_PWXL$ = "YES" Then
                    If i <= n Then GJZ(i) = QSHSZ(i) * Exp(PWXLZ(i))
                    If XuLieLeiXing = "您确定的序列类型是方差时变非平稳型!" Then _
                    FPWXL_MXSM$ = Space(4) & "模型类型: " _
                    & "您确定的序列类型是方差时变非平稳型， _
                    且仅识别和提取了趋势、平稳函数。" & Ch$
                    If XuLieLeiXing = "您确定的序列类型是均值、方差时变非平稳型!" Then _
                    FPWXL_MXSM$ = Space(4) & "模型类型: " _
                    & "您确定的序列类型是均值、方差时变非平稳型， _
                    且仅识别和平稳了趋势、平稳函数。" & Ch$
                    FPWXL_MXXS$=Space(4) & "模型形式:" & "GJZ=QS * Exp(PW) " & Ch$
                    FPWXL_MXXS$=FPWXL_MXXS$ & Space(4) & "式中:GJZ -- " & MC(1) _
                    & "估计值" & Ch$ & Space(10) & "QS  -- 趋势函数" & _
                    Ch$ & Space(10) & "PW  -- 平稳函数" & Ch$ _
                    & Space(4) & "以下是有关函数具体形式或结果: " & Ch$ & Ch$
                    FPWXL_MXXS$ = FPWXL_MXXS$ & QSHSX_MXXS$ & Ch$ _
                    & PWXLX_MXXS$
                    Text1(0).Text = Ch$ & Ch$ & FPWXL_MXSM$
                    Text1(1).Text = Ch$ & FPWXL_MXXS$
          End If

          ' 趋势、周期、平稳函数均已识别和提取
          If (PBXS_QS_ZX$ = "YES" And PBXS_ZQ_FC$ = "YES" And _
          PBXS_PWXL$ = "YES") Or (PBXS_QS_ZX$ = "YES" And _
          PBXS_ZQ_ZB$ = "YES" And PBXS_PWXL$ = "YES") Or _
          (PBXS_QS_ZX$ = "YES" And PBXS_ZQ_XB$ = "YES" And _
          PBXS_PWXL$ = "YES") Then
                    If i <= n Then GJZ(i) = (QSHSZ(i) + ZQHSZ(i)) * Exp(PWXLZ(i))
                    If XuLieLeiXing = "您确定的序列类型是方差时变非平稳型!" Then _
                    FPWXL_MXSM$ = Space(4) & "模型类型: " _
                    & "您确定的序列类型是方差时变非平稳型， _
                    且识别和提取了趋势、周期、平稳函数。" & Ch$
```

```
        If XuLieLeiXing = "您确定的序列类型是均值、方差时变非平稳型!" Then _
        FPWXL_MXSM$ = Space(4) & "模型类型：" _
        & "您确定的序列类型是均值、方差时变非平稳型, _
        且识别和提取了趋势、周期、平稳函数。" & Ch$
        FPWXL_MXXS$ = Space(4) & "模型形式:" _
        & "GJZ = (QS + ZQ) * Exp(PW)" & Ch$
        FPWXL_MXXS$=FPWXL_MXXS$ & Space(4) & "式中:GJZ -- " & MC(1) _
        & "估计值" & Ch$ & Space(10) & "QS -- 趋势函数" & Ch$ _
        & Space(10) & "ZQ  -- 周期函数" & Ch$ _
        & Space(10) & "PW  -- 平稳函数" & Ch$ _
        & Space(4) & "以下是有关函数具体形式或结果：" & Ch$ & Ch$
        FPWXL_MXXS$ = FPWXL_MXXS$ & QSHSX_MXXS$ & Ch$ _
        & ZQHSX_MXXS$ & Ch$ & PWXLX_MXXS$
        Text1(0).Text = Ch$ & Ch$ & FPWXL_MXSM$
        Text1(1).Text = Ch$ & FPWXL_MXXS$
    End If
    If (PBXS_QS_ZB$ = "YES" And PBXS_ZQ_FC$ = "YES" And _
    PBXS_PWXL$ = "YES") Or (PBXS_QS_ZB$ = "YES" And _
    PBXS_ZQ_ZB$ = "YES" And PBXS_PWXL$ = "YES") Or _
    (PBXS_QS_ZB$ = "YES" And PBXS_ZQ_XB$ = "YES" And _
    PBXS_PWXL$ = "YES") Then
        If i <= n Then GJZ(i) = (QSHSZ(i) + ZQHSZ(i)) * Exp(PWXLZ(i))
        If XuLieLeiXing = "您确定的序列类型是方差时变非平稳型!" Then _
        FPWXL_MXSM$ = Space(4) & "模型类型：" _
        & "您确定的序列类型是方差时变非平稳序列, _
        且识别和提取了趋势、周期、平稳函数。" & Ch$
        If XuLieLeiXing = "您确定的序列类型是均值、方差时变非平稳型!" Then _
        FPWXL_MXSM$ = Space(4) & "模型类型：" _
        & "您确定的序列类型是均值、方差时变非平稳型, _
        且识别和提取了趋势、周期、平稳函数。" & Ch$
        FPWXL_MXXS$ = Space(4) & "模型形式：" _
        & "GJZ = (QS + ZQ) * Exp(PW)" & Ch$
        FPWXL_MXXS$=FPWXL_MXXS$ & Space(4) & "式中:GJZ -- " & MC(1) _
        & "估计值" & Ch$ & Space(10) & "QS  -- 趋势函数" & Ch$ _
        & Space(10) & "ZQ  -- 周期函数" & Ch$ _
        & Space(10) & "PW  -- 平稳函数" & Ch$ _
        & Space(4) & "以下是有关函数具体形式或结果：" & Ch$ & Ch$
        FPWXL_MXXS$ = FPWXL_MXXS$ & QSHSX_MXXS$ & Ch$ _
        & ZQHSX_MXXS$ & Ch$ & PWXLX_MXXS$
        Text1(0).Text = Ch$ & Ch$ & FPWXL_MXSM$
        Text1(1).Text = Ch$ & FPWXL_MXXS$
    End If

' 趋势、周期、平稳函数均未识别和提取
    If PBXS_QS_ZX$ = "NO" And PBXS_QS_ZB$ = "NO" And _
    PBXS_ZQ_FC$ = "NO" And PBXS_ZQ_ZB$ = "NO" And _
```

```
            PBXS_ZQ_XB$ = "NO" And PBXS_PWXL$ = "NO" Then
                MsgBox "您未对本系统应用模型进行任何有意义的操作,_
                或操作后可能未确认最终结果!"
                LiShiNiHeQuXianTu.Enabled = False
                Exit Sub
            End If
        End If
    Next i


    ' 将显示非平稳时间序列分析预报结果的标签框、文本框、形状控件均设为可见
    For i = 0 To 9
        If i > 0 Then Label1 (i).Visible = True
        If i < 3 Then Label2 (i).Visible = True
        If i < 3 Then Text1 (i).Visible = True: Shape1 (i).Visible = True
    Next i
    Picture1.Cls: Picture2.Cls                                       ' 将清空图片框内容

    ' 将【显示模型形式】之外的主菜单项的 Enabled 属性均设置为 True
    XianShiMoXingXingShi.Enabled = False: LiShiNiHeQuXianTu.Enabled = True
    YuBao.Enabled = True: BaoCun.Enabled = True
End Sub
```

(3) 单击一级子菜单项【正常图形】所触发的事件过程 ZhengChangTuXing_Click()。

事件过程 ZhengChangTuXing_Click() 为显示历史拟合正常曲线图形做准备, 即把图片框 Picture1 的 Visible 属性设置为 True。事件过程代码与第 3 章 3.5.3 节中的 ZhengChangTuXing_Click() 相同。

(4) 单击二级子菜单项【显示】所触发的事件过程 XianShi1_Click()。

事件过程 XianShi1_Click() 用来显示非平稳时间序列实测值及其估计值的历史拟合正常曲线图。在图片框 Picture1 的自定义坐标系统中, 用绘图语句绘制了非平稳时间序列实测值及其估计值两条过程线图, 并配有纵、横坐标和图例。事件过程代码与第 7 章 7.2.3 节中的 XianShi1_Click() 基本相同, 只需将下列一段语句:

```
For i = kk To n - 1
    ZZ(i, 0) = X(i)                                    ' 将时间序列值赋予变量 ZZ(i, 0)
    ZZ1(i, 0) = ZZ(i, 0): ZZ0 = 0
    For j = 1 To kk: ZZ0 = ZZ0 + B(kk, j) * (X(i - j) - AVEX_PW): Next j
    ZZ(i, 1) = AVEX_PW + ZZ0                          ' 将时间序列估计值赋予变量 ZZ(i, 1)
    ZZ1(i, 1) = ZZ(i, 1)
Next i
```

改为如下一段语句即可:

```
For i = kk To n - 1
    ZZ(i, 0) = XLZ(i)                          ' 将非平稳时间序列实测值赋予变量 ZZ(i, 0)
    ZZ1(i, 0) = ZZ(i, 0)
```

```
    ZZ(i, 1) = GJZ(i)                                    ' 将非平稳时间序列估计值赋予变量 ZZ(i, 1)
    ZZ1(i, 1) = ZZ(i, 1)
Next i
```

(5) 单击一级子菜单项【放大图形】所触发的事件过程 FangDaTuXing_Click()。

事件过程 FangDaTuXing_Click() 为显示历史拟合放大曲线图形做准备：首先把【历史拟合曲线图】、【上一步】和【退出】之外的主菜单项的 Enabled 属性均设置为 False；接着显示图片框 Picture2 并用 Cls 方法来清除 Picture2 中的内容；最后把显示非平稳时间序列模型类型及具体形式和历史拟合正常图形的其它控件的 Visible 属性设置为 False。事件过程代码如下：

```
Private Sub FangDaTuXing_Click()
    XianShiMoXingXingShi.Enabled = False: YuBao.Enabled = False
    BaoCun.Enabled = False: ZhengChangTuXing.Enabled = False

    Picture1.Visible = False : Picture2.Visible = True: Picture2.Cls
    For i = 0 To 9
        If i > 3 Then Label1(i).Visible = False
        If i < 3 Then Text1(i).Visible = False: Shape1(i).Visible = False
    Next i
End Sub
```

(6) 单击二级子菜单项【显示】所触发的事件过程 XianShi2_Click()。

事件过程 XianShi2_Click() 用来显示非平稳时间序列实测值及其估计值的历史拟合放大曲线图。在图片框 Picture2 的自定义坐标系统中，用绘图语句绘制了非平稳时间序列实测值及其估计值两条过程线图，并配有标题、纵横坐标和图例。事件过程代码与第 7 章 7.2.3 节中的 XianShi2_Click() 基本相同，只需将下列一段语句：

```
For i = kk To n - 1
    ZZ(i, 0) = X(i)                                         ' 将时间序列值赋予变量 ZZ(i, 0)
    ZZ1(i, 0) = ZZ(i, 0): ZZ0 = 0
    For j = 1 To kk: ZZ0 = ZZ0 + B(kk, j) * (X(i - j) - AVEX_PW): Next j
    ZZ(i, 1) = AVEX_PW + ZZ0                                ' 将时间序列估计值赋予变量 ZZ(i, 1)
    ZZ1(i, 1) = ZZ(i, 1)
Next i
```

改为如下一段语句即可：

```
For i = kk To n - 1
    ZZ(i, 0) = XLZ(i)                                      ' 将非平稳时间序列实测值赋予变量 ZZ(i, 0)
    ZZ1(i, 0) = ZZ(i, 0)
    ZZ(i, 1) = GJZ(i)                                      ' 将非平稳时间序列估计值赋予变量 ZZ(i, 1)
    ZZ1(i, 1) = ZZ(i, 1)
Next i
```

(7) 单击二级子菜单项【关闭】所触发的事件过程 GuanBi_Click()。

事件过程 GuanBi_Click() 使用户界面恢复到显示非平稳时间序列模型类型及具体形式和历史拟合正常图形时的状态。事件过程代码如下：

```
Private Sub GuanBi_Click()
    XianShiMoXingXingShi.Enabled = False: YuBao.Enabled = True
    BaoCun.Enabled = True: ZhengChangTuXing.Enabled = True

    Picture1.Visible = True : Picture2.Visible = False
    For i = 0 To 9
        If i > 3 Then Label1(i).Visible = True
        If i < 3 Then Text1(i).Visible = True: Shape1(i).Visible = True
    Next i
End Sub
```

(8)单击主菜单项【预报】所触发的事件过程 YuBao_Click()。

事件过程 YuBao_Click() 首先计算非平稳时间序列估计值(在分析计算与预报过程中，如果用户仅进行确定函数的识别与提取而未进行平稳时间序列分析计算，则对未来10 年序列值进行预测，否则仅预测未来 1 年序列值)；接着在文本框 Text1(2)的 Text 属性中显示预报结果。事件过程代码如下：

```
Private Sub YuBao_Click()
    Ch$ = Chr(13) + Chr(10): JieGuo2$ = ""
    For i = 1 To 10
        NF = Label2(2).Caption + i
        JieGuo1$ = Space(4) & NF & "年" & MC(1) & "有关函数值: "
        If PBXS_QS_ZX$ = "YES" Or PBXS_QS_ZB$ = "YES" Then JieGuo1$ = JieGuo1$ _
        & Ch$ & Space(4) & "趋势函数值: " & QSHSZ(n - 1 + i)
        If PBXS_ZQ_FC$ = "YES" Or PBXS_ZQ_ZB$ = "YES" Or PBXS_ZQ_XB$ = "YES" _
        Then JieGuo1$ = JieGuo1$ & Ch$ & Space(4) & "周期函数值: " & ZQHSZ(n - 1 + i)
        If PBXS_PWXL$ = "YES" Then
            JieGuo1$ = JieGuo1$ & Ch$ & Space(4) & "平稳函数值: " & PWXLZ(n)
            JieGuo2$ = Ch$ & JieGuo1$ & Ch$ & Space(4) _
            & "此时, " _& Label2(2).Caption + 1 & "年" & MC(1) & "预报结果为: " & GJZ(n)
            Exit For
        End If
        If PBXS_PWXL$ = "NO" Then JieGuo1$ = JieGuo1$ & Ch$ & Space(4) & "此时, " _
        & Label2(2).Caption + 1 & "年" & MC(1) & "预报结果为: " & GJZ(n - 1 + i)
        JieGuo2 = JieGuo2 & Ch$ & JieGuo1$ & Ch$
    Next i
    Text1(2).Text = JieGuo2$                                    ' 显示预报结果
End Sub
```

(9)单击一级子菜单项【主要过程与结果】所触发的事件过程 ZhuYaoGuoChengYuJie-Guo_Click()。

事件过程 ZhuYaoGuoChengYuJieGuo_Click() 首先将系统应用模型主要分析预报过

程与结果的标题、系统应用模型所识别与提取的函数项名称、系统应用模型类型及具体
形式、资料统计年限、非平稳时间序列相对拟合误差表、非平稳时间序列预报结果以及
完成预报时间等内容依次保存在一个全局变量中；接着通过【请输入保存系统应用模型
分析预报结果的顺序文本文件名：】通用对话框，要求用户输入顺序文本文件名；最后
以 Output 方式打开顺序文本文件，将全局变量中的内容(即系统应用模型主要分析预报
过程与结果)写入该顺序文本文件。事件过程代码如下：

```
Private Sub ZhuYaoGuoChengYuJieGuo_Click()
    Dim HSMC$(3)                                          ' 存放所识别和提取的函数名称
    On Error GoTo ErrorHandler: Ch$ = Chr(13) + Chr(10)

    ' 保存系统应用模型主要分析预报过程与结果的标题
    JieGuo$ = Ch$ & Space(4) & MC(1) _
    & "非平稳时间序列  VB6.0  系统应用模型主要分析预报过程与结果" & Ch$ & Ch$

    ' 保存系统应用模型所识别与提取的函数项名称
    JieGuo$ = JieGuo$ & Space(4) & "一、系统应用模型所识别与提取的函数项:" & Ch$ & Ch$
    JieGuo$ = JieGuo$ & Space(4) & "本系统应用模型可根据用户确定的序列类型, _
    从序列中识别与提取趋势、周期和平稳" & Ch$ & Space(4) _
    & "函数, 然后根据与用户所确定的序列类型所对应的模型形式 (分别是平稳序列、" _
    & Ch$ & Space(4) & "均值时变非平稳序列、方差时变非平稳序列、均值与方差时变_
    非平稳序列等四大类, 加之" & Ch$ & Space(4) & "各函数项的不同组合, _
    其中后三类每类共有 23 种模型形式) 进行分析与预报。" & Ch$
    JieGuo$ = JieGuo$ & Space(4) & "本次识别与提取的函数项有: " & Ch$
    If PBXS_QS_ZX$ = "YES" Then JieGuo$ = JieGuo$ _
    & Space(8) & "-- 非平稳序列一元线性回归趋势分析" & Ch$
    If PBXS_QS_ZB$ = "YES" Then JieGuo$ = JieGuo$ _
    & Space(8) & "-- 非平稳序列逐步回归趋势分析" & Ch$
    If PBXS_ZQ_FC$ = "YES" Then JieGuo$ = JieGuo$ _
    & Space(8) & "-- 周期均值叠加分析" & Ch$
    If PBXS_ZQ_ZB$ = "YES" Then JieGuo$ = JieGuo$ _
    & Space(8) & "-- 非平稳序列逐步回归周期分析" & Ch$
    If PBXS_ZQ_XB$ = "YES" Then JieGuo$ = JieGuo$ & Space(8) & "-- 谐波分析" & Ch$
    If PBXS_PWXL$ = "YES" Then JieGuo$ = JieGuo$ _
    & Space(8) & "-- 平稳时间序列分析" & Ch$ & Ch$ & Ch$

    ' 保存系统应用模型类型及具体形式
    JieGuo$ = JieGuo$ & Space(4) & "二、系统应用模型类型及具体形式: " & Ch$ & Ch$
    JieGuo$ = JieGuo$ & FPWXL_MXSM$ & FPWXL_MXXS$ & Ch$ & Ch$

    ' 保存资料统计年限
    JieGuo$ = JieGuo$ & Space(4) & "三、资料统计年限: " & Ch$ & Ch$
    JieGuo$ = JieGuo$ & Space(4) & Label2(1).Caption & "~" & Label2(2).Caption _
    & "年( 序列长度 n = " & n & ")。" & Ch$ & Ch$ & Ch$
```

```vb
' 保存非平稳时间序列相对拟合误差表
JieGuo$ = JieGuo$ & Space(4) & "四、相对拟合误差表：" & Ch$ & Ch$: HSZS = 0
If PBXS_QS_ZX$ = "YES" Then _
HSZS = HSZS + 1: HSMC$(HSZS) = "一元线性回归分析趋势函数项估计值"
If PBXS_QS_ZB$ = "YES" Then _
HSZS = HSZS + 1: HSMC$(HSZS) = "逐步回归分析趋势函数项估计值"
If PBXS_ZQ_FC$ = "YES" Then _
HSZS = HSZS + 1: HSMC$(HSZS) = "周期均值叠加分析周期函数项估计值"
If PBXS_ZQ_ZB$ = "YES" Then _
HSZS = HSZS + 1: HSMC$(HSZS) = "逐步回归周期分析周期函数项估计值"
If PBXS_ZQ_XB$ = "YES" Then _
HSZS = HSZS + 1: HSMC$(HSZS) = "谐波分析周期函数项估计值"
If PBXS_PWXL$ = "YES" Then HSZS = HSZS + 1: _
HSMC$(HSZS) = "平稳时间序列自回归方程中预报对象 Y 的估计值(请参阅之)"

JieGuo$ = JieGuo$ & Space(4) & "年份"
For i = 1 To HSZS: JieGuo$ = JieGuo$ & Space(4) & "预报因子 X" & i & "值": Next i
JieGuo$ = JieGuo$ & Space(4) & "预报对象 Y 值" & Space(5) & "估计值" _
& Space(10) & "相对拟合误差(%)" & Ch$
WUCHA = 0
If PBXS_PWXL$ = "YES" Then t = kk
If PBXS_PWXL$ = "NO" Then t = 0
For i = t To n - 1
    JieGuo$ = JieGuo$ & Space(4) & CInt(Label2(1).Caption) + i
    If HSZS = 1 Then
        ' 仅识别和提取趋势函数
        If PBXS_QS_ZX$ = "YES" Or PBXS_QS_ZB$ = "YES" Then
            JieGuo$ = JieGuo$ & Space(4) & QSHSZ(i) _
            & Space(16 - Len(CStr(QSHSZ(i)))) & XLZ(i)
        End If

        ' 仅识别和提取周期函数
        If PBXS_ZQ_FC$ = "YES" Or PBXS_ZQ_ZB$ = "YES" Or _
        PBXS_ZQ_XB$ = "YES" Then
            JieGuo$ = JieGuo$ & Space(4) & ZQHSZ(i) _
            & Space(16 - Len(CStr(ZQHSZ(i)))) & XLZ(i)
        End If

        ' 仅识别和提取平稳函数
        If PBXS_PWXL$ = "YES" Then
            JieGuo$ = JieGuo$ & Space(4) & PWXLZ(i) _
            & Space(16 - Len(CStr(PWXLZ(i)))) & XLZ(i)
        End If
    End If
    If HSZS = 2 Then
        ' 仅识别和提取趋势、周期函数
```

```
    If (PBXS_QS_ZX$ = "YES" And PBXS_ZQ_FC$ = "YES") Or _
    (PBXS_QS_ZX$ = "YES" And PBXS_ZQ_ZB$ = "YES") Or _
    (PBXS_QS_ZX$ = "YES" And PBXS_ZQ_XB$ = "YES") Then
        JieGuo$ = JieGuo$ & Space(4) & QSHSZ(i) _
        & Space(16 - Len(CStr(QSHSZ(i)))) & ZQHSZ(i) _
        & Space(16 - Len(CStr(ZQHSZ(i)))) & XLZ(i)
    End If
    If (PBXS_QS_ZB$ = "YES" And PBXS_ZQ_FC$ = "YES") Or _
    (PBXS_QS_ZB$ = "YES" And PBXS_ZQ_ZB$ = "YES") Or _
    (PBXS_QS_ZB$ = "YES" And PBXS_ZQ_XB$ = "YES") Then
        JieGuo$ = JieGuo$ & Space(4) & QSHSZ(i) _
        & Space(16 - Len(CStr(QSHSZ(i)))) & ZQHSZ(i) _
        & Space(16 - Len(CStr(ZQHSZ(i)))) & XLZ(i)
    End If

    ' 仅识别和提取周期、平稳函数
    If PBXS_ZQ_FC$ = "YES" And PBXS_PWXL$ = "YES" Then
        JieGuo$ = JieGuo$ & Space(4) & ZQHSZ(i) _
        & Space(16 - Len(CStr(ZQHSZ(i)))) & PWXLZ(i) _
        & Space(16 - Len(CStr(PWXLZ(i)))) & XLZ(i)
    End If
    If PBXS_ZQ_ZB$ = "YES" And PBXS_PWXL$ = "YES" Then
        JieGuo$ = JieGuo$ & Space(4) & ZQHSZ(i) _
        & Space(16 - Len(CStr(ZQHSZ(i)))) & PWXLZ(i) _
        & Space(16 - Len(CStr(PWXLZ(i)))) & XLZ(i)
    End If
    If PBXS_ZQ_XB$ = "YES" And PBXS_PWXL$ = "YES" Then
        JieGuo$ = JieGuo$ & Space(4) & ZQHSZ(i) _
        & Space(16 - Len(CStr(ZQHSZ(i)))) & PWXLZ(i) _
        & Space(16 - Len(CStr(PWXLZ(i)))) & XLZ(i)
    End If

    ' 仅识别和提取趋势、平稳函数
    If PBXS_QS_ZX$ = "YES" And PBXS_PWXL$ = "YES" Then
        JieGuo$ = JieGuo$ & Space(4) & QSHSZ(i) _
        & Space(16 - Len(CStr(QSHSZ(i)))) & PWXLZ(i) _
        & Space(16 - Len(CStr(PWXLZ(i)))) & XLZ(i)
    End If
    If PBXS_QS_ZB$ = "YES" And PBXS_PWXL$ = "YES" Then
        JieGuo$ = JieGuo$ & Space(4) & QSHSZ(i) _
        & Space(16 - Len(CStr(QSHSZ(i)))) & PWXLZ(i) _
        & Space(16 - Len(CStr(PWXLZ(i)))) & XLZ(i)
    End If
End If
If HSZS = 3 Then
    ' 趋势、周期、平稳函数均已识别和提取
```

```
        If (PBXS_QS_ZX$ = "YES" And PBXS_ZQ_FC$ = "YES" And _
        PBXS_PWXL$ = "YES") Or (PBXS_QS_ZX$ = "YES" And _
        PBXS_ZQ_ZB$ = "YES" And PBXS_PWXL$ = "YES") Or _
        (PBXS_QS_ZX$ = "YES" And PBXS_ZQ_XB$ = "YES" And _
        PBXS_PWXL$ = "YES") Then
                JieGuo$ = JieGuo$ & Space(4) & QSHSZ(i) _
                & Space(16 - Len(CStr(QSHSZ(i)))) & ZQHSZ(i) _
                & Space(16 - Len(CStr(ZQHSZ(i)))) & PWXLZ(i) _
                & Space(16 - Len(CStr(PWXLZ(i)))) & XLZ(i)
        End If
        If (PBXS_QS_ZB$ = "YES" And PBXS_ZQ_FC$ = "YES" And _
        PBXS_PWXL$ = "YES") Or (PBXS_QS_ZB$ = "YES" And _
        PBXS_ZQ_ZB$ = "YES" And PBXS_PWXL$ = "YES") Or _
        (PBXS_QS_ZB$ = "YES" And PBXS_ZQ_XB$ = "YES" And _
        PBXS_PWXL$ = "YES") Then
                JieGuo$ = JieGuo$ & Space(4) & QSHSZ(i) _
                & Space(16 - Len(CStr(QSHSZ(i)))) & ZQHSZ(i) _
                & Space(16 - Len(CStr(ZQHSZ(i)))) & PWXLZ(i) _
                & Space(16 - Len(CStr(PWXLZ(i)))) & XLZ(i)
        End If
    End If
    JieGuo$ = JieGuo$ & Space(16 - Len(CStr(XLZ(i)))) & CSng(GJZ(i))
    JieGuo$ = JieGuo$ & Space(16 - Len(CStr(CSng(GJZ(i))))) _
    & CSng(Int((((GJZ(i) - XLZ(i)) / XLZ(i) + 0.00005) * 10000) / 100) & Ch$
    WUCHA=WUCHA + Abs(CSng(Int((((GJZ(i) - XLZ(i)) / XLZ(i) +0.00005) * 10000) / 100))
Next i
JieGuo$ = JieGuo$ & Space(4) & "备注: " & Ch$
For i = 1 To HSZS
    JieGuo$ = JieGuo$ & Space(4) & "预报因子 X" & i & ": " & HSMC$(i) & Ch$
Next i
JieGuo$ = JieGuo$ & Space(4) & "预报对象 Y " & ": " & MC(1) & Ch$
JieGuo$ = JieGuo$ & Space(4) & "预报对象序列多年平均值: " & CSng(AVEX) & Ch$
JieGuo$ = JieGuo$ & Space(4) & "相对拟合误差绝对值的多年平均值: " _
& WUCHA / n & " %" & Ch$ & Ch$ & Ch$

' 保存非平稳时间序列预报结果
JieGuo$ = JieGuo$ & Space(4) & "五、预报结果: " & Ch$: JieGuo2$ = ""
For i = 1 To 10
    JieGuo1$ = Space(4) & Label2(2).Caption + i & "年" & MC(1) & "有关函数值: "
    If PBXS_QS_ZX$ = "YES" Or PBXS_QS_ZB$ = "YES" Then JieGuo1$ = JieGuo1$ _
    & Ch$ & Space(8) & "趋势函数值: " & QSHSZ(n - 1 + i)
    If PBXS_ZQ_FC$ = "YES" Or PBXS_ZQ_ZB$ = "YES" Or _
    PBXS_ZQ_XB$ = "YES" Then _
    JieGuo1$ = JieGuo1$ & Ch$ & Space(8) & "周期函数值: " & ZQHSZ(n - 1 + i)
    If PBXS_PWXL$ = "YES" Then
        JieGuo1$ = JieGuo1$ & Ch$ & Space(8) & "平稳函数值: " & PWXLZ(n)
```

```
            JieGuo2$ = Ch$ & JieGuo1$ & Ch$ & Space(4) _
            & "此时，" & Label2(2).Caption + 1 & "年" & MC(1) & "预报结果为:" & GJZ(n)
            Exit For
        End If
        If PBXS_PWXL$ = "NO" Then JieGuo1$ = JieGuo1$ & Ch$ & Space(4) _
        & "此时，" & Label2(2).Caption + 1 & "年" & MC(1) & "预报结果为:" & GJZ(n - 1 + i)
        JieGuo2 = JieGuo2 & Ch$ & JieGuo1$ & Ch$
    Next i
    If PBXS_PWXL$ = "YES" Then
        JieGuo$ = JieGuo$ & JieGuo2$ & Ch$ & Ch$
    Else
        JieGuo$ = JieGuo$ & JieGuo2$ & Ch$
    End If


    ' 保存完成预报时间
    JieGuo_FPWXL$ = JieGuo$ & Ch$ & Space(4) & "六、完成预报时间：" & Ch$ & Ch$ _
    & Space(4) & Now & Ch$


    ' 设置【请输入保存系统应用模型分析预报结果的顺序文本文件名：】通用对话框属性
    CommonDialog1.DialogTitle="请输入保存系统应用模型分析预报结果的顺序文本文件名:"
    CommonDialog1.Filter= "*.txt|*.txt": CommonDialog1.InitDir = "D:\DataBase"
    CommonDialog1.ShowSave
    ' 将输入的保存分析预报结果的顺序文本文件名储存在变量 A1$中
    A1$ = CommonDialog1.FileName
    Open A1$ For Output As #1        ' 以 Output 方式打开顺序文本文件 A1$
    Print #1, JieGuo_FPWXL$          ' 写入系统应用模型分析预报的主要过程与结果
    Close #1                         ' 关闭顺序文本文件 A1$
    Exit Sub
ErrorHandler:
    MsgBox(Err.Description)
    Close #1
End Sub
```

（10）单击一级子菜单项【详细过程与结果】所触发的事件过程 XiangXiGuoCheng-YuJieGuo_Click()。

事件过程 XiangXiGuoChengYuJieGuo_Click()首先将系统应用模型详细分析预报过程与结果的标题、系统应用模型所识别与提取的函数项名称与对应的详细分析预报过程与结果、系统应用模型类型及具体形式、资料统计年限、非平稳时间序列相对拟合误差表、非平稳时间序列预报结果以及完成预报时间等内容依次保存在一个全局变量中；接着通过【请输入保存系统应用模型分析预报结果的顺序文本文件名：】通用对话框，要求用户输入顺序文本文件名；最后以 Output 方式打开顺序文本文件，将全局变量中的内容(即系统应用模型详细分析预报过程与结果)写入该顺序文本文件。事件过程代码与本章 ZhuYaoGuoChengYuJieGuo_Click()基本相同，只需将代码中的 "JieGuo$ = Ch$ & Space(4) & MC(1) & "非平稳时间序列 VB6.0 系统应用模型主要分析预报过程与结果"

& Ch\$ & Ch\$"改为"JieGuo\$ = Ch\$ & Space(4) & MC(1) & "非平稳时间序列 VB6.0 系统应用模型详细分析预报过程与结果" & Ch\$ & Ch\$",并在语句"If PBXS_PWXL\$ = "YES" Then JieGuo\$ = JieGuo\$ & Space(8) & "-- 平稳时间序列分析" & Ch\$ & Ch\$ & Ch\$"之后增加下列一段语句即可：

```
JieGuo$ = JieGuo$ & Space(4) & "以下是上述函数项的识别提取过程和分析预报结果：" _
& Ch$ & Ch$
If PBXS_QS_ZX$ = "YES" Then JieGuo$ = JieGuo$ & JieGuo_QS_ZX$ & Ch$ & Ch$
If PBXS_QS_ZB$ = "YES" Then JieGuo$ = JieGuo$ & JieGuo_QS_ZB$ & Ch$ & Ch$
If PBXS_ZQ_FC$ = "YES" Then JieGuo$ = JieGuo$ & JieGuo_ZQ_FC$ & Ch$ & Ch$
If PBXS_ZQ_ZB$ = "YES" Then JieGuo$ = JieGuo$ & JieGuo_ZQ_ZB$ & Ch$ & Ch$
If PBXS_ZQ_XB$ = "YES" Then JieGuo$ = JieGuo$ & JieGuo_ZQ_XB$ & Ch$ & Ch$
If PBXS_PWXL$ = "YES" Then JieGuo$ = JieGuo$ & JieGuo_PWXL$ & Ch$ & Ch$
```

(11)单击主菜单项【上一步】所触发的事件过程 ShangYiBu_Click()。

事件过程 ShangYiBu_Click()用于隐藏窗体7、显示窗体6。事件过程代码如下：

```
Private Sub ShangYiBu_Click()
    Form7.Hide: Form6.Show                          ' 隐藏窗体7, 显示窗体6
End Sub
```

(12)单击主菜单项【退出】所触发的事件过程 TuiChu_Click()(请参阅第 2 章 2.4.3 节的相应内容)。

以上给出了非平稳时间序列最终分析计算应用程序的用户界面设计、属性设置、事件过程代码编写等详细步骤，下面举一个实例，进一步说明该应用程序的具体操作过程。

# 8.3　应用程序实例

本例继续选用新疆喀什地区叶尔羌河卡群水文站 1955~2002 年年最大流量时间序列，用逐步回归周期分析法识别和提取了时间序列所隐含的周期函数项，并对提取周期函数项之后的余差时间序列进行了平稳时间序列分析计算,在此基础上对 2003 年年最大流量进行了预报。现说明如下：

(1)时间序列值的输入与时间序列类型的确定与第 5 章 5.3 节中的相应内容基本相同。不同之处是时间序列年限由 1955~2003 年改为 1955~2002 年，时间序列类型由数学期望随时间变化型改为数学期望、方差都随时间变化型。

(2)用逐步回归周期分析法识别和提取时间序列所隐含的周期函数项的过程也与第 5 章 5.3 节中的相应内容基本相同。不同之处是在信度输入对话框输入 0.01,而不是 0.001。

(3)对提取周期函数项之后的余差时间序列所进行的平稳时间序列分析计算也与第 7 章 7.3 节中的相应内容基本相同。不同之处是所选择的模型阶数为 7,而不是 12。

(4)在第 7 章图 7-3 中，选择主菜单项【下一步】、一级子菜单项【非平稳时间序列分析】，则显示图 8-1 所示的非平稳时间序列最终分析计算的初始画面。

图 8-1 非平稳时间序列最终分析计算的初始画面

（5）在图 8-1 中选择主菜单项【显示模型形式】，便显示图 8-2 所示的显示非平稳时间序列最终分析计算结果的初始画面（同时显示模型类型与形式）。

图 8-2 显示非平稳时间序列最终分析计算结果的初始画面

　　(6)在图 8-2 中，选择主菜单项【历史拟合曲线图】、一级子菜单项【正常图形】、二级子菜单项【显示】，则显示图 8-3 中标题为"历史拟合曲线图"的矩形形状控件内的图形。如果想放大图形，则选择主菜单项【历史拟合曲线图】、一级子菜单项【放大图形】、二级子菜单项【显示】，会显示图 8-4 中的历史拟合曲线放大图；选择主菜单项【历史拟合曲线图】、一级子菜单项【放大图形】、二级子菜单项【关闭】，便返回到图 8-3。

　　(7)在图 8-2 中，选择主菜单项【预报】，则在标题为"预报"的矩形形状控件中的文本框内显示预报结果，见图 8-3。叶尔羌河卡群水文站 2003 年年最大流量预报值为 1915 $m^3$/s，实况是 1860 $m^3$/s，相差 2.96%。

　　(8)在图 8-2 中，选择主菜单项【保存】、一级子菜单项【主要过程与结果】，则弹出图 8-5 所示的以顺序文本文件方式保存系统应用模型分析结果的通用对话框，输入文件名"叶尔羌河卡群水文站 2003 年年最大流量主要分析预报过程与结果"，按下【保存】按钮，便将预报结果保存在该顺序文本文件内。保存的顺序文本文件内容见图 8-6、图 8-7、图 8-8(实际上是同一个文件，由于文件过长，不宜一次显示，故拆开显示)。选择图中的主菜单项【文件】、一级子菜单项【打印】，便可以根据需要的份数进行打印。

　　应用程序适用条件：本应用程序对样本容量数 $n$ 无明确限定，只要程序运行时不出现数据运算溢出现象即可。

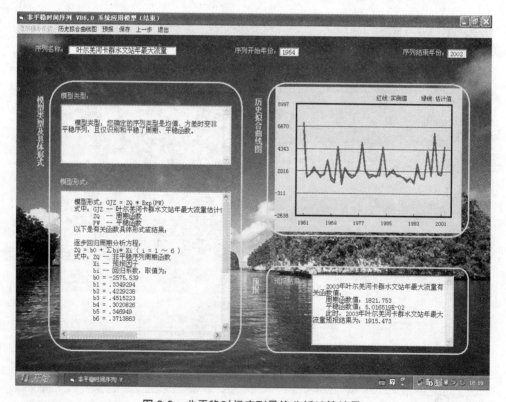

图 8-3　非平稳时间序列最终分析计算结果

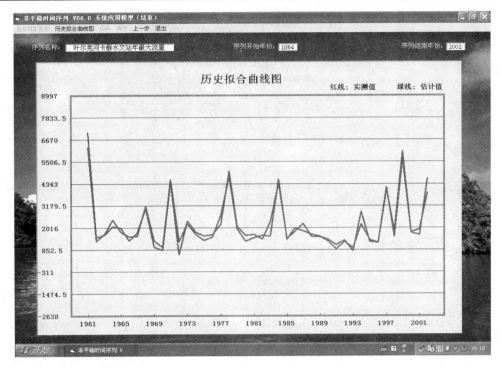

图 8-4　历史拟合曲线放大图

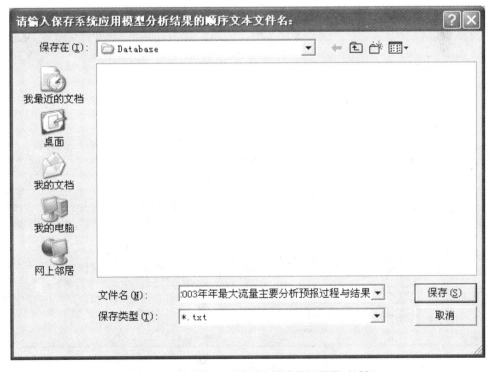

图 8-5　保存系统应用模型分析结果的通用对话框

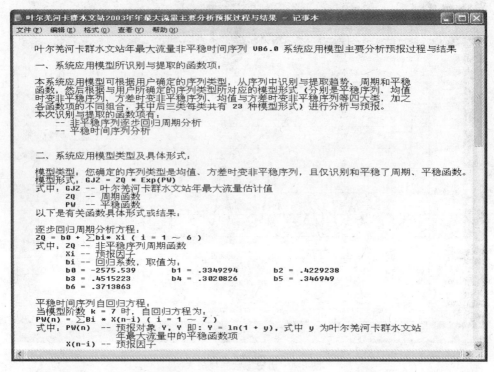

叶尔羌河卡群水文站2003年年最大流量主要分析预报过程与结果 - 记事本

文件(F) 编辑(E) 格式(O) 查看(V) 帮助(H)

叶尔羌河卡群水文站年最大流量非平稳时间序列 VB6.0 系统应用模型主要分析预报过程与结果

一、系统应用模型所识别与提取的函数项：

本系统应用模型可根据用户确定的序列类型，从序列中识别与提取趋势、周期和平稳函数，然后根据与用户所确定的序列类型所对应的模型形式（分别是平稳序列、均值时变非平稳序列、方差时变非平稳序列、均值与方差时变非平稳序列等四大类，加之各函数项的不同组合，其中后三类每类共有 23 种模型形式）进行分析与预报。
本次识别与提取的函数项有：
    -- 非平稳序列逐步回归周期分析
    -- 平稳时间序列分析

二、系统应用模型类型及具体形式：

模型类型：您确定的序列类型是均值、方差时变非平稳序列，且仅识别和平稳了周期、平稳函数。
模型形式：$GJZ = ZQ * Exp(PW)$
式中：GJZ -- 叶尔羌河卡群水文站年最大流量估计值
    ZQ -- 周期函数
    PW -- 平稳函数
以下是有关函数具体形式或结果：

逐步回归周期分析方程：
$ZQ = b_0 + \sum b_i * X_i \ (\ i = 1 \sim 6\ )$
式中：ZQ -- 非平稳序列周期函数
    $X_i$ -- 预报因子
    $b_i$ -- 回归系数，取值为：
    $b_0 = -2575.539$    $b_1 = .3349294$    $b_2 = .4229238$
    $b_3 = .4515223$    $b_4 = .3020826$    $b_5 = .346949$
    $b_6 = .3713863$

平稳时间序列自回归方程：
当模型阶数 k = 7 时，自回归方程为：
$PW(n) = \sum B_i * X(n-i) \ (\ i = 1 \sim 7\ )$
式中：PW(n) -- 预报对象 Y，Y 即：$Y = \ln(1 + y)$，式中 y 为叶尔羌河卡群水文站
        年最大流量中的平稳函数项
    X(n-i) -- 预报因子

图 8-6 系统应用模型分析结果(一)

叶尔羌河卡群水文站2003年年最大流量主要分析预报过程与结果 - 记事本

文件(F) 编辑(E) 格式(O) 查看(V) 帮助(H)

    X(n-i) -- 预报因子
    $B_i$ -- 自回归系数，取值为：
    $B_1 = .371646$    $B_2 = -6.455567E-03$    $B_3 = -.1708046$
    $B_4 = .2706336$    $B_5 = -.1172862$    $B_6 = .1982667$
    $B_7 = -.2802886$

三、资料统计年限：1954~2002年（ 序列长度 n = 49 ）。

四、相对拟合误差表：

| 年份 | 预报因子-X1值 | 预报因子-X2值 | 预报对象Y值 | 估计值 | 相对拟合误差(%) |
| --- | --- | --- | --- | --- | --- |
| 1961 | 6380.107 | .1010738 | 6270 | 7058.684 | 12.58 |
| 1962 | 1407.176 | 6.146258E-02 | 1300 | 1496.378 | 15.11 |
| 1963 | 1639.345 | 1.395377E-03 | 1690 | 1641.635 | -2.86 |
| 1964 | 2385.498 | -.1363976 | 2450 | 2081.336 | -15.05 |
| 1965 | 1968.175 | 9.006976E-03 | 1770 | 1985.982 | 12.2 |
| 1966 | 1435.599 | -7.138772E-02 | 1550 | 1336.687 | -13.76 |
| 1967 | 1554.033 | .1103333 | 1560 | 1735.312 | 11.24 |
| 1968 | 2974.884 | 1.702372E-02 | 3150 | 3025.961 | -3.94 |
| 1969 | 989.2308 | 9.667329E-03 | 1330 | 998.8404 | -24.9 |
| 1970 | 720.8391 | .1440871 | 1000 | 832.5581 | -16.74 |
| 1971 | 4059.909 | 7.864223E-02 | 4570 | 4392.08 | -3.89 |
| 1972 | 561.8176 | 5.643431E-02 | 1270 | 594.4351 | -53.19 |
| 1973 | 1754.866 | .3042512 | 2220 | 2378.912 | 7.16 |
| 1974 | 1562.041 | .1311806 | 1650 | 1780.998 | 7.94 |
| 1975 | 1729.806 | -7.902795E-02 | 1340 | 1598.365 | 19.28 |
| 1976 | 1548.838 | 5.851471E-02 | 1520 | 1642.171 | 8.04 |
| 1977 | 2450.87 | -.1098621 | 2670 | 2195.876 | -17.76 |
| 1978 | 4128.195 | .1964866 | 4700 | 5024.505 | 6.9 |
| 1979 | 2554.741 | -.2015036 | 1960 | 2088.502 | 6.56 |
| 1980 | 1854.951 | -.1389866 | 1300 | 1614.252 | 24.17 |
| 1981 | 2013.752 | -.1880206 | 1500 | 1668.59 | 11.24 |
| 1982 | 1368.439 | .0361461 | 1600 | 1418.808 | -11.32 |
| 1983 | 2184.046 | .0611776 | 1560 | 2321.832 | 48.84 |
| 1984 | 5017.624 | -.1340243 | 4570 | 4388.257 | -3.98 |
| 1985 | 1722.385 | -.1810324 | 1410 | 1437.172 | 1.93 |

图 8-7 系统应用模型分析结果(二)

叶尔羌河卡群水文站2003年年最大流量主要分析预报过程与结果 - 记事本

文件(F)　编辑(E)　格式(O)　查看(V)　帮助(H)

| 年 | 值1 | 值2 | 值3 | 值4 | 值5 |
|---|---|---|---|---|---|
| 1985 | 1722.385 | -.1810324 | 1410 | 1437.172 | 1.93 |
| 1986 | 1671.906 | 6.949698E-02 | 1980 | 1792.231 | -9.48 |
| 1987 | 2192.671 | 1.709597E-02 | 1840 | 2230.479 | 21.22 |
| 1988 | 1398.962 | .1007905 | 1670 | 1547.315 | -7.35 |
| 1989 | 1724.8 | -.1105304 | 1560 | 1544.315 | -1.01 |
| 1990 | 1207.593 | .141662 | 1300 | 1391.373 | 7.03 |
| 1991 | 1208.498 | -7.783303E-02 | 905 | 1118.004 | 23.54 |
| 1992 | 1249.707 | 7.246008E-02 | 1290 | 1343.623 | 4.16 |
| 1993 | 886.0958 | -.1239125 | 945 | 782.8276 | -17.16 |
| 1994 | 2358.613 | .1942496 | 2210 | 2864.298 | 29.61 |
| 1995 | 1545.816 | -.1813423 | 1380 | 1289.442 | -6.56 |
| 1996 | 1176.243 | 3.767484E-02 | 1240 | 1221.404 | -1.5 |
| 1997 | 4284.566 | -.0276997 | 4040 | 4167.514 | 3.16 |
| 1998 | 1438.134 | 6.452923E-02 | 1850 | 1533.995 | -17.08 |
| 1999 | 5280.38 | 7.089277E-02 | 6070 | 5668.31 | -6.62 |
| 2000 | 1669.369 | 6.200058E-02 | 1760 | 1776.147 | .92 |
| 2001 | 2043.674 | -4.547622E-02 | 1630 | 1952.817 | 19.8 |
| 2002 | 3809.73 | 1.426307E-02 | 4610 | 3864.458 | -16.17 |

备注：
预报因子X1：逐步回归周期分析周期函数项估计值
预报因子X2：平稳时间序列自回归方程中预报对象y的估计值(请参阅之)
预报对象y：叶尔羌河卡群水文站年最大流量
预报对象序列多年平均值：2094.286
相对拟合误差绝对值的多年平均值：11.28469 %

五、预报结果：

2003年叶尔羌河卡群水文站年最大流量有关函数值：
　　周期函数值：1821.753
　　平稳函数值：5.016519E-02
此时，2003年叶尔羌河卡群水文站年最大流量预报结果为：1915.473

六、完成预报时间：　2005-10-6 19:00:28

图 8-8　系统应用模型分析结果(三)

# 第 9 章　系统应用模型综合实例

本章再举一个综合实例来系统介绍如何从非平稳时间序列中识别与提取趋势函数项 $QS(t)$、周期函数项 $ZQ(t)$ 和平稳函数项 $PW(t)$，并介绍如何对完成趋势、周期、平稳函数项的识别与提取后的非平稳时间序列进行外延预报(实为本系统应用模型的 70 种形式之一)。

本例选用新疆巴音郭楞蒙古自治州开都河大山口水文站 1955~2003 年年径流量时间序列，用本系统应用模型实现了年径流量时间序列值的输入与时间序列类型的确定，接着用逐步回归趋势分析法识别和提取了时间序列所隐含的趋势函数项，用谐波分析法识别和提取了周期函数项，并对提取确定函数项之后的余差时间序列进行了平稳时间序列分析计算，在此基础上对 2004 年年径流量进行了预报。现选用第 2 章图 2-2、图 2-3 所示的 Microsoft Access 数据库中的 "大山口水文站月年平均流量" 数据表来说明如下：

(1)运行本系统应用模型程序，出现图 9-1 所示的初始画面。

图 9-1　系统应用模型初始画面

(2)在图 9-1 中，选择主菜单项【输入数据】、一级子菜单项【数据库】、二级子菜单项【Microsoft Access】，则显示图 9-2 所示的时间序列查询图。

(3)按下图 9-2 中的【浏览】按钮，在弹出的选定 Microsoft Access 数据库文件名的通用对话框中，选择 "巴州主要河流水文站月年平均流量"，按下【打开】按钮，便在【浏览】按钮左侧的文本框中显示所选定的数据库文件名，见图 9-3。

图 9-2　时间序列查询图

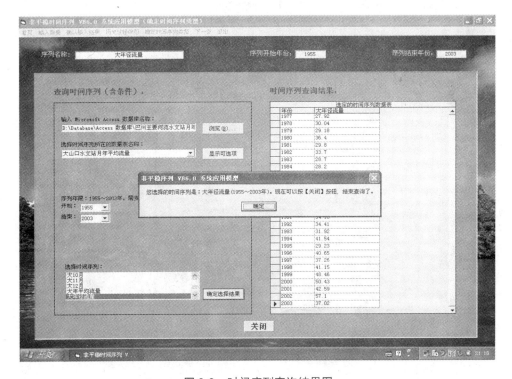

图 9-3　时间序列查询结果图

(4)在图 9-2 标签框"选择时间序列所在的数据表名称"下侧的组合框中选择"大山口水文站月年平均流量",再按【显示可选项】按钮;接着在标签框"结束"右侧的下拉式列表框中选定"2003"，在标签框"选择时间序列"下侧的列表框中选定"大年径流量"，再按【确认选择结果】按钮，则显示图 9-3 所示的时间序列查询结果图和时间序列选定完毕提示框。

(5)按下图 9-3 提示框中的【确定】按钮和查询图中的【关闭】按钮，在 1 个矩形形状控件内会显示时间序列值；选择主菜单项【历史过程线图】，则在 2 个矩形形状控件内分别显示历史拟合曲线图与序列类型图，由于大山口水文站年径流量历史过程线图与均值、方差时变的非平稳时间序列类型相接近，故选中【均值、方差时变】单选钮，接着选择主菜单项【确定时间序列类型】，则弹出图 9-4 所示的确定时间序列类型的提示框。

图 9-4　确定时间序列类型的提示框

(6)按下图 9-4 中【确定】按钮，结果见图 9-5。

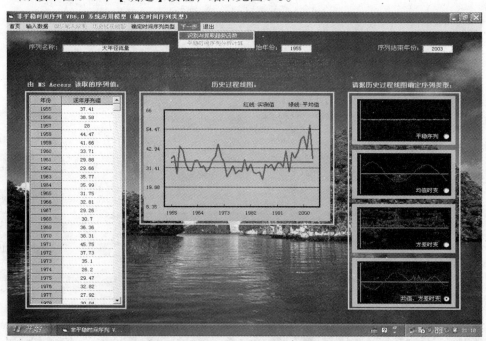

图 9-5　时间序列值及序列类型显示图

(7)选择图 9-5 中的主菜单项【下一步】、一级子菜单项【识别与提取趋势函数】，由于时间序列类型选定为均值、方差时变型，故显示图 9-6 所示的趋势分析初始画面。

图 9-6　趋势分析初始画面

（8）选择图 9-6 中的主菜单项【趋势分析】、一级子菜单项【多元逐步回归】，便弹出图 9-7 所示的信度输入对话框，输入 0.001（如果在给定信度下不能识别和提取非平稳时间序列所隐含的趋势函数项，则可以降低信度标准），按【确定】按钮，便显示图 9-8 所示的显示趋势分析结果的初始画面。

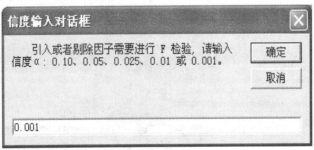

图 9-7　信度输入对话框

（9）在图 9-8 中，选择主菜单项【显示回归结果】，则显示图 9-9 内标题为"回归方程和回归效果"的矩形形状控件内的数据。

（10）在图 9-8 标题为"检验"的矩形形状控件内，单击标签框"请选择信度 $\alpha$："右侧的组合框下拉按钮，选择信度 $\alpha$ 为 0.001，再选择主菜单项【t 检验与 F 检验】，则在组合框下侧的两个文本框内分别显示 t 检验和 F 检验结果，见图 9-9。

图 9-8　显示趋势分析结果的初始画面

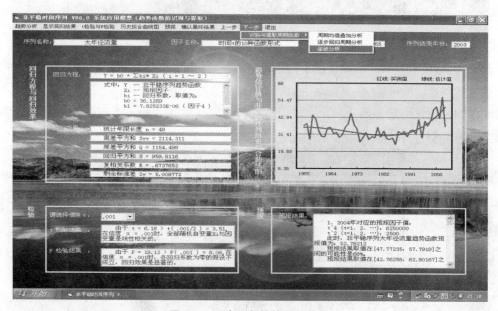

图 9-9　逐步回归趋势分析结果

　　(11)在图 9-8 中，选择主菜单项【历史拟合曲线图】、一级子菜单项【正常图形】、二级子菜单项【显示】，则显示图 9-9 中标题为"历史拟合曲线图"的矩形形状控件内的图形。如果想放大图形，则选择主菜单项【历史拟合曲线图】、一级子菜单项【放大图形】、二级子菜单项【显示】，会显示图 9-10 中的历史拟合曲线放大图；选择主菜单项【历史拟合曲线图】、一级子菜单项【放大图形】、二级子菜单项【关闭】，便返回到图 9-9。

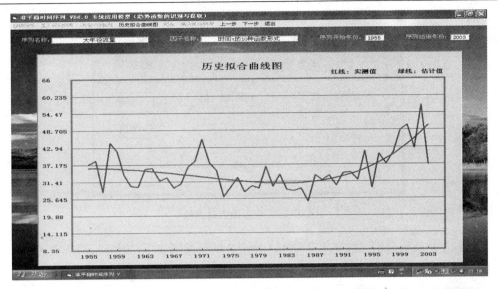

图 9-10　历史拟合曲线放大图

(12)在图 9-8 中，选择主菜单项【预报】，则在标题为"预报"的矩形形状控件中的文本框内显示预报结果(可预报未来 10 年趋势函数值；但据经验分析，预见期不要超过 2~3 年，否则趋势函数会失真)，见图 9-9。

(13)在图 9-9 中，选择主菜单项【确认最终结果】，在弹出的确认最终结果对话框中，按下【是】按钮。接着依次选择主菜单项【下一步】、一级子菜单项【识别与提取周期函数】和二级子菜单项【谐波分析】，则显示图 9-11 所示的用谐波分析法识别和提取时间序列周期函数的初始画面。

图 9-11　谐波分析初始画面

(14)在图 9-11 中，选择主菜单项【谐波分析并预报】，则弹出图 9-12 所示的信度输入对话框，输入 0.10，按【确定】按钮，便显示谐波分析预报结果初始画面。

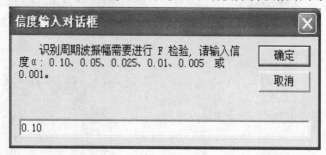

图 9-12　信度输入对话框

(15)在初始画面中，选择主菜单项【显示分析预报结果】，则显示图 9-13 所示的分析预报结果显示图。

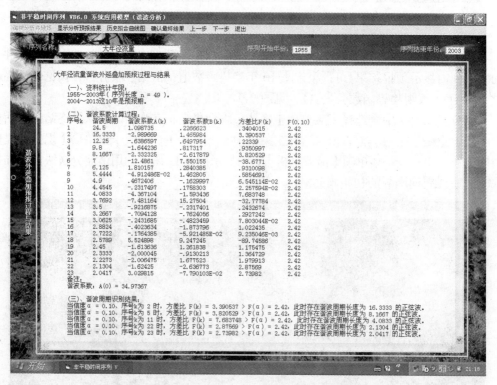

图 9-13　分析预报结果显示图

(16)在图 9-13 中，选择主菜单项【历史拟合曲线图】、一级子菜单项【显示】，则显示图 9-14 所示的历史拟合曲线图。

(17)在图 9-14 中，选择主菜单项【确认最终结果】，在弹出的确认最终结果对话框中，按下【是】按钮。接着选择主菜单项【下一步】、一级子菜单项【平稳时间序列分析计算】，则显示图 9-15 所示的平稳时间序列分析计算的初始画面。

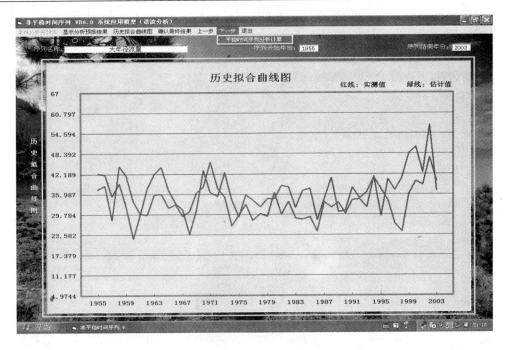

图 9-14　历史拟合曲线图

图 9-15　平稳时间序列分析初始画面

(18)在图 9-15 中选择主菜单项【递推求解模型参数】，便显示图 9-16 所示的显示平稳时间序列参数估计结果的初始画面。

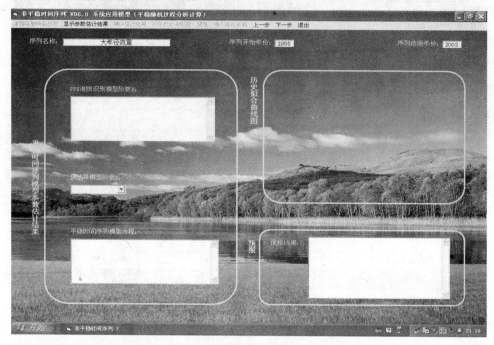

图 9-16　显示平稳时间序列参数估计结果的初始画面

(19)在图 9-16 中，选择主菜单项【显示参数估计结果】，则会显示图 9-17 标签框"FPE 准则识别模型阶数 K"下侧文本框内的内容。

(20)在图 9-16 中单击标签框"请选择模型阶数 K"下侧组合框的下拉按钮，选择模型阶数 $K$ 为 6，则在组合框下侧文本框内显示平稳时间序列模型方程和自回归系数，再选择主菜单项【确认估计结果】，结果见图 9-17。

(21)在图 9-16 中，选择主菜单项【历史拟合曲线图】、一级子菜单项【正常图形】、二级子菜单项【显示】，则显示图 9-17 中标题为"历史拟合曲线图"的矩形形状控件内的图形。如果想放大图形，则选择主菜单项【历史拟合曲线图】、一级子菜单项【放大图形】、二级子菜单项【显示】，会显示图 9-18 中的历史拟合曲线放大图；选择主菜单项【历史拟合曲线图】、一级子菜单项【放大图形】、二级子菜单项【关闭】，便返回到图 9-17。

(22)在图 9-16 中，选择主菜单项【预报】，则在标题为"预报"的矩形形状控件中的文本框内显示预报结果，见图 9-17。

(23)在图 9-17 中，选择主菜单项【确认最终结果】，在弹出的确认最终结果对话框中，按下【是】按钮。接着选择主菜单项【下一步】、一级子菜单项【非平稳时间序列分析】，则显示图 9-19 所示的非平稳时间序列最终分析计算的初始画面。

(24)在图 9-19 中选择主菜单项【显示模型形式】，便显示图 9-20 所示的显示非平稳时间序列最终分析计算结果的初始画面(同时显示模型类型与形式)。

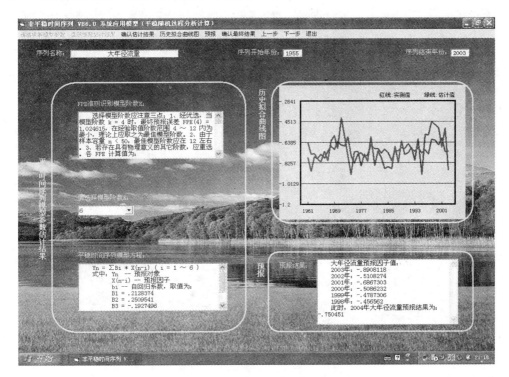

图 9-17　平稳时间序列参数估计结果

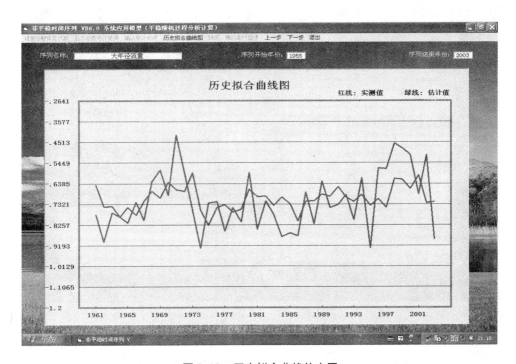

图 9-18　历史拟合曲线放大图

图 9-19　非平稳时间序列最终分析计算的初始画面

图 9-20　显示非平稳时间序列最终分析计算结果的初始画面

　　(25)在图 9-20 中，选择主菜单项【历史拟合曲线图】、一级子菜单项【正常图形】、二级子菜单项【显示】，则显示图 9-21 中标题为"历史拟合曲线图"的矩形形状控件内的图形。如果想放大图形，则选择主菜单项【历史拟合曲线图】、一级子菜单项【放大图形】、二级子菜单项【显示】，会显示图 9-22 中的历史拟合曲线放大图；选择主菜单项【历史拟合曲线图】、一级子菜单项【放大图形】、二级子菜单项【关闭】，便返回到图 9-21。

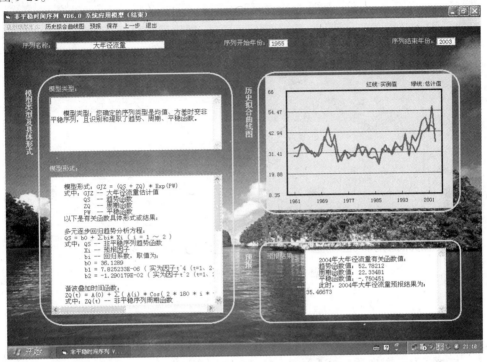

图 9-21 非平稳时间序列最终分析计算结果

(26)在图 9-20 中，选择主菜单项【预报】，则在标题为"预报"的矩形形状控件中的文本框内显示预报结果，见图 9-21。

(27)在图 9-20 中，选择主菜单项【保存】、一级子菜单项【详细过程与结果】，则弹出一个以顺序文本文件方式保存系统应用模型分析结果的通用对话框，选定合适路径，并在文件名处输入"开都河大山口水文站 2004 年年径流量详细分析预报过程与结果"，按下【保存】按钮，则保存完毕。保存结果见图 9-23～图 9-39(实为同一个文件，因篇幅过长而拆开显示，但还是未能显示部分纵向内容)。选择图中主菜单项【文件】、一级子菜单项【打印】，便可以根据需要的份数进行打印。由图 9-39 可见，开都河大山口水文站年径流量相对拟合误差绝对值的多年平均值为 8.99%，2004 年年径流量预报值为 $35.47\ \mathrm{m^3/s}$，实况是 $34.92\ \mathrm{m^3/s}$，相差 1.58 %。

系统应用模型适用条件：同时进行 $t$ 检验和 $F$ 检验时，要求样本容量不得超过 500。用周期均值叠加分析法最多可识别 5 个周期波。进行逐步回归趋势或周期分析时，要求预报因子总数必须满足：防止出现数据运算溢出现象，防止因子之间因相关性强而使正规方程组产生病态或退化。进行平稳时间序列分析时选用的序列必须是平稳序列。

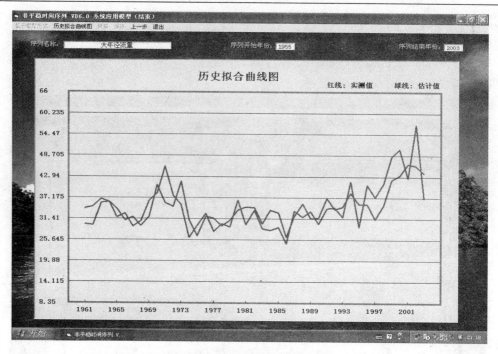

图 9-22　历史拟合曲线放大图

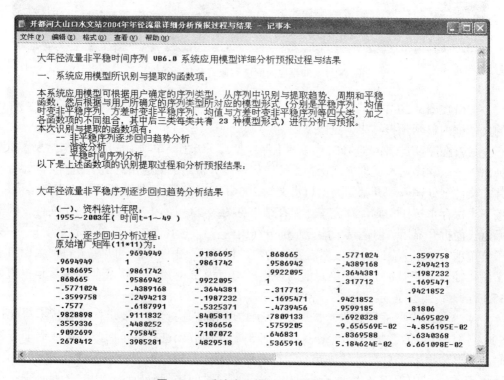

图 9-23　系统应用模型分析结果(一)

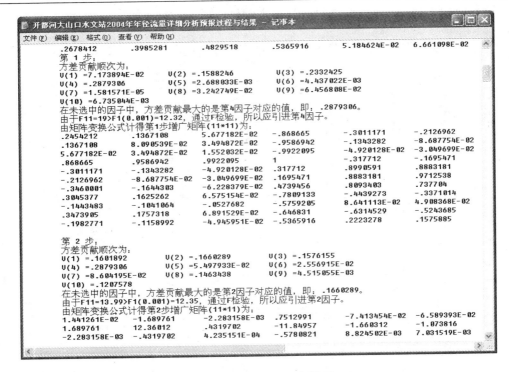

图 9-24　系统应用模型分析结果(二)

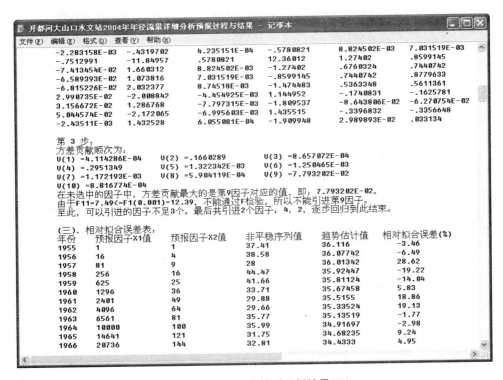

图 9-25　系统应用模型分析结果(三)

开都河大山口水文站2004年年径流量详细分析预报过程与结果 - 记事本

文件(F)　编辑(E)　格式(O)　查看(V)　帮助(H)

| | | | | | |
|---|---|---|---|---|---|
| 1966 | 20736 | 144 | 32.81 | 34.4333 | 4.95 |
| 1967 | 28561 | 169 | 29.26 | 34.17199 | 16.79 |
| 1968 | 38416 | 196 | 30.7 | 33.90076 | 10.43 |
| 1969 | 50625 | 225 | 36.36 | 33.62215 | -7.53 |
| 1970 | 65536 | 256 | 38.31 | 33.33887 | -12.98 |
| 1971 | 83521 | 289 | 45.75 | 33.05385 | -27.75 |
| 1972 | 104976 | 324 | 37.73 | 32.77018 | -13.15 |
| 1973 | 130321 | 361 | 35.1 | 32.49114 | -7.43 |
| 1974 | 160000 | 400 | 26.2 | 32.22022 | 22.98 |
| 1975 | 194481 | 441 | 29.47 | 31.96107 | 8.45 |
| 1976 | 234256 | 484 | 32.82 | 31.71754 | -3.36 |
| 1977 | 279841 | 529 | 27.92 | 31.49367 | 12.8 |
| 1978 | 331776 | 576 | 30.04 | 31.29369 | 4.17 |
| 1979 | 390625 | 625 | 29.18 | 31.12201 | 6.66 |
| 1980 | 456976 | 676 | 36.4 | 30.98323 | -14.88 |
| 1981 | 531441 | 729 | 29.8 | 30.88214 | 3.63 |
| 1982 | 614656 | 784 | 33.7 | 30.82372 | -8.53 |
| 1983 | 707281 | 841 | 28.7 | 30.81313 | 7.36 |
| 1984 | 810000 | 900 | 28.2 | 30.85572 | 9.42 |
| 1985 | 923521 | 961 | 29 | 30.95704 | 6.75 |
| 1986 | 1048576 | 1024 | 24.6 | 31.12281 | 26.52 |
| 1987 | 1185921 | 1089 | 33.5 | 31.35896 | -6.39 |
| 1988 | 1336336 | 1156 | 31.9 | 31.67157 | -.72 |
| 1989 | 1500625 | 1225 | 33.42 | 32.06694 | -4.05 |
| 1990 | 1679616 | 1296 | 30.02 | 32.55156 | 8.43 |
| 1991 | 1874161 | 1369 | 34.18 | 33.13209 | -3.07 |
| 1992 | 2085136 | 1444 | 34.41 | 33.81538 | -1.73 |
| 1993 | 2313441 | 1521 | 31.92 | 34.60849 | 8.42 |
| 1994 | 2560000 | 1600 | 41.54 | 35.51863 | -14.5 |
| 1995 | 2825761 | 1681 | 29.23 | 36.55322 | 25.05 |
| 1996 | 3111696 | 1764 | 40.65 | 37.71988 | -7.21 |
| 1997 | 3418801 | 1849 | 37.26 | 39.0264 | 4.74 |
| 1998 | 3748096 | 1936 | 41.15 | 40.48075 | -1.63 |
| 1999 | 4100625 | 2025 | 48.46 | 42.09111 | -13.14 |

图 9-26　系统应用模型分析结果(四)

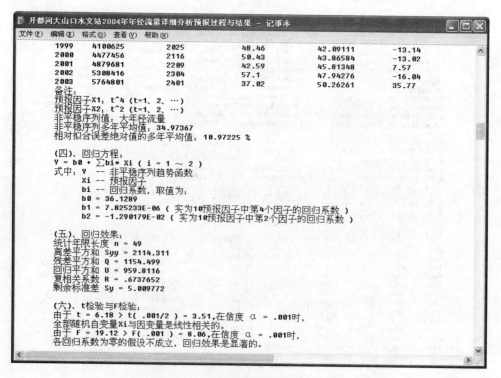

图 9-27　系统应用模型分析结果(五)

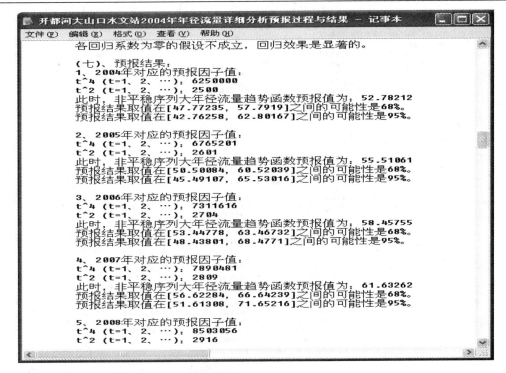

图 9-28　系统应用模型分析结果(六)

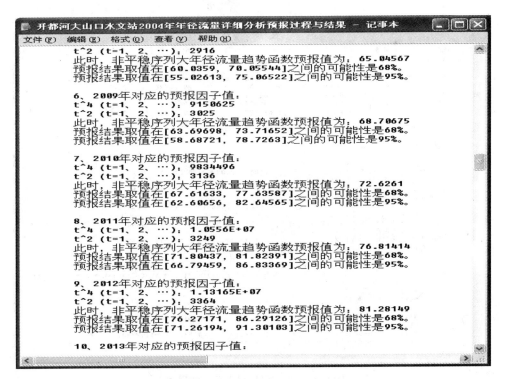

图 9-29　系统应用模型分析结果(七)

图 9-30　系统应用模型分析结果(八)

图 9-31　系统应用模型分析结果(九)

开都河大山口水文站2004年年径流量详细分析预报过程与结果 - 记事本

文件(F) 编辑(E) 格式(O) 查看(V) 帮助(H)

```
            B(4) = -2.636773          B(5) = -7.790103E-02
    （五）、相对拟合误差与未来10年预报结果：
年份      原始序列值        周期波叠加估计值          相对误差(%)
1955      37.41            42.29128                13.05
1956      38.58            42.02017                8.92
1957      28               35.33134                26.18
1958      44.47            39.25451                -11.73
1959      41.66            31.97819                -23.24
1960      33.71            22.34963                -33.7
1961      29.88            29.73521                -.48
1962      29.66            37.77365                27.36
1963      35.77            42.18063                17.92
1964      35.99            44.30325                23.1
1965      31.75            37.12316                16.92
1966      32.81            33.20792                1.21
1967      29.26            31.24592                6.79
1968      30.7             23.70225                -22.79
1969      36.36            31.13286                -14.38
1970      38.31            43.26281                12.93
1971      45.75            36.43411                -20.36
1972      37.73            35.30038                -6.44
1973      35.1             42.62653                21.44
1974      26.2             34.16438                30.4
1975      29.47            29.01121                -1.56
1976      32.82            35.73824                8.89
1977      27.92            34.14732                22.3
1978      30.04            32.10382                6.87
1979      29.18            34.62179                18.65
1980      36.4             34.60023                -4.94
1981      29.8             38.66098                29.73
1982      33.7             38.17836                13.29
1983      28.7             31.83084                10.91
1984      28.2             37.06869                31.45
```

图 9-32 系统应用模型分析结果(十)

开都河大山口水文站2004年年径流量详细分析预报过程与结果 - 记事本

文件(F) 编辑(E) 格式(O) 查看(V) 帮助(H)

```
1984      28.2             37.06869                31.45
1985      29               37.68417                29.95
1986      24.6             27.94944                13.62
1987      33.5             34.53213                3.08
1988      31.9             40.9653                 28.42
1989      33.42            30.50142                -8.73
1990      30.02            30.90809                2.96
1991      34.18            38.05082                11.32
1992      34.41            34.70547                .86
1993      31.92            36.67471                14.9
1994      41.54            41.10487                -1.05
1995      29.23            37.60209                28.64
1996      40.65            34.04641                -16.25
1997      37.26            27.0259                 -27.47
1998      41.15            24.48018                -40.51
1999      48.46            36.1245                 -25.46
2000      50.43            39.99925                -20.68
2001      42.59            38.82168                -8.85
2002      57.1             47.22408                -17.3
2003      37.02            39.95911                7.94
2004                       22.33481
2005                       25.9058
2006                       32.81571
2007                       32.51796
2008                       41.2496
2009                       44.95707
2010                       37.17809
2011                       31.85881
2012                       27.60936
2013                       31.04519
备注：
原始序列多年平均值：34.97367
相对拟合误差绝对值的多年平均值：16.24327 %
```

图 9-33 系统应用模型分析结果(十一)

开都河大山口水文站2004年年径流量详细分析预报过程与结果 - 记事本

文件(F) 编辑(E) 格式(O) 查看(V) 帮助(H)

相对拟合误差绝对值的多年平均值：16.24327 %

(六)、完成预报时间：
2005-10-10 22:58:58

大年径流量平稳时间序列分析与预报结果

(一)、资料统计年限：
1955～2003年

(二)、递推求解模型参数估计结果：
最终预报误差 FPE 计算值分别为：

| | | |
|---|---|---|
| FPE(1) = .9840154 | FPE(2) = .9767932 | FPE(3) = .988488 |
| FPE(4) = 1.024615 | FPE(5) = 1.06748 | FPE(6) = 1.054445 |
| FPE(7) = 1.094842 | FPE(8) = 1.127503 | FPE(9) = 1.175964 |
| FPE(10) = 1.226693 | FPE(11) = 1.254674 | FPE(12) = 1.305231 |
| FPE(13) = 1.281492 | FPE(14) = 1.237339 | FPE(15) = 1.200932 |
| FPE(16) = 1.249818 | FPE(17) = 1.272088 | FPE(18) = 1.330585 |
| FPE(19) = 1.34605 | FPE(20) = 1.404732 | FPE(21) = 1.428117 |
| FPE(22) = 1.501361 | FPE(23) = 1.448846 | FPE(24) = 1.440619 |
| FPE(25) = 1.520079 | FPE(26) = 1.522474 | FPE(27) = 1.501017 |
| FPE(28) = 1.548996 | FPE(29) = 1.645476 | FPE(30) = 1.655292 |
| FPE(31) = 1.701523 | FPE(32) = .4035612 | FPE(33) = -.6822379 |
| FPE(34) = .8451957 | FPE(35) = -.7744539 | FPE(36) = 60.19056 |
| FPE(37) = -8.656439 | FPE(38) = -6.518635 | FPE(39) = 3.203827 |
| FPE(40) = 3.591097 | FPE(41) = -6.570287 | FPE(42) = -7.155919 |
| FPE(43) = .4470674 | FPE(44) = -1.394198 | FPE(45) = 48.62871 |
| FPE(46) = -711.0706 | FPE(47) = 491.7397 | FPE(48) = -150.0689 |

当模型阶数 k = 6 时，自回归方程为：
$$Yn = \sum Bi * X(n-i) \quad ( i = 1 \sim 6 )$$
式中 Yn -- 预报对象 Y，Y 即：Y = ln(1 + y)，式中 y 为大年径流量中的平稳函数项
X(n-i) -- 预报因子
Bi -- 自回归系数，取值为：

图9-34 系统应用模型分析结果(十二)

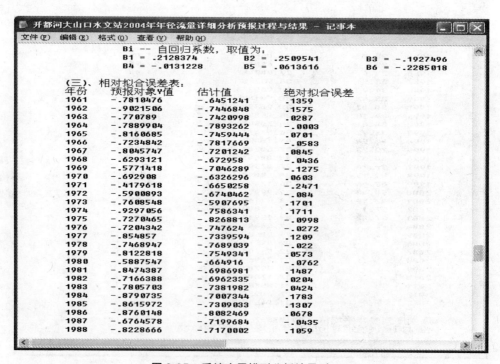

开都河大山口水文站2004年年径流量详细分析预报过程与结果 - 记事本

文件(F) 编辑(E) 格式(O) 查看(V) 帮助(H)

Bi -- 自回归系数，取值为：
B1 = .2128374      B2 = .2509541      B3 = -.1927496
B4 = -.0131228      B5 = .0613616      B6 = -.2285018

(三)、相对拟合误差表：

| 年份 | 预报对象Y值 | 估计值 | 绝对拟合误差 |
|---|---|---|---|
| 1961 | -.7810476 | -.6451241 | .1359 |
| 1962 | -.9021506 | -.7446848 | .1575 |
| 1963 | -.770789 | -.7420998 | .0287 |
| 1964 | -.7889904 | -.7893262 | -.0003 |
| 1965 | -.8160685 | -.7459444 | .0701 |
| 1966 | -.7234842 | -.7817669 | -.0583 |
| 1967 | -.8045747 | -.7201242 | .0845 |
| 1968 | -.6293121 | -.672958 | -.0436 |
| 1969 | -.5771418 | -.7046289 | -.1275 |
| 1970 | -.692908 | -.6326296 | .0603 |
| 1971 | -.4179618 | -.6650258 | -.2471 |
| 1972 | -.5900893 | -.6740462 | -.084 |
| 1973 | -.7608548 | -.5907695 | .1701 |
| 1974 | -.9297056 | -.7586341 | .1711 |
| 1975 | -.7270465 | -.8268813 | -.0998 |
| 1976 | -.7204342 | -.747624 | -.0272 |
| 1977 | -.854857 | -.7339594 | .1209 |
| 1978 | -.7468947 | -.7689039 | -.022 |
| 1979 | -.8122818 | -.7549341 | .0573 |
| 1980 | -.5887547 | -.664916 | -.0762 |
| 1981 | -.8474387 | -.6986981 | .1487 |
| 1982 | -.7166388 | -.6962335 | .0204 |
| 1983 | -.7805703 | -.7381982 | .0424 |
| 1984 | -.8790735 | -.7007344 | .1783 |
| 1985 | -.8615972 | -.7309033 | .1307 |
| 1986 | -.8760148 | -.8082469 | .0678 |
| 1987 | -.6764578 | -.7199684 | -.0435 |
| 1988 | -.8228666 | -.7170002 | .1059 |

图9-35 系统应用模型分析结果(十三)

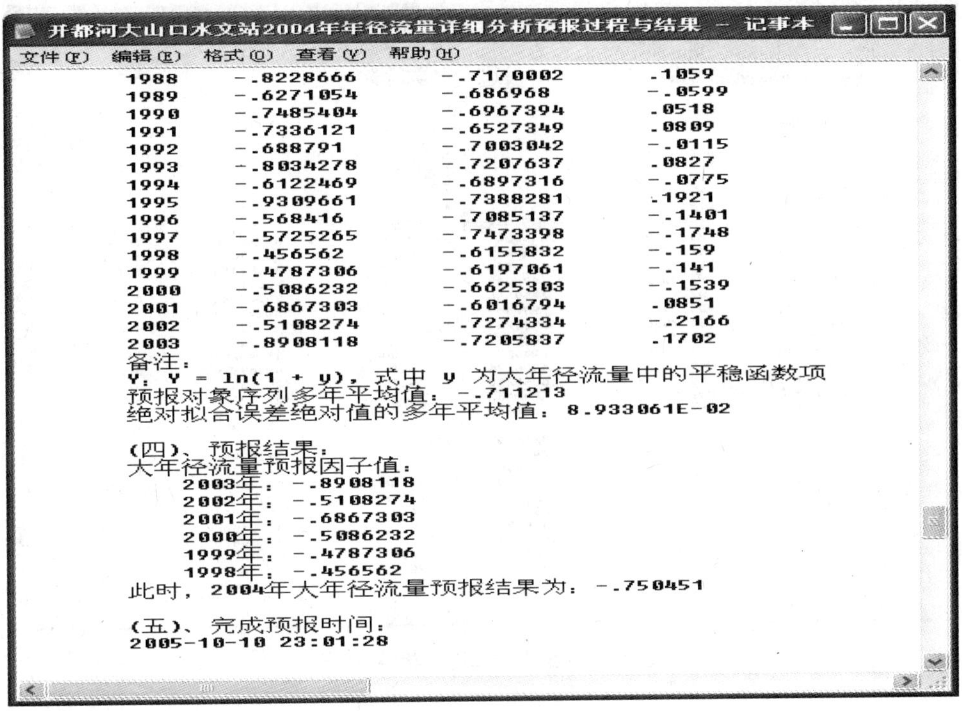

图 9-36　系统应用模型分析结果(十四)

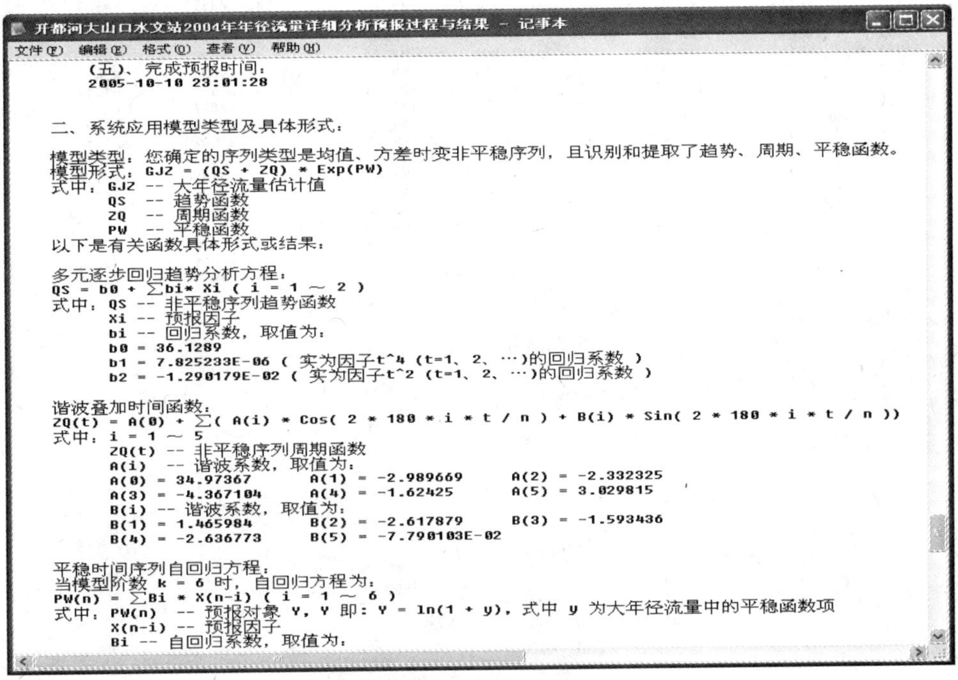

图 9-37　系统应用模型分析结果(十五)

开都河大山口水文站2004年年径流量详细分析预报过程与结果 - 记事本

文件(F)　编辑(E)　格式(O)　查看(V)　帮助(H)

```
        Bi -- 自回归系数，取值为：
        B1 = .2128374        B2 = .2509541        B3 = -.1927496
        B4 = -.0131228       B5 = .0613616        B6 = -.2285018
```

三、资料统计年限：

1955～2003年（ 序列长度 n = 49 ）。

四、相对拟合误差表：

| 年份 | 预报因子-X1值 | 预报因子-X2值 | 预报因子-X3值 | 预报对象Y值 | 估计值 | 相对拟合误差(%) |
|---|---|---|---|---|---|---|
| 1961 | 35.5155 | 29.73521 | -.6451241 | 29.88 | 34.23035 | 14.56 |
| 1962 | 35.33524 | 37.77365 | -.7446848 | 29.66 | 34.71824 | 17.05 |
| 1963 | 35.13519 | 42.18063 | -.7420098 | 35.77 | 36.81108 | 2.91 |
| 1964 | 34.91697 | 44.30325 | -.7893262 | 35.99 | 35.97792 | -.03 |
| 1965 | 34.68235 | 37.12316 | -.7459444 | 31.75 | 34.05636 | 7.26 |
| 1966 | 34.4333 | 33.20792 | -.7817669 | 32.81 | 30.95241 | -5.66 |
| 1967 | 34.17199 | 31.24592 | -.7201242 | 29.26 | 31.83836 | 8.81 |
| 1968 | 33.90076 | 23.70225 | -.672958 | 30.7 | 29.38889 | -4.27 |
| 1969 | 33.62215 | 31.13286 | -.7046289 | 36.36 | 32.00788 | -11.97 |
| 1970 | 33.33887 | 43.26281 | -.6326296 | 38.31 | 40.69028 | 6.21 |
| 1971 | 33.05385 | 36.43411 | -.6650258 | 45.75 | 35.7349 | -21.89 |
| 1972 | 32.77018 | 35.30838 | -.6740462 | 37.73 | 34.69164 | -8.05 |
| 1973 | 32.49114 | 42.62653 | -.5907695 | 35.1 | 41.60775 | 18.54 |
| 1974 | 32.22022 | 34.16438 | -.7586341 | 26.2 | 31.08828 | 18.66 |
| 1975 | 31.96107 | 29.01121 | -.8268813 | 29.47 | 26.66996 | -9.5 |
| 1976 | 31.71754 | 35.73824 | -.747624 | 32.82 | 31.93965 | -2.68 |
| 1977 | 31.49367 | 34.14732 | -.7339594 | 27.92 | 31.50798 | 12.85 |
| 1978 | 31.29369 | 32.10382 | -.7689039 | 30.04 | 29.38607 | -2.18 |
| 1979 | 31.12201 | 34.62179 | -.7549341 | 29.18 | 30.90232 | 5.9 |
| 1980 | 30.98323 | 34.60023 | -.664916 | 36.4 | 33.73067 | -7.33 |
| 1981 | 30.88214 | 38.66098 | -.6986981 | 29.8 | 34.57908 | 16.04 |
| 1982 | 30.82372 | 38.17836 | -.6962335 | 33.7 | 34.39473 | 2.06 |
| 1983 | 30.81313 | 31.83084 | -.7381982 | 28.7 | 29.94221 | 4.33 |
| 1984 | 30.85572 | 37.06869 | -.7007344 | 28.2 | 33.7055 | 19.52 |
| 1985 | 30.95704 | 37.68417 | -.7309033 | 29 | 33.04895 | 13.96 |

图 9-38　系统应用模型分析结果(十六)

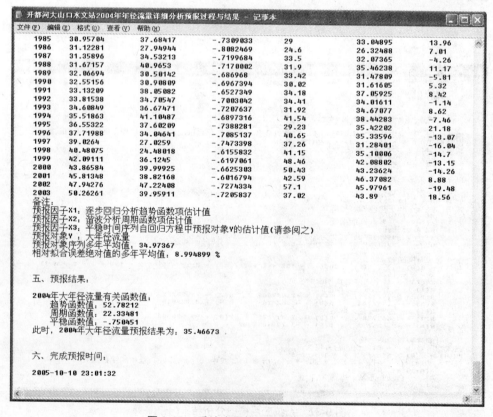

图 9-39　系统应用模型分析结果(十七)

开都河大山口水文站2004年年径流量详细分析预报过程与结果 - 记事本

文件(F)　编辑(E)　格式(O)　查看(V)　帮助(H)

| 1985 | 30.95704 | 37.68417 | -.7309033 | 29 | 33.04895 | 13.96 |
|---|---|---|---|---|---|---|
| 1986 | 31.12281 | 27.94944 | -.8082469 | 24.6 | 26.32488 | 7.01 |
| 1987 | 31.35896 | 34.53213 | -.7199684 | 33.5 | 32.07365 | -4.26 |
| 1988 | 31.67157 | 40.9653 | -.7170002 | 31.9 | 35.46238 | 11.17 |
| 1989 | 32.06694 | 30.50142 | -.686968 | 33.42 | 31.47809 | -5.81 |
| 1990 | 32.55156 | 30.90809 | -.6967394 | 30.02 | 31.61605 | 5.32 |
| 1991 | 33.13209 | 38.05082 | -.6527349 | 34.18 | 37.05925 | 8.42 |
| 1992 | 33.81538 | 34.70547 | -.7003042 | 34.41 | 34.01611 | -1.14 |
| 1993 | 34.60849 | 36.67471 | -.7207637 | 31.92 | 34.67077 | 8.62 |
| 1994 | 35.51863 | 41.10487 | -.6897316 | 41.54 | 38.44283 | -7.46 |
| 1995 | 36.55322 | 37.60209 | -.7388281 | 29.23 | 35.42202 | 21.18 |
| 1996 | 37.71988 | 34.04641 | -.7085137 | 40.65 | 35.33596 | -13.07 |
| 1997 | 39.0264 | 27.0259 | -.7473398 | 37.26 | 31.28401 | -16.04 |
| 1998 | 40.48075 | 24.48018 | -.6155832 | 41.15 | 35.10006 | -14.7 |
| 1999 | 42.09111 | 36.1245 | -.6197061 | 48.46 | 42.08802 | -13.15 |
| 2000 | 43.86584 | 39.99925 | -.6625303 | 50.43 | 43.23624 | -14.26 |
| 2001 | 45.81348 | 38.82168 | -.6016794 | 42.59 | 46.37082 | 8.88 |
| 2002 | 47.94276 | 47.22408 | -.7274334 | 57.1 | 45.97961 | -19.48 |
| 2003 | 50.26261 | 39.95911 | -.7205837 | 37.02 | 43.89 | 18.56 |

备注：
预报因子X1，逐步回归分析趋势函数项估计值
预报因子X2，谐波分析周期函数项估计值
预报因子X3，平稳时间序列自回归方程中预报对象Y的估计值(请参阅之)
预报对象Y，大年径流量
预报对象序列多年平均值：34.97367
相对拟合误差绝对值的多年平均值：8.994899 %

五、预报结果：

2004年大年径流量有关函数值：
　　趋势函数值：52.78212
　　周期函数值：22.33481
　　平稳函数值：-.750451
此时，2004年大年径流量预报结果为：35.46673 。

六、完成预报时间：

2005-10-10 23:01:32

# 参 考 文 献

［1］ 华东水利学院.水文学的概率统计基础.北京：水利出版社,1981

［2］ 关治,陈景良.数值计算方法.北京：清华大学出版社,1990

［3］ 旦木仁加甫.新疆巴州洪水特点概述.干旱区地理,1991(2)

［4］ 包昌火.情报研究方法论.北京：科学技术文献出版社,1991

［5］ 旦木仁加甫.利用模糊聚类分析法对河川径流进行分型与预报.干旱区水文水资源,1992(1)

［6］ 王俊德.水文统计.北京：水利水电出版社,1993

［7］ 旦木仁加甫.开都河年均流量非平稳序列模型的建立与预报.新疆水利,1995(6)

［8］ 天文地球图书馆,新疆水文水资源局.干旱区水文水资源研究成果汇编.乌鲁木齐：新疆大学出版社, 1996

［9］ 丁晶,刘权授.随机水文学.北京：中国水利水电出版社,1997

［10］ 沈继红,等.数学建模.哈尔滨：哈尔滨工程大学出版社,1998

［11］ 旦木仁加甫.开都河平原洪水六元回归模型的建立与预报.巴州科技,1999(2)

［12］ 范钟秀.中长期水文预报.南京：河海大学出版社,1999

［13］ 中华人民共和国水利部.水文情报预报规范(SL250—2000).北京：中国水利水电出版社,2000

［14］ 林三益.水文预报.北京：中国水利水电出版社,2001

［15］ 王志毅,周刚炎.随机水文学.郑州：黄河水利出版社,2001

［16］ 唐五湘,程桂枝.Excel 在预测中的应用.北京：电子工业出版社,2001

［17］ 余建英,何旭红.数据统计分析与 SPSS 应用.北京：人民邮电出版社，2003

［18］ 旦木仁加甫. 马尔可夫链在年径流量定性预报中的应用.巴州科技,2003(3)

［19］ 何书元.应用时间序列分析.北京：北京大学出版社，2003

［20］ 余锦华,扬维权.多元统计分析与应用.广州：中山大学出版社，2005

［21］ 旦木仁加甫.开都河年径流量逐步回归模型的建立和预报.巴州科技,2005(2)

［22］ 潭浩强,薛淑斌,袁玫.Visual Basic 程序设计.北京：清华大学出版社,2000

［23］ 王栋.Visual Basic 程序设计.北京：清华大学出版社,2000

［24］ 周猛,等.中文 Visual Basic 6.0 应用基础教程.北京：冶金工业出版社,2002

［25］ 孙越.Visual Basic 数据库开发自学教程.北京：人民邮电出版社,2002

［26］ 何光渝.Visual Basic 常用数值算法集.北京：科学出版社,2002

［27］ 旦木仁加甫. 常用中长期水文预报 Visual Basic 6.0 应用程序及实例. 郑州：黄河水利出版社, 2004

［28］ 求是科技.Visual Basic 6.0 程序设计与开发技术大全.北京：人民邮电出版社，2005